Natalie Anthes

Ein Stück Speck für Frau Doktor

Natalie Anthes

Ein Stück Speck
für Frau Doktor

Erlebnisse einer Landärztin

Eugen Salzer-Verlag Heilbronn

Alle geschilderten Erlebnisse – die Rahmenerzählung ausgenommen – beruhen in ihrer Grundsubstanz auf wahren
Begebenheiten. Die äußeren Umstände wurden verändert,
so daß vermeintliche Ähnlichkeiten rein zufällig sind.

Zweite Auflage 1987

© Eugen Salzer-Verlag, Heilbronn 1986
Alle Rechte vorbehalten
Umschlaggestaltung: Werner Fichtner
Titelbild: Joachim H. Swakowski, Düsseldorf
Satz und Druck: Offizin Chr. Scheufele, Stuttgart
Printed in Germany · ISBN 3 7936 0250 8

Seit heute habe ich Gewißheit: Ich werde nie wieder arbeiten können.

Eigentlich weiß ich es schon länger. Schon seit dem Tag, an dem ich aus der Bewußtlosigkeit erwachte, doch habe ich den Gedanken immer wieder von mir geschoben.

Am Anfang war das mit dem Erwachen auch so eine Sache. Ich spürte zuweilen, daß etwas mit mir geschah. Man hob mich in die Höhe, schob mich hierhin, dorthin, drehte mich zur Seite und wieder auf den Rücken zurück. Manchmal empfand ich Schmerz, so, als steche man mich. Wenn es mir dann für den Bruchteil einer Sekunde gelang, die Lider zu heben, sah ich einen Haarschopf im Nebel, eine Brille, Weiß, viel Weiß und einmal einen großen Kasten, der auf mich zukam und mich fast erschreckte. Doch die Augen fielen mir wieder zu, bevor sich die Bilder formten, ehe ein Gedanke daraus entstehen konnte. »Sie schwebt zwischen Leben und Tod«, so lautet wohl die Bezeichnung für derartige Zustände.

Es muß an einem frühen Morgen gewesen sein, als ich mich zum ersten Mal wunderte. Eine unbekannte Stimme sagte freundlich »guten Morgen«.

Wieder versuchte ich die Lider zu heben, wieder gelang es nur für den Bruchteil einer Sekunde.

»Können Sie das Thermometer halten?« fragte die Stimme dicht über mir. Da gingen meine Augen plötzlich auf. Verständnislos sah ich in ein Gesicht, das ich nicht kannte. Es war jung wie die Stimme, blaß im schwachen Licht des beginnenden Tages. Es hob sich kaum von der weißen Haube ab, die es umrahmte.

»Wie bitte?«

Das Gesicht lächelte. Die Zähne waren heller als der neue Tag.

»Heute können Sie vielleicht das Thermometer halten?«

Da wurde schon die Bettdecke zurückgeschoben, ein kleines Stück nur, eine Hand faßte meinen Arm, dann schob sich das kühle Glas des Thermometers unter meine Achsel.

»Versuchen Sie es zu halten. Ich komme bald wieder.«

Ich wollte fragen, was das zu bedeuten habe, aber ich glaube, ich habe es nicht getan, zumindest kann ich mich nicht daran erinnern. Ob ich meinen Arm still gehalten habe, weiß ich auch nicht, ich habe nicht einmal gemerkt, wann die Schwester zurückgekommen ist.

Ich erwachte erst wieder an einer unangenehmen Kühle. Fast gleichzeitig hoben kräftige Arme mich empor. Bis zum Himmel, so schien es mir, doch als ich die Augen öffnete, waren es bloß ein paar Zentimeter, die mich ein großer Mann in weißem Mantel über dem Bett hielt, während zwei Schwestern ein Laken unter meinem Rücken durchzogen. In diesem Augenblick wurde ich zum ersten Mal richtig wach.

»Was ist geschehen?« fragte ich und erschrak über meine eigene Stimme.

Der Mann ließ mich auf das weiße Laken nieder, sachte, als trage er Porzellan oder ein kleines Kind. Er lächelte unter seinem Schnurrbart hervor, wirkte trotz seiner Größe selbst wie ein Kind.

»Was soll das bedeuten?« fragte ich. Auch die Schwestern lächelten, ein Einheitslächeln, schüttelten die Decken in dem weißen Überzug, legten sie mit sanftem Schwung über meinen Körper.

»Sie hatten einen Unfall«, sagte die Ältere, »deshalb sind Sie bei uns im Krankenhaus gelandet.« Dann lachte sie, als sei das eher komisch, zumindest aber eine ganz harmlose Sache.

Die Schwestern wischten wohl noch meinen Nachttisch ab oder hantierten sonstwie umher. Genaues weiß ich nicht, denn meine Lider wurden schon wieder schwer und auch mein Hirn versagte mir den Dienst.

Irgendwann wurde die Tür mit Schwung geöffnet. Visite. An meinem Erschrecken merkte ich, daß ich wieder geschlafen hatte. Fast hätte ich den Professor nicht erkannt, denn er hatte sich einen Bart wachsen lassen. Natürlich, weshalb auch nicht? Heute muß ich zugeben, daß er ihm nicht einmal schlecht steht. Neulich aber, als er so unvermutet vor mir stand, fand ich ihn alles andere als schön. Ich mag Bärte nicht. Sie verbergen das Gesicht, man kann nichts aus den Mienen lesen, kann den Menschen nicht erkennen, seinen Charakter, meine ich. Natürlich ging es mir bei Professor Klings nicht so. Ich kenne ihn seit vielen Jahren, habe gewissermaßen seinen Aufstieg miterlebt. An jenem Tag war ich richtig froh, als ich ihn hinter seinem Bart entdeckte.

Er lächelte, als er meine geöffneten Augen sah.

»Aufgewacht? Hurra, endlich können wir uns einmal begrüßen!«

Es lag Erleichterung in seiner Stimme. Aber es klang noch etwas mit, das ich nicht erklären konnte, zumindest damals nicht. Er nahm meine Hand und drückte sie sacht. An seinem Druck spürte ich, wie schwach meine Hand dagegen war. Sogleich wollte die Müdigkeit wiederkommen, doch ich wehrte mich gegen sie.

Die Schwester schob die Bettdecke zur Seite, sie hatte wohl schon den Reflexhammer in des Professors Hand gesehen. Gespannte Stille herrschte im Zimmer, als er meine Knie beklopfte, aber ich dachte mir in diesem Moment nichts dabei.

»Was ist mit meinen Beinen?« fragte ich eigentlich mehr, um überhaupt etwas zu sagen.

Da blitzte neben der Erleichterung wieder das andere auf, diesmal nicht in seiner Stimme, mehr in den Augen. Doch dann auch in seiner Stimme.

»Lassen Sie das Denken, Sie sind noch zu schwach. Wir wollen froh sein, daß Sie aus der Bewußtlosigkeit erwacht sind. Zunächst brauchen Sie viel Ruhe.«

Ich hätte gerne etwas erwidert, aber meine Kraft war erschöpft. Wohl hörte ich, daß er noch sprach, vielleicht zu mir, vielleicht zur Schwester oder auch zu dem Arzt, der ihn begleitete. Die Lider fielen mir zu, ehe ich ein Wort verstanden hatte.

Jemand faßte meinen Arm, schüttelte ein wenig. Als ich die Augen öffnete, war da kein Professor mehr. Ein junges Mädchen in weißer Schürze hielt mir eine Tasse hin.

»Wollen Sie einen Schluck trinken? Jetzt, solange sie noch warm ist? Probieren Sie, es ist eine gute Suppe.«

Sie war wirklich gut, eine Einlaufsuppe, die ich gerne mag. Als die Wärme durch meine Kehle rann, überkam mich ein wohliges Gefühl. Es wanderte weiter, bis zum Magen spürte ich es. Dennoch habe ich nur zweimal geschluckt oder höchstens dreimal, denn eben dieses wohlige Gefühl lullte mich wieder ein. Ich habe das junge Mädchen nicht mehr fortgehen gehört.

Das nächste Mal war es die Stimme meines Mannes, die mich weckte. Er hatte wohl schon von der Schwester erfahren, daß ich nicht mehr bewußtlos war, denn er rief mich bei meinem Namen.

»Anita, Liebes!« Leise zuerst und noch einmal lauter: »Anita, ich bin es!«

Ich spürte, wie meine Kehle eng wurde. Ich tastete nach seiner Hand und hielt die Augen geschlossen, aus Angst, sie könnten sich mit Tränen füllen. Eine furchtbare Angst war plötzlich in mir aufgestiegen, ohne daß ich hätte sagen können, weshalb.

Seine Hand umschloß die meine. Seine große, starke, warme Hand. Sie machte alles ein bißchen leichter, dennoch...

»Gott sei Dank, daß du wieder bei uns bist! Wenn du nur da bist, weißt du, alles andere zählt nicht.«

Was meinte er mit »alles andere«? Aber ich hatte nicht die

Kraft, darüber nachzudenken, ich brauchte sie, um endlich die Augen zu öffnen und ihn anzusehen.

Seine Augen waren warm und stark wie seine Hände und seine Stimme. Die Stärke ging auf mich über, machte mich ruhiger, gefaßter.

»Wie konnte das geschehen?«

»Solche Dinge geschehen furchtbar schnell. Ein Wagen ist in dich hineingefahren.«

»Wie...?«

»Ich meine, Liebes, wir sollten später darüber sprechen, wenn du mehr Kraft hast. Hast du heute schon etwas gegessen?«

Ein Lächeln überkam mich. Ob mein Gesicht auch lächelte? Mein Inneres zumindest tat es. Diese Laien! Ihre erste Frage gilt immer dem Essen. Ein Mensch, der ißt, ist in ihren Augen so gut wie gerettet. Wie oft habe ich darüber gespöttelt und wie oft hat er es gehört! Er hat es sogar selbst einmal zu Freunden gesagt, hat dabei, ohne es zu bemerken, meinen ironischen Ton imitiert. Und jetzt, was ist seine erste Frage: Ob ich auch gegessen habe!

»Ja«, beruhige ich ihn. In diesem Augenblick kam wieder die Angst, die ich mir nicht erklären konnte. »Was ist mit meinen Beinen?«

»Das alles später, Liebes. Zunächst mußt du Ruhe haben. Vielleicht geht es morgen schon besser. Ich habe Bücher auf deinen Nachttisch gelegt. ›Meine Frau ist eine Leseratte‹, habe ich zur Stationsschwester gesagt, ›Sie werden sehen, ehe sie essen kann, hat sie das erste Buch ausgelesen‹.«

Ich wollte ihm eine Freude machen und lächeln, aber ich weiß nicht, ob es mir gelungen ist. Die Müdigkeit hielt mich wie ein mächtiges Tier in seinen Fängen.

Am nächsten Tag die gleiche Reihenfolge: Messen, Betten, Visite. Allmählich gelang es mir, meine Umgebung zu erfassen. Viel war da nicht: Ein über meinem Kopf schwebendes Gestänge, das moderne Krankenhausbetten als solche kennzeichnet. Ein Tisch mit einer blassen Decke mit Blümchenrand. Ein Stuhl. Nein, zwei Stühle. Das war alles.

Die Helle tat mir weh. Dennoch suchten meine Augen das Fenster. In mir war ein Sehnen nach Licht. Ich blinzelte in die Sonne, die milchig durch die weißen Stores ins Zimmer drang und die Gardinen an den Seiten fast schwarz tönte, obgleich sie in Wirklichkeit blau waren. Kaum aber hatte ich zu überlegen versucht, befiel mich erneut die Müdigkeit, sank ich schon wieder in jenen bleiernen Schlaf, der lähmt, ohne zu erfrischen.

Dann, eines Morgens, war ich wach, richtig wach. Wie sagt man dazu? Dem Leben wiedergegeben! Ja, genau so.

Als erstes entdeckte ich einen Spatz. Zumindest glaubte ich, daß es ein Spatz war, ich sah nämlich nur den Kopf. Er hatte sich wohl hochgereckt und schaute neugierig durchs Fenster herein. Hin und her bewegte sich das kleine Köpfchen, aus seinem graubraunen Gefieder guckten zwei aufmerksame Augen ohne eine Spur von Scheu.

Ich überlegte, was er wohl getan hätte, wäre das Fenster offen gewesen. Ins Zimmer wäre er wohl nicht gekommen, obgleich das bei Spatzen gar nicht so ausgeschlossen ist. Ich erinnere mich noch gut an meine Sprachlosigkeit, als ich vor Jahren meine Arbeit auf der Tuberkulosestation begann und zum ersten Mal den großen Saal betrat. Damals gab es noch Säle mit zehn und mehr Betten. Da hopsten doch die Spatzen auf dem Fußboden herum, als wären sie dort zu Hause. Einer hüpfte gerade auf mich zu, und ich weiß nicht, ob er vor mir erschrak oder vor meinem Erschrecken, jedenfalls flüchtete er schnell seitlich unter das nächste Bett. Ans Fortfliegen dachte er gar nicht. Dafür lagen wohl zu viele Brotkrumen auf den Dielen. Die Patienten lächelten über mein dummes Gesicht.

»Das sind unsere Gäste. Bei uns werden sie alle satt. «

»Haben Sie sie hereingelockt? « Etwas Gescheiteres fiel mir im Augenblick nicht ein.

»Die kommen ganz von selbst.« Aber woher wollte er das wissen? Er war sicher nicht der erste, der die Spatzen am Bettrand fütterte, und sein Vorgänger hatte auch schon einen Vorgänger gehabt.

Später fragte ich die Schwester. Die nickte nur, so sei es eben, sei es immer gewesen.

Mein kleiner einziger Spatz konnte nicht hereinkommen, denn das Fenster war geschlossen. Er fand meinen Anblick wohl langweilig und flog bald davon.

Ich blieb mit meinen Gedanken allein.

Sie landeten sofort bei meinen Beinen. Ich versuchte, einen Oberschenkel anzuziehen, das Knie zu krümmen. Es ging nicht. Auch das andere Knie gehorchte mir nicht. In meiner Brust wurde es heiß, mein Atem ging schneller. Ich versuchte, den Fuß hochzuziehen, die Zehen zu bewegen, doch ich spürte nicht einmal, ob sie meinen Befehlen nachkamen. Krampfhaft bemühte ich mich, mit dem Oberkörper hochzukommen, doch reichte meine Kraft dazu nicht aus.

Was hatte das zu bedeuten? Um Gottes willen, was? Sollte ich läuten? Nach wem? Wer würde mir Auskunft geben? Der Professor? Er war schon mehrmals hier gewesen, hatte nach meinem Ergehen gefragt, aber von meinen Beinen nie etwas gesagt. Hatten sich denn alle darauf verschworen, mit mir nur über die nötige Ruhe zu sprechen?

Wie lange ging es überhaupt schon? Hatten sie Untersuchungen vorgenommen, solange ich bewußtlos war? Jetzt geschah nichts mehr. Wohl nahm der Professor seinen Reflexhammer, beklopfte meine Kniescheiben, nickte freundlich, doch ohne jegliche Erwartung. Wie hätte ich seine Gedanken lesen können? Sein Vollbart verdeckte das halbe Gesicht, nur die Nase stach daraus hervor und darüber schwebten die Augen wie kleine Lichter.

So durfte es nicht weitergehen! Ich habe all meine Kraft zusammengenommen und scharf nachgedacht. Und dann ist mir *der* Einfall gekommen.

»Guten Morgen, Herr Professor!« Ich habe es bei der Visite leichthin gesagt, fast oberflächlich. »Was soll nun eigentlich mit mir geschehen? Ich kann doch nicht für den Rest meines Lebens hier liegen?«

Er schien erleichtert über die Art, in der ich das Thema anschnitt. Bereitwillig ging er darauf ein.

»Ich denke, Sie sollten sich erst ein paar Wochen in einem guten Sanatorium erholen, ehe Sie nach Hause gehen.«

»*Gehen?*« Ich fragte es freundlich, betont.

Er erschrak, wurde verlegen, murmelte: »Entschuldigen Sie!« Diesmal verabschiedete er sich ziemlich rasch.

Jetzt kann ich den Gedanken nicht mehr verdrängen, jetzt weiß ich, daß ich für den Rest meines Lebens ein Krüppel bin.

Das Zimmer, in dem ich liege, ist noch das gleiche. Das Mädchen, das mir die Suppe bringt, auch, nur sagt es zur Abwechslung: »Es ist eine Gemüsesuppe.« Es wundert sich, daß ich ablehne. Die Putzfrau gleitet mit ihrem feuchten Mop über den Fußboden, ohne die Ecken sonderlich zu beachten. Alles geht weiter.

Auch draußen in der Welt geht alles weiter. Nur bei mir geht nichts mehr. Ich versuche noch einmal, das Knie zu krümmen, das Bein anzuziehen, mit aller Energie, mit all meiner Kraft. Ich hatte immer so viel Energie! Ich höre mich keuchen vor Anstrengung, mein Herz klopft zum Zerspringen, ich fühle den Schweiß meine Hände nässen, schließlich meinen Hals, meinen ganzen Körper und das Nachthemd. Dann gebe ich auf.

Mit geschlossenen Augen liege ich da. Gedanken jagen durch meinen Kopf, bis mir schwindelt. Welcher Einfall sollte mir kommen? Was könnte einen Querschnittgelähmten von seinem Schicksal erlösen?

Querschnittgelähmt! Man lebt und ist zur Hälfte doch tot. Da aber merkt man erst, daß ohne die eine Hälfte auch die andere nicht lebt. Da ist nichts mehr als Qual, Verzweiflung. Wie

Berge stehen sie vor mir, rauben mir den Schlaf, lassen die wachen Sekunden schleichen. Ist da niemand, mit dem ich reden kann? Der mich vielleicht doch aufweckt, mir sagt, daß das alles ja gar nicht stimmt, daß es ein Traum ist, ein Phantasiegebilde meines pessimistischen Hirns? Die Einsamkeit in einem Krankenhaus ist schrecklich, außer zum Essen und zur Visite läßt sich keiner blicken, keiner merkt es, wenn man – ja, wenn man was?

Plötzlich wird es still in mir. Kein Glücksgefühl dauert endlos und keine Begeisterung, ebensowenig Verzweiflung.

Zu meiner eigenen Verwunderung gelingt es mir zu denken.

Wie lebt ein Querschnittgelähmter? Im Rollstuhl natürlich.

Wie spielt sich ein Leben im Rollstuhl ab?

Wie verbringt zum Beispiel die kleine Frau Möllers ihren Tag?

Sie ist zwar nicht querschnittgelähmt, aber lahm nach einem Schlaganfall. Nun besuche ich sie schon seit mehr als drei Jahren, sage »guten Tag« und »wie geht's«, messe den Blutdruck, schreibe Rezepte. Aber was weiß ich von ihrem Leben? Nichts.

Sie ist sehr lieb, aber etwas einfältig. Sie hätte sich dieses Schicksal wahrhaftig ersparen können. Früher kam sie in meine Sprechstunde, aber leider viel zu selten. Wie oft habe ich zu ihr gesagt: »Frau Möllers, Sie müssen regelmäßig zur Kontrolle kommen! Wenn ich Sie in zehn Tagen nicht wiedersehe, weiß ich nicht einmal, ob die Tabletten Ihren Blutdruck senken oder nicht.« Dann sah sie mich an, als wollte sie um Verzeihung bitten, und ich konnte ihr nicht böse sein.

»Wann muß ich wiederkommen?«

»Nächste Woche Mittwoch.«

Aber sie kam nicht. Das Medikament reichte für vierzehn Tage. Nach vier Monaten sah ich sie wieder. Der Blutdruck war zu hoch.

»Sie werden eines Tages einen Schlaganfall bekommen. Oder einen Herzinfarkt.«

»Um Gottes willen, Frau Doktor!« Sie versprach zu kommen. Und kam nicht.

Eines Tages war es dann soweit. Die Beine waren gelähmt, auch der rechte Arm. Nun sitzt sie in ihrem Stuhl, und ihr Mann fährt sie geduldig hierhin und dorthin. Sie ist erst 62 Jahre alt.

Seitdem ist es an mir gewesen, sie zu besuchen, alle vierzehn Tage, und wir haben den Blutdruck schön im Bereich der Norm gehalten.

»Wären Sie früher so oft zu mir gekommen, wie ich jetzt zu Ihnen komme, brauchten Sie nicht im Rollstuhl zu sitzen.« Einmal habe ich es ihr gesagt, als ich mich ärgerte, weil sie fand, daß meine drei Wochen Urlaub furchtbar lang seien. Sie hat mir nicht geantwortet. Vielleicht hat sie mich nicht einmal verstanden.

Möglicherweise ist sie gar nicht so einfältig. Wir Ärzte neigen dazu, Menschen für dumm oder zumindest für unvernünftig zu halten, wenn sie nicht fähig sind, unser medizinisches Denken nachzuvollziehen, unsere Schlußfolgerungen zu verstehen. Vielleicht ist das unser Fehler, nicht der ihre. Wie immer es sein mag, die kleine Frau Möllers und ich, wir sind jetzt Leidensgenossen.

Nein, es ist nicht faßbar! Ich, die ich über die Treppen stob, daß meine Patienten lachten und sagten: »Die Frau Doktor springt wie ein junges Mädchen.« Sie sagten auch: »Sperrt eure Hühner ein, dort kommt das Auto der Frau Doktor!« Das war allerdings übertrieben, am Steuer bin ich immer vernünftig gewesen. Wie hatte mir ein Patient zum Trost gesagt? »Wenn Sie es allen recht machen wollen, müssen Sie Ihren Wagen schieben.«

Einmal bin ich wahrhaftig außer Atem gekommen, und noch heute überfällt mich ein Frösteln, wenn ich daran denke. Das war, als die kleine Lilli ihren schwersten Asthmaanfall hatte. Am liebsten möchte ich das Erlebnis aus meinem Gedächtnis streichen, aber ich werde den Tag wohl nie vergessen können – oder richtiger die Nacht.

Es war morgens gegen zwei Uhr gewesen. Ich konnte die Mutter am Telefon kaum verstehen. Sie schrie nur immer:

»Sie stirbt, Frau Doktor! Sie stirbt!«

Die Leute wohnen im dritten Stock. Als ich die Haustür öffnete, hörte ich grelle Laute in kurzen Abständen, ein Mittelding zwischen Schreien und Pfeifen. Da habe ich wie in jungen Jahren zwei Treppen auf einmal genommen. Im zweiten Stock hatte ich schon keinen Atem mehr. Als ich oben war, tanzten schwarze Punkte vor meinen Augen, und mein Kopf hämmerte, als säße dort ein zweites Herz.

Das Mädchen war bewußtlos. Gott sei Dank! So etwas bei vollem Bewußtsein zu erleben – das wäre unmenschlich gewesen. Der ganze Körper krampfte, bäumte sich auf und wand sich im verzweifelten Kampf um das bißchen Luft, und bei jedem Ausatmen durchschnitt dieser furchtbare Ton den Raum.

Ich hatte Mühe, die Ampulle zu öffnen, meine Hände waren zittrig. Das Cortison mußte in die Vene gespritzt werden, damit es schnell wirkte. Die Eltern hielten das Mädchen, damit der Arm ruhig lag, aber sie zitterten selbst.

Die Spritze wirkte nicht sofort, auch Cortison braucht seine Zeit. Ich spritzte gleich noch ein anderes Mittel in den Muskel. In einer solchen Lage kann man nicht zuviel tun.

Endlich ließ das schauerliche Kreischen nach. Aber es bedurfte noch etlicher Injektionen, bis der Anfall vorüber war und das Mädchen, kaum aus der Bewußtlosigkeit erwacht, erschöpft wieder einschlief.

»So schlimm war es noch nie«, stöhnte die Mutter. Ich glaubte ihr. Ich war seit fünfundzwanzig Jahren Ärztin und hatte nichts dergleichen gesehen.

»Es begann, während sie schlief. Wir hörten sie plötzlich schreien: ›Hilfe, Luft!‹ Als ich in ihr Zimmer kam, war es schon so...« Der Vater konnte nicht weitersprechen. »Gott sei

Dank, daß Sie zu Hause waren. Ich habe immer Angst, es kommt einmal ein Anfall, wenn Sie nicht zu erreichen sind. «

Jetzt bin ich nicht mehr zu erreichen.

Ich werde meinem Nachfolger sagen müssen, daß es eilt, wenn diese Leute rufen.

Ob ich einen Nachfolger haben werde? Das Dorf ist nicht groß. Welcher Arzt geht schon aufs Land? Besonders wenn er Kinder hat, die ein Gymnasium besuchen sollen? Wenn er Theater und Konzerte liebt? Sobald er richtig in der Arbeit steckt, hat er keine Zeit mehr fürs Theater. Aber der Gedanke, daß er gehen könnte, wenn er wollte, der Gedanke ist wichtig, ohne ihn können viele Menschen nicht leben.

Ob ich ihm auch von der alten Frau Metzger erzählen soll? Sie ihm ein bißchen ans Herz legen? Ihr Mann hat nicht das geringste Verständnis für sie, weicht aus, wo er kann, geht in den Kegelklub, in den Gesangverein, und dann sitzt sie alleine und gerät ins Grübeln. Die Nachbarn machen es genauso, haben Ausreden, wenn sie kommt, müssen schnell in den Laden oder aufs Feld oder öffnen erst gar nicht die Tür. Freilich ist sie schwer zu ertragen. Die dauernde Jammerei geht jedem auf die Nerven. Und immer wieder das gleiche, zehnmal, zwanzigmal am Tag. Seit ich sie kenne, ist es so, mal ein bißchen besser, dann wieder schlechter. Dabei soll sie früher so fröhlich gewesen sein. Erst als die Kinder aus dem Haus gingen, ist sie in die Depression hineingeschlittert. Ich habe sie zu verschiedenen Fachärzten geschickt. Aber was nützen die besten Ärzte, die teuersten Medikamente, wenn sie sie nach eigenem Gutdünken wieder absetzt? Kaum geht es ihr besser, will sie nichts mehr davon wissen. Kommt dann die nächste Phase, ist die Enttäuschung groß. Dann sitzt sie stundenlang vor mir, heult mir was vor, und die anderen im Wartezimmer verzweifeln fast. Manche kamen schon gar nicht, wenn sie sahen, daß Frau Metzger im Sonntagsstaat aus dem Haus ging und die Richtung zu meiner Praxis einschlug. Ich habe ja nie die Geduld verloren, habe sie oftmals beruhigen können, aber leicht war es nicht.

Den Krüger-Bauer darf ich nicht vergessen! Man muß ihm am rechten Arm den Blutdruck messen. Wie lange habe ich gebraucht, um das zu entdecken!

Als er zum ersten Mal kam, klagte er über Stechen in der linken Brust. Ich habe ihn untersucht und nichts gefunden. Beim Blutdruckmessen bin ich dann erschrocken, denn er war nur neunzig zu fünfundsechzig. Das war sehr niedrig bei einem fast sechzigjährigen Mann. Ich hatte damals noch keinen EKG-Apparat, deshalb schickte ich ihn zum Internisten zur fachärztlichen Abklärung. Der rief mich gleich an und beschwor mich, den niederen Blutdruck zu behandeln, der Mann müsse sich ja hundeelend fühlen.

»Haben Sie sonst nichts gefunden?«

»Nein. EKG, Röntgen, Blutbild, alles in Ordnung. Nur eben der Blutdruck.«

Natürlich, das wußte ich auch. Bei so niedrigem Druck erhielten die Herzkranzgefäße zu wenig Blut. Daher die Schmerzen: Der Herzmuskel verlangt sein Blut, wenn er arbeiten soll!

Alles schien klar. Ich gab ihm ein Mittel zur Blutdrucksteigerung und bestellte ihn für die nächste Woche wieder.

Er kam. Die Schmerzen hatten sich nicht gebessert, im Gegenteil, jetzt kamen sie auch nachts. Ich kontrollierte den Blutdruck. Er war neunzig zu fünfundsechzig, hatte sich also nicht geändert. Ich versuchte andere Medikamente. Ohne Erfolg. Ich erhöhte die Dosis – keine Änderung. Woche für Woche das gleiche Bild. Ich wußte keinen Rat mehr.

Bis mir der Gedanke kam.

»Machen Sie den rechten Arm frei, wir wollen einmal dort messen.«

Er sieht mich erstaunt an, krempelt den Ärmel hoch. Ich lege die Manschette an, setze das Stethoskop in die Ellenbeuge. Dann beginne ich zu pumpen.

Ich höre schon die Schläge, hart wie Paukentöne. Kein Vergleich mit dem weichen, kaum hörbaren Puls auf der anderen Seite. Ich pumpe und pumpe, bei zweihundertachtzig höre ich auf, denn jetzt ist nichts mehr zu hören. Langsam lasse ich die Luft entweichen. Da, bei zweihundertvierzig der erste Ton! Dann weiter, ganz regelmäßig, harte Schläge wie stets bei Hypertonikern. Bei hundertfünf verstummen sie. Ich messe den Blutdruck mehrmals, er bleibt in dieser Höhe. Nun zum Vergleich den linken Arm. Dort ist er wie üblich neunzig zu fünfundsechzig.

»Sie waren doch vor kurzem beim Internisten. Können Sie sich erinnern, an welchem Arm er Ihren Blutdruck gemessen hat?«

Der Bauer denkt nach, meint dann:

»Ich glaube, es war hier«, und deutet auf seinen linken Arm.

Jetzt war das Rätsel gelöst. Der niedere Druck am linken Arm mußte durch eine Gefäßverengung bedingt sein und hatte sowohl den Internisten als auch mich getäuscht. Die Herzschmerzen aber waren eine Folge des viel zu hohen Druckes, der nicht nur im rechten Arm, sondern im ganzen Körper herrschte und das Herz belastete.

»Sie dürfen Ihre Tabletten nicht weiternehmen. Ich schreibe Ihnen andere auf. So, von diesen neuen nehmen Sie morgens und abends eine, und übermorgen kommen Sie wieder. «

Diesmal hatten wir Erfolg. Der Blutdruck sank, die Herzschmerzen ließen nach. Seitdem kam er regelmäßig zur Kontrolle.

Ich muß ihm unbedingt erklären, daß er bei einem neuen Arzt den Blutdruck stets am rechten Arm messen läßt, sonst wird er am Ende wieder falsch eingeschätzt.

Ich war so sehr in meine Gedanken versponnen, daß ich gar nicht gemerkt habe, wie es dunkel geworden ist. Das Klopfen an der Tür hat mich aufgeschreckt. Das Licht geht an, es schmerzt in meinen Augen.

»Hast du geschlafen?« Es ist die Stimme meines Mannes.

»Nicht ganz – nur so beinahe...« Ich weiß nicht recht, was ich sagen soll.

Allmählich gewöhnen sich meine Augen an die Helle. Ich sehe ein Bücherpaket unter seinem Arm. Er legt es auf den Tisch.

»Hast du schon gelesen?«

»Noch nicht. Es geht noch nicht.«

»Natürlich nicht.«

»Weißt du, das alles ermüdet mich zu sehr.«

»Das ist verständlich.«

»Und dann – ich muß jetzt langsam tun, muß ein bißchen sparen. Sonst geht mir die Lektüre aus, wenn ich noch lange lebe – *so* lebe.«

Er sieht mich an, unsicher, überlegt, dann verstcht er, daß ich weiß...

Er bleibt an diesem Abend lange bei mir, obwohl er bestimmt müde ist. Ich möchte mich so gerne dankbar zeigen, aber ich kann immer nur wcincn.

Am nächsten Abend hat er einen Einfall.

»Magst du nicht schreiben?«

»Schreiben?«

»Na ja, du hast doch so vieles erlebt.«

»Wen interessieren meine Erlebnisse?«

»Deine Kinder. Vielleicht deine Enkel.«

»Verrückte Idee!«

»Findest du?«

»Und was, meinst du, soll ich schreiben?«

»Erlebnisse aus deiner Jugendzeit. Oder aus deiner ärztlichen Arbeit, wenn das andere schon zu weit zurückliegt. Erlebnisse aus der Praxis, die dich beeindruckt haben. Hast du nie das Gefühl gehabt, du müßtest dies oder jenes allen Menschen erzählen, weil es dich so sehr bewegte?«

Ich habe nicht mehr viel geantwortet, doch als er gegangen war, lag ich mit offenen Augen da. Ahntest du, Lieber, welche

Saite du in meinem Innern bewegt hast? Oder weißt du etwa? Hast du meinen Schreibtisch geöffnet? Hast in der untersten Schublade im hintersten Winkel das Heft entdeckt? Es ist ziemlich dick und längst nicht vollgeschrieben, vergilbt und brüchig, denn es war Kriegsware. Hast du die Schrift der engen Zeilen erkannt? Sie war noch nicht so ausgefeilt, fast unleserlich wie heute. Ich war ja auch erst siebzehn. Ja, damals habe ich geschrieben! Ich fand es nicht verrückt. Es war kein Tagebuch. Ich mag Tagebücher nicht. »Eitle Menschen schreiben sie«, pflegte ich zu sagen. Nein, es waren Erlebnisse, wie du es sagtest, Dinge, die mich bewegten, nicht immer große, nicht immer meine eigenen, doch stets solche, die mich beeindruckten, mich staunen machten, die mich entsetzten oder erschütterten. Sie haben mich geprägt, diese Ereignisse, haben mir meine Form gegeben. Es war, als gehörten sie zur Bahn, die das Schicksal mir zugedacht hatte. Meine Räder und ihre Spur waren eins, und Gott hatte mich darin zum Laufen gebracht.

Ich durchforschte mein Gedächtnis ein paar Jahre lang. Das war nicht schwer, denn das meiste drängte sich von selbst nach vorne.

Dann hörte ich plötzlich auf. Mitten in der Nachkriegszeit mit all ihrer Ungewißheit überkam mich eine unerklärliche Scheu. Ich wollte das Heft vernichten und vermochte es doch nicht. So kommt es, daß es mich begleitet hat bis heute, ganz im geheimen, im hintersten Winkel meiner Lade. Es ist mein einziges Geheimnis. Nimm es mir nicht, denn du tätest mir weh! Vielleicht werde ich es eines Tages selbst in deine Hände legen und dich bitten: »Lächle nicht darüber, denn mein Herz pocht darin.«

Ich soll schreiben, sagst du. Der Gedanke schleicht sich in meine Nacht hinein. Ein Bild blitzt auf und noch eines. Sie folgen einander wie die Patienten in der Sprechstunde. Dinge und Fragen, die mich oft beschäftigt haben und andere, an die ich keinen Gedanken mehr verschwendet habe, von denen ich nicht einmal wußte, daß sie noch in meinem Gedächtnis haften. Wie ich meinen Mann kenne, wird er mir morgen Papier bringen.

Ich will von meiner Praxis schreiben. Von Menschen, die sich mir anvertrauten, die ich enttäuschte und deren Dank mich glücklich machte. Von Kämpfen, die ich gewann und solchen, die ich verlor. Ich will versuchen, ehrlich zu sein, und das ist, glaube ich, das schwerste.

Als erstes sollte ich schildern, wie ich zu dem Entschluß kam, Medizin zu studieren. Aber hier muß ich bereits passen. So sehr ich mich auch bemühe, in meinem Gedächtnis forsche, es will mir nicht einfallen. Ich weiß, ich habe schon früh die Entscheidung getroffen, es muß so mit vierzehn gewesen sein, höchstens mit fünfzehn. Meine Mutter gestand mir kurz vor ihrem Tod, sie habe mir den Wunsch eingegeben, denn sie habe stets gehofft, daß ich Ärztin würde. Vielleicht sprach sie so oft davon, daß ich mich an die Vorstellung gewöhnte. Aber wie das alles geschah, unter welchen Umständen, das ist mir entfallen. Es ist schon merkwürdig, welch unbedeutende Einzelheiten oft im Gedächtnis bleiben, während Ausschlaggebendes sang- und klanglos daraus verschwindet.

Als ich mit dem Studium begann, war Krieg. Vieles war da anders als in normalen Zeiten. So war auch die Vorschrift neu, daß zukünftige Medizinstudentinnen drei Monate in einem Krankenhaus arbeiten mußten, zur Unterstützung des Pflegepersonals, das in solchen Zeiten knapp ist.

Erste Erfahrungen

Als Anita die Treppe emporstieg, klopfte ihr das Herz bis zum Hals. Allein der Geruch im Treppenhaus hatte etwas Erregendes. Er war eine Mischung aus Äther, der bis hierher gedrungen war, und irgendeinem Desinfektionsmittel, dazu die Schmierseife, mit der im untersten Stock eine Frau in Kopftuch und blauweiß gestreifter Schürze die Treppe scheuerte. Von oben kamen rasche Schritte herunter. Ein junger Arzt im offenen, weißen Mantel eilte an Anita vorbei und nahm nicht die geringste Notiz von ihr. Sein Mantel bauschte sich an der Unterkante auf und beschrieb einen Kreis, in den zwei Ärzte hineingepaßt hätten.

Sie stieg hinauf bis zum dritten Stock.

Chirurgische Abteilung stand an der breiten Glastür. Anita öffnete sie. Ein Gang tat sich auf, lang und düster, nur erhellt durch die Glasscheiben im oberen Drittel einiger Türen. Langsam schritt sie an den Türen entlang und las ihre Aufschriften. Gerade hatte sie das Schwesternzimmer gefunden, gerade wollte sie die Klinke herabdrücken, da wurde die Tür von innen geöffnet. Es erschien eine junge Schwester.

»Bitte«, sagte Anita, »ich soll mich bei Schwester Carola melden. «

Die junge Schwester musterte sie.

»Sind Sie das neue Fräulein?« fragte sie und rief, ohne eine Antwort abzuwarten, nach rückwärts: »Schwester Carola, jemand will Sie sprechen!«

Schwester Carola entpuppte sich als nicht mehr junge, ziemlich hagere Gestalt, der man die Arbeit von Jahrzehnten ansah. Zwischen den Längsfurchen der Wangen und den Querfalten der Stirn aber strahlten zwei wasserblaue Augen wie Lampions im abgeernteten Kartoffelfeld.

»Ei so, da sind Sie ja!« Ihre Stimme war ebenso hell und verhieß einen Menschen, der rasch zu denken, zu reden und zu handeln vermochte. »Nun kommen Sie mal herein. Wie ist denn Ihr Vorname? Anita? Gut, Fräulein Anita, dann ziehen Sie mal einen der weißen Mäntel an...«, sie deutete dabei nach hinten zu einem der weißen Schränke und sah auf eine blutjunge Schwester, die sogleich verstand und eilte.

Gehorsam probierte Anita ein paar der Mäntel – es waren wohl ausgediente Ärztemäntel –, bis schließlich einer paßte.

»Um die Haare binden Sie sich so ein weißes Dreieckstuch, so, sehen Sie. Und jetzt, ja, jetzt können Sie gleich mit betten gehen. «

Anita lief hinter der Schwester her. Gemeinsam betraten sie einen Saal, in dem mindestens zwanzig Betten standen. Es war eine Männerstation. Sogleich ertönte der Ruf:

»Ei, haben wir eine neue Schwester bekommen?«

»Nein«, erwiderte Anitas Begleiterin, »nur ein Fräulein. « Sie sagte es nicht unfreundlich, doch sehr betont. Erstaunt sah Anita zu ihr hinüber. Die Schwester lächelte selbstbewußt, sie schien zu fragen: Habe ich unrecht? Sie hat recht, dachte Anita. Sie hat gelernt, hat Prüfungen abgelegt, hat Erfahrung. Das alles habe ich nicht vorzuweisen. Gleichfalls lächelnd nickte sie mit dem Kopf und spürte, alles war ins rechte Lot gerückt.

Sie sah sich im Saal um. Da lagen weißhaarige Männer, ein wenig abgespannt nach irgendeiner Operation. Sie schauten herüber, in ihren Augen stand Hoffnung, vielleicht auf unerwarteten Besuch, auf eine Nachricht, vielleicht eine neue Verordnung des Arztes, auf irgendetwas, das sie selbst nicht hätten benennen können.

Da waren junge Männer, meist mit Verletzungen. Arme lagen in hocherhobenen Schienen, Beine ragten übers Bettende hinaus, an einem durch die Ferse getriebenen Nagel hingen Drahtseile, liefen auf Rollen und trugen Gewichte, um die Knochenteile an den Bruchstellen zu lockern.

Das Betten an sich war eine einfache Sache, wenn man zu

zweit daranging. Dennoch stieg Anita die Röte in die Wangen. Sie spürte, wie sie heiß wurden, und schämte sich entsetzlich. Etwas Unvorhergesehenes hatte sie aus der Fassung gebracht: zum ersten Mal in ihrem Leben sah sie nackte Männer! Nicht ganz nackt, stets mit dem kleinen, kurzen Hemdchen bekleidet, das wenig über den Nabel ging und die Blöße freiließ.

Es erschien ihr selber unwahrscheinlich. Hatte sie wirklich noch nie einen nackten Mann gesehen? Sie durchforschte ihr Gedächtnis. Aber da war nichts. Sie hatte keine Brüder. Ihr Studium hatte noch nicht begonnen. Wäre sie allein gewesen, sie hätte den Kopf geschüttelt, hätte gelacht und »nein, sowas!« gesagt. Hier aber wußte sie nicht, wohin sie schauen sollte. Verstohlen sah sie nach der jungen Schwester. Die hatte keinerlei Probleme, sie redete mit den Leuten, scherzte mit ihnen, erhielt Komplimente, gab sie zurück, alles lachend und ungezwungen. Es scheint lernbar zu sein, tröstete sich Anita.

Dennoch errötete sie noch einmal an diesem ersten Tag. Weshalb mußte auch jener junge Strebel eine so dumme Verletzung haben? Weshalb wurde ausgerechnet sie zu ihm geschickt, in der einen Hand ein Becken mit Kamillentee, in der anderen Mull und eine Pinzette?

Er hatte sich bei einem Unfall die Haut über dem ganzen Hoden abgezogen. Die Sache hatte zu eitern begonnen, wurde nun laufend abgetupft und frisch gebadet, entsprechend den damaligen medizinischen Möglichkeiten.

So stand denn Anita mit hochrotem Kopf und etwas vernebeltem Blick und waltete ihres neugewonnenen Amtes. Der Verdacht stieg in ihr auf, man habe sie bewußt hierher geschickt. Aber bald schon wußte sie, daß das Unsinn war. Im Gegenteil, hätte sie den anderen von ihren Gefühlen gesprochen, sie hätten überhaupt nicht verstanden. Bereits am nächsten Tag war selbst für Anita alles nur noch halb so schwierig.

Ein paar Wochen später hatte sie das gegenteilige Erlebnis: Sie sollte einen jungen Mann baden. Plötzlich spürte sie, daß er sich genierte. Was soll ich ihn quälen? dachte sie, schrubbte ihm den Rücken und sagte: »Das andere können Sie, glaube ich, selbst machen, ja?« Sie spürte seine Erleichterung und war froh, ihn rechtzeitig verstanden zu haben.

Am Freitag war Chefvisite. Wer kennt nicht die Schar weißer Mäntel, die wippenden Schwesternhauben? Würdig schritt der Professor von Bett zu Bett, drückte hier auf einen Narbenrand, prüfte dort das Gewicht an einem Streckverband. Von Zeit zu Zeit verlangte er nach Pinzette und Tupfer. Dann preßte der betroffene Patient die Lippen zusammen, seine Augen folgten dem Instrument, das die Wunde ausrieb oder ausdrückte. Manchmal reichten die zusammengepreßten Lippen nicht aus, dann ging der Kopf in den Nacken zurück, die Augen schlossen sich, man hörte ein Zischen, ein Pfeifen durch die Zähne oder hartes Atmen, das das Stöhnen unterdrücken sollte. Da preßten sich auch Anitas Zähne zusammen, da spürte auch sie den Schmerz. Der Verdacht kam ihr, daß Ärzte im ständigen Umgang mit den Schmerzen der anderen hart und gefühllos werden, und der Gedanke entsetzte sie.

Nach vier Wochen wurde sie in die Ambulanz versetzt. Die jungen Mädchen sollten alles kennenlernen.

Ein Unfall wurde gebracht. Ein junger Mann, auf einer Trage liegend, das rechte Hosenbein zerrissen, von Blut verschmiert. Eine Schwester nahm die Schere, schnitt den restlichen Stoff weg. Eine große Wunde kam zum Vorschein, ein Stück Knochen ragte heraus. Der Mann stöhnte. Seine Frau stand neben ihm, hielt seine Hand und schielte mit verzerrtem Gesicht auf das Bein.

»Wir müssen auf den Arzt warten«, sagte die Schwester und ging fort. Der Mann stöhnte, bettelte um Wasser. Niemand antwortete. Jeder ging an ihm vorbei, als wäre er gar nicht da. »Bitte, Schwester«, sagte die Frau. Die Schwester wehrte ab. »Wir müssen den Arzt abwarten. Sie müssen schon Geduld haben. « Nicht böse, doch auch nicht bedauernd, nur geschäftig, routiniert.

Nein! sagte sich Anita. So kann ich nicht werden. Und ich will es auch nicht. Es muß doch anders gehen, ich glaube daran. Wir werden sehen.

Doch was sie am nächsten Tag sah, war noch schlimmer.

Ein Mann wurde gebracht, nicht mehr jung, in der Fabrik verunglückt. Er war unter eine schwere Maschine geraten. Man brachte ihn bewußtlos ins Krankenhaus. Die Ärzte untersuchten ihn, schüttelten die Köpfe, untersuchten noch einmal, zuckten dann die Achseln und gingen einer nach dem andern weg. Da lag er dann im Gang in einer Nische und röchelte, während ihm das Blut aus Nase und Mund lief. Daneben saß seine Frau, die Hände im Schoß, die Augen auf ihren Mann gerichtet, schweigend – stundenlang. Eine Schwester bot ihr Kaffee an, sie schüttelte den Kopf. Ein Arzt kam vorbei, trat zu dem Mann, sprach dann zu ihr. Sie hörte vielleicht, vielleicht auch nicht. Eine Tochter kam, ein Sohn, noch ein Sohn, eine ganze Kinderschar. Sie umstanden die Mutter, sahen auf den Vater und schwiegen. Die Kinder gingen wieder, eine Tochter blieb. Die Augen der Mutter hingen an seinem Gesicht, an seiner Brust, die bei jedem Röcheln erzitterte. Dann blieb das Röcheln aus. Die Frau wartete. Noch einmal kam ein Zittern, dann nichts mehr. Die Frau wartete. Plötzlich schreckte sie auf. » Nein«, flüsterte sie, wollte sich erheben, vermochte es nicht, sank langsam am Stuhl entlang zu Boden.

» Mutter!« schrie die Tochter auf. Dann begann das Weinen. Leise zuerst das sanfte Vorspiel, das Brodeln eines kräftesammelnden Vulkans. Dann der Ausbruch. Sie bäumt sich auf, stöhnt, als müsse sie all ihre Kinder auf einmal gebären. » Mutter!« ruft die Tochter, immer wieder » Mutter!«, als fürchte sie, auch sie zu verlieren. Ihre helle Stimme kontrastiert qualvoll zu den dunklen Schmerzenstönen, die urtümlich gurgelnd wie aus einem Abgrund steigen.

Eine Schwester kommt.

»Ihr dürft nicht so laut sein. Das ganze Krankenhaus wird unruhig.« Ihre Stimme zittert dabei. Sie sieht auf die Frau am Boden, möchte so gerne etwas tun, sie weiß nur nicht, was.

»Nicht so laut, Mutter«, schluchzt die Tochter und nimmt die Mutter in die Arme.

Anita geht zur Stationsschwester.

»Mir ist nicht wohl, ich möchte heimgehen.«

Sie geht auf die Straße, durch die dunkle Masse der kauernden Frau hindurch. Immer ist er da, der bebende Körper, will sie nicht durchlassen, nicht fliehen lassen, feige, feige, murmelt er. Schwächling antwortet eine andere Stimme, ein Auto quietscht, eine Männerstimme schimpft. »Mutter!« schreit die Tochter. Das Haus wird unruhig, die Stimme der Schwester – da hebt sich das Haus und senkt sich, darin Menschen wie Ameisen, und aus der Tiefe brodeln erbarmungslose Urgewalten.

Stunden später vermag Anita zu weinen.

»Ich kann es nicht! Ich kann es nicht!« Sie hatte ihren Beruf so schön gesehen. Heilen, helfen, die Menschen glücklich machen und selbst glücklich sein – so einfach war es gewesen in ihrer Phantasie. Und jetzt? Was war davon übriggeblieben?

Aber sie war jung. Sie überwand die Krise. Doch hatte das Ereignis einen Funken der Erkenntnis in ihr Herz gelegt, daß im Leben des Arztes Macht und Ohnmacht, Glück und Verzweiflung krasser aufeinanderprallen als irgendwo sonst, daß er härter werden muß, um das alles ein Leben lang ertragen zu können. Und sie ahnte, daß der Beruf von ihr Kraft fordern würde – sehr viel Kraft, denn es war ihr bewußt geworden, daß hinter jedem Fall ein Schicksal steht.

∗

»Du?«

»Ich. Wen erwartest du sonst?«

»So meinte ich es nicht. Ich wundere mich, daß du so früh kommst.«

»Früh?« Die Überraschung ist jetzt in seiner Stimme. »Es ist fünf Uhr.«

Ich schaue nach der Uhr auf meinem Nachttisch.

»Tatsächlich. Ich habe nicht bemerkt, wie die Zeit verging.«

»Sag mal, hast du Fieber?«

»Unsinn! Wie kommst du darauf?«

»Dein Gesicht ist gerötet wie im Fieber.« Er befühlt meine Stirn, greift nach meiner Hand, traut mir offensichtlich nicht.

»Aber Werner!« Ich fange an zu lachen und spüre gleichzeitig, daß mir wirklich warm ist. »Das ist der Schweiß der Arbeit. Sieh hier...« Ich nehme das Ringbuch, das vor mir auf der Bettdecke liegt, schlage es auf. »Ich habe geschrieben! Wie mein Herr und Gebieter befahl. Nicht *befahl* natürlich, sondern *empfahl*! Es ist eine gute Idee gewesen, ich habe alles um mich herum vergessen.«

Er setzt sich beruhigt, lächelt und sagt:

»Recht so! Mach nur weiter!« In einem Ton, mit dem man Kinder ermuntert. Dann blitzt der Schalk in seinen Augen auf. »Am Ende werde ich es lesen. Ich bin gespannt, was ich dabei über meine Frau erfahre.«

»Lausbub!« Meine Stimme ist lauter, als ich wollte.

»Solch ein Lebensbericht hat auch die Sünden zu enthalten.«

»Mach dir nicht zu große Hoffnungen. Da du alle meine Fehler bereits kennst, wird dir die Sache bald langweilig werden.«

»Du unterschätzt meine Neugierde.« Er nimmt mir das Heft aus der Hand, blättert darin, liest hier und da eine Zeile.

»Wie steht es mit dem Sanatorium?« wechsle ich das Thema.

»Wir warten auf die Zusage. Sie kann jeden Tag eintreffen. Übrigens will Inge dich mit den Kindern besuchen. Und

Hans und Jochen lassen grüßen, sie freuen sich, daß es dir besser geht.«

Eine Weile herrscht Stille. Der Gedanke an die Kinder hat mich in die Wirklichkeit zurückgeführt. Gottlob sind alle aus dem Haus. Wäre so etwas passiert, solange sie klein waren – es wäre furchtbar gewesen. Jetzt habe ich Angst vor dem Wiedersehen. Wie werden sie an mein Bett treten? Beklommen? Mit zitternder Stimme? Wie werde ich selbst die Lage meistern? Ich glaube, ich möchte sie nicht sehen, jetzt noch nicht, ich muß mich erst mit meinem Schicksal abfinden. Das ist mir bis jetzt noch nicht gelungen. Da zucken schon wieder meine Mundwinkel, ich spüre es ganz deutlich. Meine Kehle wird eng...

Seine Hand legt sich warm auf die meine.

»Wir werden es gemeinsam tragen«, sagt er leise. Dann schweigt er, läßt mich weinen, ich weiß nicht, wie lange.

»Hast du dir schon Gedanken gemacht, was du morgen schreiben wirst?« Die Frage kommt ganz unvermittelt.

»Nein«, sage ich. Und plötzlich: »Habe ich dir schon erzählt, wie ich einmal reinflog?«

»Du flogst rein?« Er hebt die Arme, und seine Hände imitieren Flügelschläge. Jetzt muß ich sogar lachen.

»Na ja, wie man sich irren kann, wenn man so jung ist und so solide erzogen wie ich und auch noch schüchtern dazu...«

»Du warst schüchtern?« Jetzt ist es seine Stimme, die etwas zu laut ist, aber es ist ganz gut so. Lachend wehre ich ab. Er ist sichtlich erleichtert zu sehen, daß ich von meinem Kummer weggefunden habe, und ich bin es auch.

Als er wenig später geht, forme ich in Gedanken schon die Sätze, die ich morgen schreiben will über meine Erlebnisse auf der inneren Abteilung.

Den Seinen schenkt's der Herr im Schlaf

Mit der Menschenkenntnis ist es so eine Sache. Selbst der Erfahrenste irrt zuweilen.

Anita war völlig unerfahren. Sie ließ sich spielend täuschen. Gleich zu Beginn ihrer Arbeit auf der inneren Abteilung fragte der Stationsarzt sie:

»Wissen Sie, was eine Anamnese ist?« Anita verneinte. Sie hatte das Wort noch nie gehört. »Passen Sie auf«, sagte der Arzt, »das ist nichts anderes als ein Lebenslauf der Krankheiten. Schwester, geben Sie bitte mal ein leeres Krankenblatt. So, zukünftige Kollegin, sehen Sie sich das an. Hier stehen die einzelnen Rubriken: Zuerst die Familiengeschichte. Welche Krankheiten kommen da vor? Geisteskrankheiten, Zucker, Tuberkulose, Rheuma, Geschlechtskrankheiten? Sind die Eltern gesund oder woran leiden sie oder sind sie gestorben? Ist die Familie durchforscht, kommt der Patient selbst an die Reihe: Geburt normal oder nicht. Welche Impfungen. Kinderkrankheiten, Unfälle, Operationen. Bei Frauen Menstruation, Geburten, Fehlgeburten. Als letztes den Grund zur Krankenhauseinweisung: Seit wann Beschwerden. Welcher Art. Dies letzte besonders gründlich. Ist das klar?« Als Anita schüchtern bejaht, lächelt er ein ermutigendes Lächeln. »Na, dann versuchen Sie es. Es kann nicht mehr als schiefgehen.«

Bei der nächsten Neuaufnahme machte Anita sich ans Werk mit einem leeren Krankenblatt, einem Federhalter und Herzklopfen.

Es war ein junges Mädchen. Das schmale Gesicht war eingerahmt von seidigen blonden Haaren, und Augen hatte es so blau wie Aquamarine. Die durchscheinend weiße Haut zeigte nur kleine rosa Kreise mitten auf den Wangen, ein Zeichen der Erregung vielleicht, wie sie der Einzug in ein Krankenhausbett so mit sich bringt.

Wie ein Elfchen, dachte Anita. Fast hätte sie sich ihr auf Zehenspitzen genähert, um das zarte Geschöpf nicht zu erschrekken.

Das Elfchen beantwortete sämtliche Fragen ohne alle Erregung oder Verwunderung. Eines aber vermochte Anita nicht: Sie nach Schwangerschaften zu fragen, nach Geburten oder Frühgeburten. Nein, nicht bei diesem Geschöpf, dem die Unschuld auf der Stirn stand! Kurzerhand ließ sie die Rubrik frei.

Der Stationsarzt sah es auf den ersten Blick.

»Geniert?« fragte er und lachte. Anita konnte nicht verhindern, daß sie errötete.

»Das ist hier doch nicht nötig«, meinte sie. Da lachte der Arzt noch mehr.

»Haben Sie eine Ahnung, was nötig ist! Aber lassen Sie. Ich werde sie selbst fragen. Morgen bei der Visite.«

Am folgenden Tag umstanden sie das Bett des Mädchens. Der Arzt prüfte die eingegangenen Befunde, alles, was vom Labor in einem Tag untersucht werden konnte. Dann sah er auf.

»Hatten Sie einmal eine Schwangerschaft?« fragte er.

»Ja«, erwiderte die Elfe. Die Augen des Arztes schienen zu lächeln.

»Wann war das? Haben Sie das Kind ausgetragen?«

»Nein«, sagte die Elfe ohne eine Spur von Scheu, »ich hatte einen Abgang vor vier Wochen – es waren Zwillinge.«

Bei dem Wort »Zwillinge« blitzten die Augen des Arztes zu Anita hinüber, und sie sah, daß er das Lachen kaum verbeißen konnte. Da kam auch sie das Lachen an. Sie gab den schelmischen Blick zurück. Reingefallen, bedeutete er.

Aber warte, das passiert mir nicht wieder.

Falsch gedacht!

Warum müssen die jungen Dinger auch stets so unschuldig aussehen! Zudem war das Mädchen, das wenige Tage später erschien, ja noch ein Kind! Gerade erst zwölf Jahre geworden! Freilich war der Bauch entsetzlich dick, wie bei einer Frau im neunten Monat. Doch das Gesicht war es nicht minder. Die

Augen waren nur noch Schlitze, es fehlte nicht viel, und es hätte sie nicht mehr öffnen können. Und an den Beinen hingen unförmige Wülste über die Schuhe herab wie Pudding über den Schüsselrand.

Es muß eine Art Wassersucht sein, dachte Anita. Meines Wissens gibt es solche Erscheinungen. Sie bedauerte, in der Medizin nicht schon beschlagener zu sein. Voller Mitleid schaute sie auf das Wesen, das da neben seiner Mutter stand, linkisch, hilflos, unglücklich.

Um die Anamnese aufzunehmen, befragte sie die Mutter, nicht das Kind. Zuallererst jedoch stellte sie eine Frage, die ihr auf der Zunge brannte.

»Hat Ihre Tochter schon die Menses?«

»Nein«, erwiderte die Mutter, »sie ist ja noch ein Kind.«

Anita schämte sich. Für einen Augenblick war der Gedanke an eine Schwangerschaft durch ihren Kopf gehuscht. Sie begann ihre Arbeit, stellte die Fragen der Reihe nach, wie sie es vor kurzem gelernt hatte. Die Mutter, anfangs schüchtern, taute allmählich auf. Als sie beim jetzigen Zustand des Kindes anlangten, wurde sie geradezu erregt.

»Stellen Sie sich vor, der Hausarzt hat gefragt, ob sie schwanger ist! Meine Pia und schwanger! Die weiß ja noch nicht einmal, wie das geht!«

»Seit wann ist sie denn so stark?« fragte Anita.

»Das geht jetzt schon Wochen – fast möchte ich sagen, Monate. Es begann ganz langsam. Anfangs war es ja auch nur der Bauch. Erst in letzter Zeit schwoll auch das Gesicht und die Beine und überhaupt der ganze Körper.« Und dann kam sie wieder auf den Hausarzt zurück, dem sie am liebsten »an die Kehle gesprungen« wäre.

»Nanu, was haben wir denn da?« ertönte plötzlich eine Stimme hinter Anitas Rücken. Es war der Stationsarzt. Er betrachtete das Mädchen von oben bis unten. Dann fragte er nach der letzten Menses.

»Aber sie hat doch noch gar keine!« erwiderte die Mutter. In ihrer Stimme zitterte Erregung, Ärger, Verzweiflung. Dann sah sie dem Arzt groß in die Augen. »Fangen Sie nicht auch noch mit der Schwangerschaft an! Meine Pia ist nicht schwanger!« Jetzt begann sie sogar zu weinen.

»Schon gut«, murmelte der Arzt.

Da ging mit dem Kind eine Veränderung vor: Seine Gestalt streckte sich, das Gesicht bekam einen gespannten Ausdruck, der Mund schloß sich zu einem schmalen Spalt.

Der Arzt hatte es bemerkt.

»Was ist dir? Hast du Schmerzen?« fragte er.

Das Kind sah unsicher zur Mutter, dann wieder zurück zum Arzt. Es schüttelte den Kopf.

»Nein«, flüsterte es kaum hörbar.

Der Blick des Arztes lag noch eine Weile prüfend auf dem Mädchen. Es schien wieder alles normal zu sein, nur die Verlegenheit war geblieben.

Der Arzt stellte noch ein paar Fragen an die Mutter, an deren Ende sie wieder auf den Hausarzt kam mit seinen empörenden Verdächtigungen. Da geschah es erneut, daß die Gestalt des Kindes sich straffte. Es pfiff den Atem durch die Zähne.

»Mädchen!« rief der Arzt, »dir tut doch etwas weh!« Wieder der unsichere Blick zur Mutter hin, diesmal gepaart mit Angst und einer unerklärlichen Unruhe.

»Was ist?« rief die Mutter, »nun sag schon!«

»Ich hab' so Bauchweh«, kam die zögernde Kinderstimme, »aber nur manchmal. Jetzt ist es schon vorbei. «

Als der Schmerz wenig später zum dritten Mal auftrat, ging der Arzt dicht an das Kind heran, legte ihm den rechten Arm um die Schultern und die Fingerspitzen der Linken auf den Bauch.

»Hm«, murmelte er wieder. Dann rief er die Stationsschwester.

»Geben Sie dem Mädchen ein Bett. « Und zur Mutter ge-

33

wandt: » Es soll sich ausziehen und auf mich warten. Sie selbst bleiben bitte bei ihr, bis ich komme. «

Die Stationsschwester nannte eine Zimmernummer und wies eine der jungen Schwestern an, mit den beiden zu gehen. Kaum hatte sich die Tür hinter ihnen geschlossen, sagte der Arzt: » Haltet mir um Gottes willen die Mutter fest! Sonst behauptet sie später, wir hätten ihrer Tochter ein fremdes Kind untergeschoben! « Im Vorbeigehen sah er Anita an und rief: » Na Mädchen? Tolle Sachen gibt's, was? « Lachend ging er davon. Anita stand und wußte nicht, was sie denken sollte. Wie konnte der Arzt reden, als sei alles sonnenklar? Er tat doch wahrhaftig so, als bekäme das Kind ein Kind! Und er lachte noch dazu! Nein, diesmal irrte er bestimmt! Es konnte einfach nicht sein! Die Neugierde trieb sie zu dem Zimmer, in dem das Kind verschwunden war. Kaum hatte sie die Tür geöffnet, hörte sie die Stimme der Mutter:

» Sieh einer an, gerade jetzt bekommt sie ihre erste Menses! « Sie hielt den Schlüpfer in der Hand, er zeigte feine Blutspuren.

Na also, dachte Anita. Sie war richtiggehend erleichtert.

Aber es war nicht die Menses. Zwei Stunden später gebar das Kind einen strammen Sohn.

Die Schwellungen am übrigen Körper verschwanden im Lauf der folgenden Tage. Der Arzt sprach etwas von Nieren und der Leber, doch Anita verstand nicht, was es damit auf sich hatte. Medizinische Zusammenhänge lassen sich dem Laien nicht mit wenigen Worten erklären. Und das war sie ja noch immer.

Während des Wochenbettes fragte der Arzt das Mädchen über Möglichkeiten der Schwängerung aus, aber das Kind wußte nichts. Man schickte die Stationsschwester zu ihr, weil Frauen in diesen Dingen geschickter sind. Vergebens. Das Geheimnis wurde nicht gelüftet.

» Den Seinen schenkt's der Herr im Schlaf «, lachte der Gynäkologe. Als Anita es hörte, fragte sie sich, ob das so unmöglich sei. Wie hatte ihre Mutter oft gesagt?

»Das Kind schläft so fest, daß man es forttragen könnte, ohne daß es erwacht.«

✳

Aus der kleinen Radiokapsel über meinem Kopf erklingt Musik. Ich kenne das Stück. Aber woher? Was ist es? Haydn und Mozart sicher nicht, dennoch erinnert es mich an die beiden. Es könnte Beethoven sein.

Das Küchenmädchen unterbricht meine Gedanken, stellt die Tasse mit Suppe auf meinen Nachttisch. Es ist wieder die gute Einlaufsuppe. Wenn ich nur mehr Appetit hätte! Im Augenblick ist sie sowieso noch zu heiß.

Jetzt fällt mir ein, welches Musikstück es ist: Ein Streichquartett von Beethoven, ich glaube A-Dur. Ich erkenne es am Schlußton des ersten Satzes. Er wird zu kurz gehalten. Den Bruchteil einer Sekunde länger wäre schöner. Ich habe es erkannt, weil damals im Konzertsaal dieser Ton auch zu kurz war. Ist es nur meine Einbildung, oder lassen die Musiker sich wirklich irritieren, weil hinter dem Wort ›Adagio‹ noch ein ›non troppo‹ steht? Auch bei einem ›non troppo‹ kann der Bruchteil einer Sekunde fehlen, wie beim Skirennen. Wie oft habe ich mich amüsiert, ich fand es sogar lächerlich, wenn ein Sportler den anderen um ein oder zwei Hundertstelsekunden schlug. Bin ich nicht ebenso lächerlich, wenn mich eine fehlende Hundertstelsekunde am Adagio stört?

Meine Gedanken sind noch beim Skiwettlauf, als das Gestrichel des zweiten Satzes schon zu Ende geht. Er ist ja sehr kurz. »Wieso Gestrichel?« hat mein Mann gefragt, als ich es damals so nannte. Ich empfand es eben so. Wie wenn Kinder ein Blatt Papier bekritzeln oder der Fernsehapparat eine Störung hat. Dergleichen macht mich nervös. Jetzt kommt, glaube ich, der deutsche Tanz. Er fängt so melodisch an, volkstümlich, einfach, wirklich hübsch.

Die Tür geht auf. Eine Dame von der Verwaltung kommt mir

35

mit schwingenden Schritten entgegen. Sie trägt eine bezaubernde Bluse in Lindgrün und Rosa. Der Rock ist glockig geschnitten. Während ich überlege, ob er dunkelgrau oder ganz schwarz ist, fragt sie mich, ob ich krankenversichert sei und wo. Man habe damals, als ich eingeliefert wurde, in der Eile keine Einzelheiten aufgenommen.

»Ihr Gatte kam erst später, als ich schon außer Dienst war.«
Auch ihre Stimme schwingt. Sie müßte singen können, es wäre eine Stimme, die mir gefiele. Aber sie singt wohl nicht. Wie viele Talente bleiben ungenutzt, weil man zu praktisch denkt oder sich keine Zeit nimmt oder auch gar nicht auf die Idee kommt. Ich sollte es ihr sagen.

»Sie haben eine hübsche Stimme, Sie sollten Gesangsunterricht nehmen.«

Sie sieht mich an, verwundert, weiß nicht, was sie erwidern soll, lächelt schließlich. Aber war da nicht ein kurzes Blitzen in den Augen zwischen der Verwunderung und dem Lächeln?

»Sind Sie in einer Versicherung?«

»Entschuldigen Sie, ich vergaß. Natürlich bin ich versichert, aber der Name der Versicherung ist mir entfallen. Mein Mann weiß es bestimmt.«

»Würden Sie bitte...«

»Ihn danach fragen, selbstverständlich. Er kommt heute abend. Ich lasse mir alles auf einen Zettel schreiben. Ich verspreche Ihnen, daß Sie bis morgen alles haben.«

Ihr Lächeln ist fast zu liebenswürdig, so glücklich kann sie die Nachricht doch gar nicht machen. Es wird wohl Gewohnheit sein. Oder hat meine Bemerkung über ihre Stimme sie doch irgendwie berührt?

Der Beethoven im Radio ist wild geworden, richtig zerrissen. Armer Mensch, er muß sehr unglücklich gewesen sein in jener Zeit. Ich kann diese Musik beim besten Willen nicht schön finden. Nur erschütternd. Oder ist erschütternd mehr als schön? Die Musiker werden am Ende jedenfalls erschöpft sein. Ich erinnere mich, wie im Konzertsaal der Schweiß über ihre Gesichter rann, wie unter dem tosenden Applaus an Stelle der Stirnen weiße Tücher blinkten. Immer wieder rief das Publikum sie zurück, fünfmal, sechsmal, aber sie machten keine Zugabe mehr, es wäre wohl über ihre Kraft gegangen.

Wenn ich mich nur ein wenig umwenden könnte. Ich habe früher stets auf der Seite geschlafen. Der Rücken tut mir weh, um die Schulterblätter herum und in den Rippen. Das Becken – nein, das spüre ich nicht. Zum hundertsten Mal versuche ich es zu heben, einen Zentimeter, wenigstens eine Spur, so ganz minimal den Po, oder nach links oder rechts zu rutschen – nichts. Ich will die Zehen bewegen, das ist doch das einfachste der Welt, jeder Mensch kann es, jedes Kind, jedes Tier – nur ich kann es nicht. Das darf doch nicht sein – es kann einfach nicht sein – ich will... da geht das Elend von vorne los, die Verzweiflung, meine ich. Dazu die Einsamkeit. Es gibt nichts Einsameres als ein Krankenhauszimmer.

Gott! Plötzlich ist der Name da. Ungewollt, ungerufen. Ihm folgt die Frage auf dem Fuß: Warum?

Man darf die Frage nicht stellen, sagt der Pfarrer. Was Gott tut, steht jenseits aller menschlichen Kritik. Weiß der Pfarrer, weiß Gott, wie schwer das ist? Die Frage kommt, ist einfach da, obwohl man die Worte nicht einmal in Gedanken geformt hat.

Ich habe die Frage oftmals gehört. Patienten stellten sie an mich und meinten Gott oder das Schicksal. Oft meinten sie wohl gar nichts Konkretes, stellten sie einfach in den Raum: Warum muß gerade ich... mein Kind... mein Mann? Was hätte ich ihnen zu antworten vermocht?

Aber ich habe auch Menschen getroffen, von denen ich solche Worte nie hörte. Es waren oft die am schwersten Betroffenen. Wie sehr habe ich sie im stillen bewundert!

Ich sollte es ihnen gleichtun. Ich möchte es ja auch. Woher nehme ich die Kraft dazu? Von dir, Gott?

Ich muß eine ganze Weile geschlafen haben. Neben mir steht das Mittagessen. Als ich von dem Reis koste, ist er bereits kalt. Aber das macht nichts, ich kann sowieso nicht essen. Am Nachtisch nippe ich nur aus Höflichkeit. Als das junge Mädchen kommt, um das Geschirr zu holen, schaut sie unsicher von den vollen Schüsseln zu mir herüber, zögert einen Moment, als wollte sie fragen, ob sie alles noch stehen lassen soll oder warum ich denn nicht gegessen hätte, aber dann tut sie es doch nicht. Auch ich schweige, sehe ihr nach, wie sie mit dem Ellbogen die Tür öffnet, um hinauszugehen und sie dann hinter sich schließt, wahrscheinlich auch mit dem Ellbogen. Ich bin müde. Müde des Denkens, des Sorgens, sogar des Unglücklichseins. Des Lebens müde.

Fast hätte ich das zaghafte Klopfen an der Tür überhört.

»Ist's erlaubt?« fragt eine ebenso zaghafte Stimme. Dann sehe ich Frau Maiers Gesicht.

Ich weiß, ihr Mann liegt hier im Haus. Ich habe ihn zur Operation eingewiesen, er hat eine schwere Hüftarthrose.

»So geht's nicht weiter«, hatte er mir vorgestöhnt. Er ist groß, stark, leider sogar ziemlich stark, und ungeheuer aktiv. Das Stillsitzen hätte ihn umgebracht.

Zuerst war die Operation von den Chirurgen abgelehnt worden, weil er so viel Übergewicht hatte. Da hat er sich aufs Hungern verlegt, mit derselben Energie, die er auch für alles andere aufbrachte, was er begann. Er hat es in erstaunlich kurzer Zeit geschafft, sich operationsgerecht zu verdünnen.

»Ist das eine Freude!« Ich kenne die Familie schon lange, habe ihre Kinder betreut, einen Teil der Enkel zur Welt gebracht. Ich glaube kaum, daß es in ihrem Haus Probleme gab, die ich nicht miterlebt und mitberaten habe.

Schüchtern kommt sie zu meinem Bett. Sonst ist sie gar nicht so schüchtern. Aber wie sie jetzt fragt: »Wie geht es, Frau Doktor?«, da verstehe ich, daß sie um meinen Zustand weiß und daß es sie Überwindung gekostet hat, zu mir zu kommen.

»Was macht Ihr Mann?« frage ich rasch, »ist er schon operiert?«

»O ja, schon vor mehr als einer Woche. In den ersten Tagen fühlte er sich gar nicht wohl. Er ist halt noch nie im Krankenhaus gewesen. Aber jetzt geht es, die Ärzte sind zufrieden.«

»Das freut mich. Sie werden staunen, wie gut er bald wieder gehen kann.«

»Wie der Grünlandbauer.«

»Richtig, der ist ja auch operiert.«

»Kann es eigentlich am linken Bein auch mal kommen?«

»Sicher kann es das. Aber darüber sollten Sie sich heute noch keine Sorgen machen. Erstens ist es nicht sicher, zweitens kann man auch das linke Gelenk operieren.«

Und um sie auf andere Gedanken zu bringen, frage ich, was es Neues gibt im Dorf. Da ist sie dann gleich bei der Sache.

»Denken Sie, der Gustav ist gestorben! Am Samstag schon. Und am Dienstag die Rappenwirtin. Na ja, jetzt muß noch einer kommen, weil der Gustav über Sonntag oben lag. Sie sagen, mit dem Hochfeldbauer steht es schlecht. Wer weiß, vielleicht ist er der nächste?«

Als der Kaffee gebracht wird, steht sie auf. Wir sind beide nicht böse über die Unterbrechung.

Sie faßt meine Hand fest zwischen ihre beiden Hände.

»Ich wünsche Ihnen alles, alles Gute.« Ihre Stimme zittert dabei, und ich schaue schnell auf das Tablett, das die Schwester mir übers Bett schiebt. Zuhause werden öfter Besucher kommen und fragen: »Wie geht's?« und mir später »alles Gute« wünschen. Der Gedanke daran nimmt mir noch das letzte bißchen Appetit. Der Kaffee kommt in den Krankenhäusern sowieso immer zu früh.

Jetzt ist also der Gustav tot. Er lag über Sonntag oben. Der Glaube ist weit verbreitet, daß ein Toter, der das Wochenende über dem Boden verbringt, zwei weitere nach sich ziehe. Wie

39

oft wollte ich prüfen, was an der Sache dran ist, wollte den Unsinn widerlegen. Es ist mir nie gelungen, denn ich habe es regelmäßig vergessen. Nur wenn es wirklich einmal so war, dann kamen die Leute zu mir: » Sehen Sie Frau Doktor...«

Der Gustav war noch jung. Höchstens vierzig. Aber es spielt eigentlich keine Rolle. Sein Leben war stets das gleiche, verlief immer im selben Trott, egal, in welchem Jahr er sich befand. Seine Frau war ihm davongelaufen, weil er das Trinken nicht lassen wollte, weil er seine freie Zeit im Wirtshaus verbrachte, statt ihr bei der Erziehung der Kinder zu helfen. Sie hatten davon ein erkleckliches Häuflein, denn sie zu schwängern – dazu hatte die Zeit immer gereicht. Es waren nette Kinder, und die Frau hatte recht, ihnen das Bild des betrunkenen Vaters zu ersparen. Allein geblieben lebte er sein Leben weiter, wie er es vor und während der Ehe getan hatte: im Wirtshaus. Manchmal wurde ich gerufen, weil ihn jemand morgens im Graben fand. Dann päppelten sie ihn im Krankenhaus wieder auf. Nur die Leber wurde nicht mehr heil. Die Laboruntersuchungen ergaben von Mal zu Mal schlechtere Ergebnisse. Unter dem dauernden Alkoholgenuß wurde ihre Funktionsfähigkeit immer mehr eingeschränkt, und es war eine Frage der Zeit, wann sie ihre Tätigkeit ganz einstellte. Jetzt hatte sie es wohl getan.

Die Rappenwirtin war schwer zuckerkrank. Dazu so unvernünftig, wie Zuckerkranke leider oftmals sind. Es ist ein Jammer, daß Diabetes nicht weh tut, wenn der Zuckerspiegel im Blut zu hoch wird, denn dann wären die meisten vorsichtiger mit Kuchen und anderen verlockenden Süßigkeiten. Der Rappenwirtin habe ich zugeredet wie einem lahmen Gaul, doch sie war völlig uneinsichtig. Sie wurde höchstens grob und tat beleidigt. Wie oft lag sie bewußtlos in der Küche im diabetischen Koma und wurde durch Zufall von der Tochter oder den Nachbarn gefunden! Aber sie lernte nicht daraus. Vielleicht war sie gar nicht mehr meine Patientin, denn ich bin seit einem halben Jahr nicht mehr gerufen worden. Daß sie vernünftig geworden ist, glaube ich nicht.

Und nun ging's auch dem Hochfeldbauern schlecht. Er hielt ja nichts von Doktoren. Genau wie seine Schwester, beide waren in keiner Krankenkasse. Rente bezogen sie auch nicht, denn sie waren nirgendwo versichert. Das gibt es noch immer bei alten Bauern. Wenn dann die Wirtschaft immer kleiner wird, fehlt auch das Bargeld. Freilich könnten sie ein Stückchen Land verkaufen, um Arztrechnungen und Medikamente zu bezahlen. Aber welcher alte Bauer von echtem Schrot und Korn trennt sich von seinem Land? Es käme ihm vor wie eine Amputation. Ein einziges Mal habe ich sein Haus betreten, damals, als seine Schwester im Sterben lag. Es ist ein großer Hof, einst der Stolz des Dorfes. Doch dann wurde der Misthaufen kleiner, die Vorhänge strahlten nicht mehr an den Fenstern, und keine Geranien schmückten mehr die Fassade.

Mich hatte die Krankenschwester gerufen.

» Sie will ja nicht, daß ich Sie hole, aber ich kann sie nicht mehr so liegen lassen. «

Wir verabredeten eine Zeit. Als ich das Haus betrat, strömte mir der Geruch von tausenderlei Sachen entgegen, eine Mischung unzähliger Essen mit Stallduft, Staub, altem Holz, Traktorabgasen und Alkohol. Inmitten des Gestanks lag die alte Frau mit kurzem Atem und dem typischen Röcheln.

Die Schwester sah mich fragend an.

» Die Lunge ist voller Wasser «, sagte ich, und die Schwester nickte. Sie hatte es gewußt.

» Sie muß ins Krankenhaus. « Wieder nickte die Schwester.

Aber die Patientin winkte ab.

» Sie sind in Lebensgefahr «, sagte ich und sah ihr ins Gesicht. Auch das war voller Wasser, wie die Beine, die Arme, der Bauch, einfach alles. Aber sie weigerte sich. Ich bat, drohte. Die Schwester half mir. Aber ihr Bruder war auf ihrer Seite.

Ich hätte die Behandlung ablehnen sollen. Wirklich, das hätte ich tun sollen. Aber ich vermochte es nicht. Ich richtete eine Spritze, um den Körper zu entwässern. Doch wieder war die Bäuerin dagegen, und der Bruder half ihr.

»Höchstens ein paar Tabletten«, bat er, »alles andere ist viel zu stark, wo sie doch so schwach ist.«

Welche Vorstellung haben diese Menschen von der Medizin? Ich verlor auch diesen Kampf. Man spricht nicht umsonst vom dicken Bauernschädel.

Ich hätte mir die Arbeit sparen können, aber zuletzt schrieb ich wirklich nur ein paar Tabletten auf. Unter Medizinern hätte ich mich damit lächerlich gemacht. Aber gibt es Lächerliches am Bett einer Sterbenden?

Am nächsten Tag war die Frau tot.

»Sie hat eine von den Tabletten genommen«, sagte der Bruder, »aber die war zu stark.« Er sagte es ohne Erregung, ohne Trauer, nicht einmal vorwurfsvoll. Ich versuchte nicht, ihn über seinen Irrtum aufzuklären. Was hätte es genutzt?

Jetzt geht es ihm selbst schlecht. Vielleicht geht es mit ihm zu Ende. Ob er ebenso stirbt wie seine Schwester?

Freitag. Werner kommt schon frühzeitig und eröffnet mir, daß das gute Sanatorium mich morgen erwartet.

»Schön«, sage ich. Nicht mehr. Es ist mir nicht klar, welchen Nutzen das haben soll. Um ehrlich zu sein, ich halte es sogar für Unsinn. Mir wäre lieber, ich könnte nach Hause zurückkehren. Der Gedanke, daß dort jetzt alles anders für mich wird, beunruhigt mich mehr, als ich meinem Mann gegenüber zugebe. Vielleicht macht er sich ebensolche Sorgen und ist froh um jeden Tag, der die Heimkehr hinausschiebt. Vielleicht hat er deshalb den Vorschlag des Professors so erfreut aufgegriffen. Nun, ich werde es über mich ergehen lassen.

»Aber jetzt«, meine Stimme ist ziemlich energisch, »will ich endlich wissen, wie der Unfall geschehen ist.« Als er zögert, werde ich ärgerlich. »Weshalb macht ihr ein solches Geheimnis daraus? Ich finde das unsinnig. Wenn man mich im Sanatorium fragt, was denkst du, soll ich erwidern?«

»Nun gut«, ich sehe, wie es ihm schwerfällt, »du bist mit dem jungen Melthaun frontal zusammengestoßen. «

»Mit dem jungen Melthaun? O Gott! Wieso das?«

» Er war völlig betrunken und raste mit Vollgas in dich hinein. «

»Du sagst betrunken?«

»Betrunken. «

»Bei Tag?«

»Nein, es war Nacht. Richtiger morgens um zwei. Du wurdest zum alten Richter gerufen wegen eines Herzanfalls. Unterwegs ist es geschehen. «

»Der junge Melthaun! Das ist furchtbar!«

»Er soll schon mehrere Tage lang nicht mehr nüchtern gewesen sein. «

»Ist er auch verletzt?«

»Er ist – er ist tot. «

»Wie bitte...«

»Ja. Deshalb habe ich es dir nicht früher erzählt. «

Alles ist plötzlich grau oder weiß – welche Farbe hat der Nebel? Aus der Ferne höre ich die Stimme meines Mannes.

»Ein so solider, anständiger Mensch«, sagte er.

Ja, das war er sicher.

»Nun ist er noch vor seiner Frau gestorben. Wer hätte das gedacht! Kein Mensch weiß, was so plötzlich in ihn gefahren ist. «

Doch, ein Mensch weiß es: Ich!

»Vorher hat er ihr jeden Wunsch von den Augen abgelesen, ist nicht von ihrem Bett gewichen. Mit einem Mal betrat er ihr Zimmer nicht mehr. Alle stehen vor einem Rätsel. «

Ich nicht, oh, ich nicht!

»Er hätte sich, weiß Gott, zusammennehmen können, bis sie unter der Erde ist. «

Das sagt sich so leicht!

»Im Dorf gehen die wildesten Gerüchte um. «

43

Bitte nicht! Ich kann nicht! Später!...

»Ich hätte es dir doch noch nicht sagen sollen, du regst dich auf.«

Was nützt das schon? Er ist tot. Ich kann jetzt nicht darüber nachdenken! Später muß ich alles klären. Natürlich ist das Unsinn, denn er ist ja tot. Aber wie weit bin ich mitschuldig? Was hätte ich tun können? Ach, nicht jetzt! Später... in Ruhe...

Wir haben nicht mehr viel miteinander gesprochen. Als er ging, hatte er ein sorgenvolles Gesicht.

Ich habe heute nacht tatsächlich ein paar Stunden geschlafen.

Soeben hat mich meine Tochter besucht. Es ist schulfreier Samstag, so ist sie mit der ganzen Familie erschienen. Sie haben meine Gedanken etwas von dem toten Melthaun abgelenkt. Andererseits hat der junge Melthaun mir die Schwere des Wiedersehens etwas gemildert, einfach, weil ich auch hier nicht ganz bei der Sache war.

Da standen sie um mein Bett herum, fragten, wie es gehe und wußten sonst nichts weiter zu sagen. Nur der dreijährige Philipp plapperte drauf los:

»Oma, warum liegst du im Bett? Die Sonne scheint doch ganz hell!«

»Oma ist krank«, sagt die Große belehrend.

»Und wenn du wieder gesund bist, dann stehst du aber auf, gelt?«

»Du solltest der Oma mal erzählen, was der Hans letzte Woche im Kindergarten gemacht hat.« Die Stimme meiner Tochter ist nicht ganz fest. Der Kleine läßt sich nicht beirren.

»Bist du morgen wieder gesund, Oma? Stehst du dann auf?«

Meine Tochter tut mir leid, ich muß die Situation retten.

»Mach kein so unglückliches Gesicht, Inge!« Ich gebe meiner Stimme einen barschen Ton. Sie schaut einen Moment verwundert und wendet sich dann ab. Ich weiß genau, daß sie mir nicht glaubt.

Sie bleiben nicht lange, die Schar sei zu unruhig für ein Krankenhaus und was man eben so sagt.

Der Abschied gelingt erstaunlich gut. So gut, daß sie den Mut hat, mir von der Tür aus zuzurufen:

»Nächstes Wochenende haben Klaus und ich einen Flug nach Athen gebucht! Stell dir vor, Athen! Unser langjähriger Traum!«

Ich weiß. Ich habe ihnen den Traum eingeimpft, habe ihnen oft von Athen geschwärmt. Es war auch zu schön: Zuerst die staubige Stadt im tosenden Verkehr. Trotz des bunten Getümmels wirkte sie grau in dem Gemisch von Sonne und Staub. Wir waren wie gelähmt von Hitze und Lärm. Da sagte mein Mann: »Schau dort hinauf!« Und als ich den Blick hob, stand vor mir, nein, über mir die Akropolis in weißer Vollkommenheit. Es gibt Augenblicke im Leben des Menschen, die die Seele verschönen.

Ein Küchenmädchen bringt den Kaffee. Als es »guten Tag« sagt, ist die Stimme kaum zu hören. Erst als es das Geschirr auf den Nachttisch stellt, sehe ich ihre verweinten Augen. Ob ich fragen soll? Ich wage es nicht, denn wahrscheinlich könnte ich doch nicht helfen. So sage ich nur mein »Dankeschön« besonders freundlich. Die Stationsschwester kommt mit einem Paket Wäsche.

»Füttern Sie noch die beiden Frischoperierten in dreihundertsechzehn und dreihundertneunzehn. Das bringt Sie auf andere Gedanken.« Sie öffnet den Schrank. Das Mädchen geht.

»Hat sie Kummer?« frage ich.

»Ja, ja.« Die Schwester räumt die Wäsche in den Schrank. »Liebeskummer, das übliche in diesem Alter.«

Sie sagt es wie eine Nebensächlichkeit, die nicht verdient, beachtet zu werden.

So ist das: Für Außenstehende so nebensächlich, für die Betroffenen geht die Welt fast unter!

45

Armes Ding. Es tröstet dich nicht, wenn man dir sagt, daß die Menschen um dich herum einst auch litten, was du jetzt leidest, denn Leid ist nicht übertragbar, am allerwenigsten Liebesleid. Ein Glück, daß man später darüber lächeln kann.

Da ich viel Zeit habe, und natürlich auch um den Gedanken an den jungen Melthaun zu entfliehen, denke ich an meine Jugend zurück, an die Jahre, in denen auch ich liebte oder litt wie dieses Mädchen heute. Dabei fällt mir ein, daß es auch Menschen gab, die um mich litten. Ja, ich habe ihnen Leid verursacht. Vielleicht nur ganz kleines, vielleicht aber auch größeres. Was weiß ich von jenem jungen Mann, der mir einen Korb Südfrüchte schickte, und das zu Kriegsbeginn, einer Zeit also, in der man nicht einmal mehr Äpfel kaufen konnte? Ich habe mich bedankt und ihn gebeten, von weiteren Geschenken abzusehen, da ich sie in keiner Weise erwidern könne. In keiner Weise, die Worte habe ich unterstrichen. Und was wurde aus dem jungen Studenten, einem angehenden Ingenieur? Er diente bei den Gebirgsjägern. *Hoch oben auf dem Berg stehe ich und schaue auf Dich hinab!* schrieb er mir. Ich habe seinen Brief nicht einmal beantwortet. Noch heute denke ich mit schlechtem Gewissen daran.

Aber auch an mir ging das Leid nicht vorbei. Es begegnete mir gleich zu Beginn meiner Studentenzeit. Ich werde die Geschichte erzählen, obgleich ich nicht sicher bin, ob man sie heute noch versteht. Was wissen die Menschen heute von den Problemen, die die Politik damals zwischen uns allen aufwarf? Wie sie Menschen entzweite, die sich liebten? Nicht nur Kugeln und Bomben ließen die Tränen fließen. Nur wer dergleichen erlebt hat, wird es verstehen können.

Studentenliebe

Das Studentendasein hatte begonnen. Und es war, als sei man in eine andere Welt geraten.

Schon die Anmeldung war keine Anmeldung, vielmehr gab es eine Immatrikulation und eine Inskription. Sie erfolgten auf dem Sekretariat, dann auf der Quästur und dem Dekanat. Danach wurden alle Neuankömmlinge zur feierlichen Immatrikulation geladen, wo der Rektor der Universität sie im Auditorium maximum auf die Würde des Hauses, die Größe der Aufgaben und die Pflichten eines jeden einzelnen hinwies. Jetzt erst war man vollwertiger Student.

Anita wollte Medizin studieren. In ihrem Studienbuch sammelten sich Vorlesungen über Anatomie, Botanik, Zoologie. Physik und Chemie sollten erst im nächsten Semester dazukommen. Zu den belegten Vorlesungen gehörten entsprechende Kurse mit ihren praktischen Übungen.

Die erste Anatomievorlesung war ein Schock. Der Professor erklärte, man könne nicht sezieren, solange man keine Kenntnis vom Skelettsystem habe. Deshalb müsse er gleich zu Beginn ein Colloquium über Knochen und Gelenke der Gliedmaßen verlangen. Nur wer darüber ein Testat vorlegen könne, werde in den Seziersaal aufgenommen.

Der Schrecken unter den frischgebackenen Studenten war groß. Ein Colloquium bedeutete eine Prüfung, und die, noch ehe man irgendwelche Vorlesungen über den Stoff gehört hatte.

Bei Nacht saß man über Büchern, lernte Namen der Knochen von Armen und Beinen, Händen und Füßen. Tagsüber suchte man eben diese Knochen im anatomischen Institut, um sich ihre Formen einzuprägen. Am schlimmsten waren die Knöchelchen des Handgelenks, acht kleine Dinger von fast gleicher Form und Größe. Konnte man sie endlich unterscheiden, entdeckte man mit Schrecken, daß man rechts mit links verwechselte.

Es war harte Arbeit, und die Studenten waren froh, als sie die

Prüfung bestanden hatten. Dann kam der Tag, dem so viele angehende Mediziner mit Spannung entgegensehen: Der erste Tag im Sektionssaal.

Aber da war nichts Aufregendes. Alle Schauergeschichten waren erfunden. Den leicht beißenden Geruch nach Karbol nahm man bald gar nicht mehr wahr. Große Tische standen in Reih und Glied. Auf ihnen verdeckten graue Tücher die Körper der Toten. Auch sie waren von einem schmutzigen Grau, man kam kaum auf den Gedanken, daß es Menschen gewesen waren, Menschen, die einst gelebt, geliebt und gelitten hatten. Kalt wirkte alles, der Raum, die Tische, die Toten.

Das war auch gut so. Man mußte an diesen Körpern arbeiten und lernen. Sentimentalitäten konnte man sich nicht leisten. Man kam auch gar nicht dazu, denn es ging gleich los.

Der Prosektor erschien. Er hatte lachende Augen und einen tänzelnden Gang. Anhand einer großen Liste wies er jedem seinen Platz zu, immer sechs Studenten an einen Tisch. Dann erklärte er, wie die Muskeln freigelegt werden, fein säuberlich mit Skalpell und Pinzette. Gleichzeitig mit dem Präparieren habe man die Namen und Funktionen der freigelegten Muskeln zu erlernen.

»Wir werden dann wieder ein kleines Colloquium veranstalten, genannt ›Präparatabgabe‹, bei dem Sie mich mit Ihren ausgezeichneten Kenntnissen überraschen dürfen.« Die Worte waren begleitet vom charmantesten Lächeln der Welt.

Der Mensch ist falsch, dachte Anita. Er gefiel ihr gar nicht. Ob er gemein sein kann? Bei Prüfungen etwa? Was gab es Leichteres für einen gemeinen Menschen, als seinen Gegner bei einer Prüfung durchfallen zu lassen? Der Gedanke bereitete Anita Sorge, denn sie hatte vor, gleich in der übernächsten Woche ein paar Tage zu fehlen.

»Wir fahren alle miteinander in die Berge«, hatte die Freundin geschrieben, »Du weißt, Viktor hat dort die Hütte. Setz dich in die Bahn und komme! Wage nicht, abzusagen.«

Aber hier ging es ja zu wie in der Schule! Wer hatte das Märchen vom freien Studentenleben erfunden? Die Mediziner gewiß nicht! Wie hätte man es wagen können, einfach ein paar Tage zu fehlen!

Vielleicht doch, wenn man ein wenig vorarbeitete? Anita ging mit Feuereifer dran. Doch sie erkannte schnell, daß Fleiß wenig nützte. Was man hier brauchte, war Übung, Erfahrung. Die Muskeln waren so eng miteinander verwachsen und verklebt, daß es größte Mühe kostete, sie sauber zu trennen. Und da man ihre Größe und Lage noch nicht kannte, vermochte man nicht einmal immer ihre Grenzen zu unterscheiden. So saß man wieder über dem Lehrbuch und studierte die Namen, ihre Lage und Funktionen. Das alles brauchte Zeit, viel Zeit.

»Meint ihr, er merkt es, wenn ich in der nächsten Woche fehle?« Anita fragte es die Tischnachbarn.

Die waren sich nicht einig.

»Wenn du gehen willst, so geh. Du wirst dich doch nicht anbinden lassen!«

»Aber denke an das Colloquium, du mußt es bestehen. «

»Er wird doch nicht alle genau kennen. Vielleicht bemerkt er dein Fehlen gar nicht. «

»Er ist immer so charmant, das gefällt mir nicht«, meinte Anita.

»Was will er dir schon tun? Er kann dich nicht exmatrikulieren. «

Anita beschloß zu fahren. Das Lehrbuch nahm sie mit auf die Reise.

Die Tage vergingen wie im Flug. Wandern, Kaminfeuer, all die alten Kameraden, die man seit zwei Jahren nicht gesehen hatte. Es war herrlich, die Prosektur vergessen.

Doch alles nimmt ein Ende. Als Anita in der folgenden Woche zum Sezieren ging, tat sie es mit leiser innerer Spannung. Was würde geschehen? Würde überhaupt etwas geschehen?

Sie brauchte nicht lange zu warten. Kaum hatte der Prosektor den Raum betreten, als er eilends an ihren Tisch kam. Es verschlug ihr die Sprache, als er sie mit ihrem Namen ansprach. Liebenswürdig fragte er, ob sie nun wieder gesund sei.

Anita zögerte. Sollte sie lügen? Nein, sie wird es nicht tun.

»Ich war nicht krank.« Sie sagte es so ruhig, wie ihre Erregung es zuließ. »Ich konnte aber nicht kommen.«

»Wie bitte? Sie waren nicht krank? Haben Sie gehört, Herr Kollege, die Kollegin war nicht krank und konnte dennoch nicht kommen!« Er sah mit großen Augen auf sie nieder.

»Es ging leider nicht. Es tut mir leid.«

Der Prosektor wandte sich zur anderen Seite des Tisches.

»Haben Sie gehört? Haben Sie das gehört? Und ich habe die arme Kollegin so bedauert. Wirklich, ich habe sie sehr bedauert!« Den letzten Satz wiederholte er mehrfach. Seine Augen lachten dabei, und sie glaubte ihm kein Wort. Theatralisch den Kopf schüttelnd, ging er schließlich zum nächsten Tisch. Man sah, daß er sich köstlich amüsierte.

»Ist er nun falsch oder nicht?«

»Das wirst du spätestens bei der Präparatabgabe merken.«

Die ging folgendermaßen vor sich: Die Studenten standen vor dem Zimmer des Prosektors. Einer von ihnen trat ein. Ihm wurden Fragen gestellt. Blieb er die Antwort schuldig, wurde er mit liebenswürdigen Worten aufgefordert, sich umgehend im Lehrbuch zu informieren und sich danach erneut an der Schlange anzustellen. Es geschah nicht selten, daß man drei-, vier-, ja fünfmal zurückgeschickt wurde, denn seine Fragen waren nicht leicht.

Wie oft wird es mir blühen? fragte sich Anita. Ihr war gar nicht wohl in ihrer Haut.

Dann war sie an der Reihe. Mit Herzklopfen trat sie ein.

Der Prosektor saß auf einem Hocker, die Beine übereinandergeschlagen, die Hände um die Knie gefaltet. Als er sie kommen sah, blitzte der Schalk in seinen Augen auf, und er rief:

»Wie schön, daß Sie es endlich schaffen, liebe Kollegin!« Dann begann die Prüfung.

Wann wird er mich hinausjagen? dachte Anita. Aber er jagte sie nicht hinaus. Im Gegenteil, plötzlich stellte er das Fragen ein und sagte:

»Sie sind weit zurück. Sie müssen unbedingt aufholen. Wie machen wir das? Haben Sie in den Mittagsstunden Zeit? Sie könnten hier ein wenig arbeiten.«

Um Gottes willen, dachte sie, hier allein mit ihm! Aber sie riß sich zusammen.

»Ich habe Zeit.«

»Das sagen Sie. Ob Sie aber kommen?«

»Weshalb sollte ich nicht kommen, wenn ich es sage?«

»Frauen versprechen immer und halten nie!« Das war ein Ton, den die Studentin nicht kannte.

Sie hätte später nicht zu sagen vermocht, ob es Stolz war oder Trotz, der ihr die nächsten Worte eingab.

»Jeder beurteilt die Frauen nach denen, die er kennt. Sie müssen schlechte Erfahrungen gemacht haben.«

»Schlechte, Kollegin, sehr schlechte!« trompetete der Prosektor, und alles an ihm funkelte vor Vergnügen.

»So werden Sie jetzt erleben, daß es anders sein kann. Ich sage, ich komme, und ich werde hier sein.«

Als Anita wenig später draußen die Reihe der wartenden Studenten entlangging und keine Anstalten machte, ein Lehrbuch zu öffnen, entstand fast ein Tumult. Da erst merkte sie, daß etwas Außergewöhnliches geschehen war. War es Zufall gewesen, daß sie alles gewußt hatte, oder hatte er weniger schwer gefragt? Sie hatte keine Ahnung, und zum ersten Mal in ihrem Leben ging ihr auf, daß sie von Menschen sehr wenig und von Männern überhaupt nichts verstand.

Das Sezieren in den Mittagsstunden war harmlos, ihre Angst unbegründet. Meist war sie allein. Zuweilen kam jemand, suchte den Prosektor und ging wieder, wenn er ihn nicht fand. Der Prosektor selbst ließ sich nur selten sehen und war dann auch gleich wieder verschwunden.

Nach einigen Tagen hatte Anita das Versäumte nachgeholt. Sie besuchte dann nur noch die normalen Sezierstunden wie alle anderen Studenten auch.

Wochen vergingen.

Eines Tages wurde die Studentin ans Telefon gerufen. Der Name des Anrufers war ihr nicht bekannt.

»Wer sind Sie, bitte?«

»Ich bin Ihr Prosektor.«

»Ah, guten Tag.« In ihre Überraschung schwang eine kleine Unruhe hinein.

Er begann umständlich Namen von Kollegen und Kolleginnen aufzuzählen, die Anita nie gehört hatte. Es schien ihr, er dehne jedes Wort und vergnüge sich an der Ungeduld seiner Gesprächspartnerin.

»Wir alle gehen heute abend für ein paar Stunden aufs Land zum neuen Wein. Haben Sie Lust, mit uns zu kommen?«

Kurze Stille, kurzes Überlegen. Ein Glas Wein mit zehn oder zwölf Menschen – Prüfungen am Ende des Semesters – man kann nicht ablehnen, ohne unhöflich oder dumm zu sein.

»Vielen Dank, ich komme mit.«

»Das ist fein!« War es ehrliche Freude? Es klang fast so. Dann wurde das Treffen vereinbart.

Der Abend wurde wunderschön.

Der Prosektor brachte Anita nach Hause.

»Ich habe mich in Ihnen geirrt«, gestand sie vor der Haustür.

»Ich habe mich bisher vor Ihnen gefürchtet.«

Er schien sich wieder zu freuen.

Bei diesem ersten Bummel blieb es nicht. Bald darauf geschah es, daß er zu Anita sagte:

»Wenn Sie nett sind, holen Sie Ihren Prosektor nach der Arbeit zu einem Spaziergang ab, denn er braucht frische Luft.« Sie war nett. Sie war noch oftmals nett. Und sie fand auch ihn immer netter. Nach ein paar Wochen gab es keinen Zweifel mehr: Die Studentin hatte sich verliebt.

Es begannen herrliche Wochen. Sie lachten miteinander im Sonnenlicht, wenn es keck und verspielt ihre Wege vergoldete. Sie träumten in die Spiegel der Wasser, wenn sie unter abendlichem Himmel an ihrer Seite vorbeiraunten. Und ihre Zärtlichkeiten entdeckte zuweilen der Mond, wenn eine Wolke ihm launisch die Sicht freigab.

Ein paar Monate vergingen, und man sprach von Heirat. Er träumte von Häuslichkeit und Kindern.

»Zwölf! Ich will zwölf Kinder haben!«

»Wie bitte? Zwölf?«

»Zwölf. Ist dir das zuviel?«

»N – nein – nur wirst du einen Omnisbus kaufen müssen, um sie sonntags spazierenzufahren.«

»Die Idee ist wundervoll! Der Omnibus kommt auf unseren Haushaltsplan!«

Träume über Träume!

Eines Tages trug er einen Radioapparat unter dem Arm. Weiß Gott, wo er ihn aufgetrieben hatte, denn es war ja Krieg. In der Prosektur probierten sie ihn aus.

Anita war voller Eifer.

»Wir müssen heute abend den englischen Sender einstellen! Seitdem ich hier bin, habe ich nicht mehr gehört, was in Wahrheit in der Welt geschieht.«

Er blickte auf, die Hand noch am Knopf für die verschiedenen Wellen.

»Einen Feindsender? Bist du wahnsinnig?«

Sie sahen einander an, erstaunt, entsetzt, ernüchtert. Da waren sie Tag für Tag zusammen gewesen, seit Monaten schon, und hatten noch nie über Politik gesprochen. Jetzt erst entdeckten sie es: Er war überzeugter Nationalsozialist und sie fanatische Gegnerin!

Was nun begann, war die müßige Diskussion, die in Deutschland damals so oft und meist ergebnislos geführt wurde.

»Wie kannst du nur so undankbar sein! Sechs Millionen Arbeitslose hatten wir! Weißt du, was das heißt? Sechs Millionen Familien, die fast verhungerten? Hitler hat ihnen Arbeit und Brot gegeben! Wem geht es heute in unserem Land schlecht?«

»Aber um welchen Preis?«

»Kann ein Preis zu hoch sein, um sechs Millionen Familien vorm Verhungern zu erretten?«

»Und die Konzentrationslager? Stören sie dich nicht?«

»Von meinen Freunden sitzt keiner drin. Kennst du Menschen, die dort sind, ohne es zu verdienen?«

»Wie kannst du so reden? Ist Jude-Sein ein Verbrechen?«

»Sie haben uns ganz schön übers Ohr gehauen. Kennst du einen Juden, der arm ist?«

»Ich kenne Juden, die anständig sind und fleißig!«

»Dann sind sie im Konzentrationslager am richtigen Ort. Dort dürfen sie auch arbeiten.«

»Nein, sie werden furchtbar behandelt, manchmal getötet. Nicht nur Juden, sondern auch Arier, Menschen wie du und ich! Ihre einzige Sünde ist, daß sie keine Nazis sind.«

»Weißt du von einem, der getötet wurde?«

»N – nein, aber man hört es.«

»Aha. Aber du redest den Unsinn nach. Kennst du Leute, die aus dem KZ zurückkamen?«

»Ja, aber nur Arier.«

»Sahen sie gefoltert aus?«

»Nein.«

»Also, weshalb sagst du Dinge, die du gar nicht weißt?«

»Und der Krieg?«

»Den haben die anderen uns aufgezwungen. Sag mal, bist du eigentlich Deutsche oder nicht?«

»Ja, ja, ich bin Deutsche! Und eben deshalb hasse ich Hitler!«

Anita war außer sich. Er wagte es, an ihrem Deutschtum zu zweifeln! An der Liebe zu ihrem Vaterland, einer Liebe, die ihr seit vielen Jahren so viel Schmerz bereitete und die sie dennoch nie aufgegeben hatte!

Sie wartete keine Antwort ab. Sie sprang auf und lief einfach davon.

Eine Woche lang verließ sie ihr Zimmer nur, um zum Essen zu gehen. Als sie sich endlich entschloß, in den Sektionssaal zurückzukehren, wagte sie nicht, sich umzusehen. Sie fühlte, wie er den Saal betrat. Da war er auch schon an ihrem Tisch.

»Nein!« schrie sie, »nein!« Und bedeckte mit beiden Händen ihr Präparat. Er verließ augenblicklich den Saal.

Aller Augen waren auf sie gerichtet. Sie schämte sich unsagbar ob ihrer Unbeherrschtheit.

In ihr Zimmer zurückgekehrt, brach sie in Tränen aus. Es tat gut zu weinen, aber es half nur für kurze Zeit.

Er war so gut, so anständig! Er war so klug und so gebildet! Und er war Nazi!

Gegen Ende des Semesters schrieb Anita ihren Eltern, daß sie im kommenden Semester die Universität wechseln wolle. Die Eltern machten keine Einwände.

Als der Zug langsam anfuhr, als er schneller und schneller wurde, sah sie aus dem Fenster mit Augen, die nichts sahen. Als die Helle des freien Himmels das Dunkel der Bahnhofshalle ablöste, holte sie aus ihrer Handtasche eine kleine, weiße Karte. *Sektionskurs* stand darauf. Darunter ihr Name.

Auf der Rückseite aber stand: *Fertig seziert.* Und darunter seine Unterschrift.

*

Die Umsiedlung ins Sanatorium liegt hinter mir.

Noch in letzter Minute – nein, *erst* in letzter Minute hatte ich meinen Mann gefragt:

»Muß es denn sein?« Als ich sein erstauntes, dann unglückliches Gesicht sah, milderte ich ab: »Ich meine, hat es einen Sinn, daß ich dorthin gehe?«

Er zögerte, sah noch immer unglücklich drein.

»Die Abwechslung wird dir guttun.« Seine Stimme klang nicht überzeugend, eher hilflos.

»Sicher«, erwiderte ich schnell. »Danke, Werner.« Ich legte die Hand auf seinen Arm und versuchte zu lächeln.

Das Sanatorium ist eigentlich ein Haus für Körperbehinderte. Die Menschen sind heiter. Sie bespötteln einander in ihren Gebrechen. Jeder scheint froh zu sein, daß er nicht der einzige ist, daß der andere auch...

Mir will das nicht so recht gelingen. Es ist noch zu früh. Ich habe mich mit meinem Schicksal noch nicht abgefunden. Vielleicht werde ich später einmal wiederkommen, in einem Jahr oder zwei, vielleicht spöttele ich dann mit ihnen.

Ständig quält mich der Gedanke, wie es zu Hause sein wird, wo keine Schwestern und Pfleger um mich herumhuschen und mir jeden Wunsch erfüllen. Es wäre doch besser gewesen, ich hätte mich zuerst daheim eingelebt. Ich könnte dann hier ruhiger sein, frei von der Angst vor dem Ungewissen.

Die Schwestern sind nett. Nein, das ist ein zu schwaches Wort. Oft sind sie geradezu rührend. Sie geben uns das Gefühl, als seien sie nur für uns auf der Welt. Nur die Nächte sind lang. Wie viele Stunden war ich früher auf den Beinen? Wie gut hatte ich nachts schlafen können. Ich höre jetzt vieles, worauf man am Tag nicht achtet. Irgendwo rauscht ein Wasserhahn. Wer ist wohl außer mir noch wach? Im Garten kreischt ein Vogel, grell zunächst und durchdringend, dann klagend, schließlich hoffnungslos. Hat die Katze ihn erwischt? Es stimmt nicht, daß der Hahn bei Tagesanbruch kräht. Frühmorgens schon, um zwei Uhr, erklingt zum ersten Mal sein Ruf, mitten in die Finsternis hinein. Die Kirchturmuhr macht jetzt drei Schläge: dreiviertel wovon?

Und immer wieder kommt der junge Melthaun in mein Zimmer. Er sei tot, sagt mein Mann. Aber er kommt dennoch. Will er mit mir reden? Es ist zu spät!

Will er mich um Verzeihung bitten? Immerhin hat er mich zum Krüppel gemacht. Oder klagt er mich an? Das ist das Schlimme: Hätte ich ihm helfen können? Ihm und mir?

Sonderbar: Bei dieser Ehe hatte ich immer ein ungutes Gefühl. Dabei schien doch alles in bester Ordnung zu sein. Sie hatten sich an der Universität getroffen, Studenten der gleichen Fakultät. Er hat seine Frau vergöttert. Klein, bescheiden, ein wenig unscheinbar wie er war, hat er an ihr hinaufgeschaut, und sie hat seine Bewunderung genossen. Sie war hübsch, fast schön – und ungeheuer selbstbewußt. Manche im Dorf nannten sie hart, manche egoistisch. Man muß da vorsichtig sein, sagte ich mir, das Aussehen kann täuschen.

Als wir bei ihr Leukämie feststellten, wollte er es nicht glauben. Es war furchtbar. Oftmals brauchte ich mehr Zeit für ihn als für die Frau. Als sie bettlägerig wurde, brachte er das Kind zu seiner Mutter und verließ sie weder bei Tag noch bei Nacht.

Dann erschien er eines Abends bei mir, als die Sprechstunde längst vorbei war.

»Kann die Krankheit ins Gehirn gehen?« Seine Stimme war wie sein Gesicht, fahl, gequält.

»Wieso? Weshalb fragen Sie?«

»Ich kann es nicht glauben.« Es war so leise, ich verstand kaum die Worte. Den Sinn verstand ich überhaupt nicht.

»Was ist geschehen?«

Er antwortete nicht gleich. Dann stieß er den Satz hervor, als müsse er ihn aus einem Abgrund heraufholen:

»Und ich hatte geglaubt, sie liebt mich.«

Jetzt erst merkte ich, wie ernst es um ihn stand. Ich holte ihn ins Zimmer, hieß ihn sich setzen.

Er setzte sich nicht gleich.

»Sie haben mir den Jungen genommen.«

Ich verstand noch immer nicht.

»Er ist doch bei Ihrer Mutter.«

»Der Kerl hat ihn geholt.«

»Welcher Kerl?«

Jetzt ließ er sich in den Sessel fallen, stützte den Kopf in die Hände und atmete schwer.

»So reden Sie doch! Welcher Kerl?«

Er beantwortete meine Frage nicht. Statt dessen murmelte er erneut:

»Ich dachte, sie liebt mich.«

Ich ging zu ihm hin, packte ihn an den Schultern.

»Nun reden Sie, was ist passiert?«

Er sah kurz zu mir auf und gleich wieder weg. Er schüttelte den Kopf, ein Zittern durchlief seinen Körper.

»Ich dachte, sie liebt mich«, hörte ich wieder.

Da setzte ich mich ihm gegenüber und wartete. Ich mußte Geduld haben. Ganz sanft fragte ich:

»Meinen Sie Ihre Frau?«

Wieder sah er auf. Er starrte mich an. Dann lachte er laut.

»Meine Frau, ja! *Meine* Frau!«

Der Kopf sank erneut auf die Hand und kam gleich wieder hoch.

»Sieht mein Sohn mir ähnlich?« Er stieß die Worte hervor, daß ich erschrak. Eine Ahnung stieg in mir auf.

Plötzlich wurde er ganz sachlich.

»Wie kann ich feststellen, ob mein Sohn mein Sohn ist? Durch Blutkontrollen, nicht wahr?«

Jetzt war ich kaum der Sprache mächtig.

»Aber...«

»Durch Blutkontrollen, nicht wahr?«

»J – ja.«

»Wie kann ich sie veranlassen?«

Ich brauchte eine ganze Weile, bis ich Näheres aus ihm herausbrachte.

Bei seiner Mutter war heute ein junger Mann erschienen und hatte kurzerhand erklärt, er wolle sein Kind holen, da dessen Mutter schwer erkrankt sei und sich nicht um es kümmern könne. Ehe die alte Frau sich von ihrer Verblüffung erholt hatte, war der Mensch mit dem Kind auf dem Arm davongeeilt.

»Haben Sie mit Ihrer Frau darüber gesprochen?« Ich fragte es spontan und bedauerte dann, die Frage gestellt zu haben. Er sank wieder in sich zusammen und brauchte geraume Zeit, bis er sich wieder aufgerafft hatte.

»›So ein Quatsch‹, hat sie gesagt und dann geweint. « Auch er war jetzt dem Weinen nahe.

Ich überlegte fieberhaft. Man mußte etwas tun. Das Nichtstun war das Schlimmste für ihn. Aber was?

»Soll ich mit ihr reden?« Ich erschrak über meinen eigenen Mut.

Er sah nicht auf. Nach einer Weile nickte er.

Ich ging noch am gleichen Abend zu ihr hin. Sie verstand sofort.

»Sie wollen mich aushorchen. « Sie versuchte Trotz in ihre Stimme zu legen, doch reichte dazu die Kraft nicht mehr.

»Ich will versuchen, euch zu helfen. «

»Da gibt es nichts zu helfen. Jetzt weiß er es eben. «

»Nein«, sagte ich. »Er weiß noch nichts. Zumindest nichts Genaues. Vielleicht können wir einiges retten. «

»Lothar hat sein Kind geholt. Denken Sie ja nicht, der gäbe es wieder heraus. «

»Sind Sie sicher, daß es sein Kind ist?«

»Ja. «

Einen Moment verschlug es mir die Sprache.

»Wenn es sein Kind ist, weshalb hat er Sie dann nicht geheiratet?«

»Weil ich nicht nach seiner Pfeife tanzte. «

Oder er nicht nach der Deinen, dachte ich.

»Wie kommt er dazu, das Kind zu holen. Er hat sich doch bisher nicht darum gekümmert!«

»Ich habe ihm geschrieben. Natürlich meinte ich nicht sofort, sondern falls mir etwas passierte – ich kann das Kind nicht bei fremden Menschen lassen. «

»Ist Ihr Mann ein fremder Mensch?« fragte ich, während ich

daran dachte, wieviel Mühe es sie gekostet haben mußte, in diesem Zustand noch einen Brief zu schreiben.

Sie schwieg einen Augenblick. Dann sagte sie:

»Ich hasse meine Schwiegermutter. «

» Wer spricht von Ihrer Schwiegermutter? Ihr Mann ist es, der Sie liebt. Sie und das Kind. «

»Aber ich liebe meinen Mann nicht. Ich liebe mein Kind. Und seinen Vater. « Das Letzte sagte sie fast andächtig. Der Klang ihrer Stimme tat mir weh. Ich weiß bis heute nicht, ob der Schmerz, den ich spürte, ihr galt oder ihrem Mann. Ich erwiderte:

» Immerhin hat jener Sie im Stich gelassen, während Ihr Mann Sie treu umsorgt. « Und als sie nicht antwortete, fuhr ich fort:

» Könnten wir ihm nicht den Kummer ersparen? Ihm weiterhin etwas vorlügen – wenigstens vorläufig? «

» Bis ich sterbe? « Die Stimme hatte wieder ihre alte Härte.

Ehe ich antworten konnte, öffnete sich die Tür. In ihrem Rahmen stand der junge Melthaun. Er war blaß. Seine Augen flackerten. Ich glaube, er schwankte.

» Ihr braucht nicht zu lügen! « stieß er hervor. Und schon fiel die Tür wieder ins Schloß.

Ich eilte ihm nach, aber er war schon verschwunden. Ich kenne das Haus, kenne, glaube ich, jeden Raum. Er war wie vom Erdboden verschluckt.

Als ich zu der Kranken zurückkehrte, sahen ihre Augen zur Decke, und in den Winkeln schimmerten Tränen. Wieder spürte ich diesen Schmerz.

» Wenn es über Ihre Kraft geht, schicken Sie ihn zu mir, sobald er zurückkommt. « Ich erhielt keine Antwort.

In dieser Nacht blieb ich lange auf und wartete, aber er kam nicht.

Er kam auch am nächsten Tag nicht. Ich besuchte die Frau. Er war über Nacht fortgeblieben. Sie wußte nicht, wohin er gegangen war. Auch in der zweiten Nacht kam er nicht zurück. Ich wollte ihn suchen lassen, doch sie verbot es mir.

»Das geht nur ihn und mich an.« Der Trotz in ihrer Stimme hatte an Sicherheit verloren.

In der Nacht nahm ich mir vor, dennoch nach ihm zu forschen, wenn nötig, mit der Polizei. Aber dann – ja, dann war der Unfall geschehen. Er ist tot. Vielleicht geht es ihm gut. Nur ich liege hier...

Wäre nur die Nacht nicht so lange! Ich werde morgen um ein Schlafmittel bitten, ich ertrage diese schwarze Einsamkeit nicht mehr mit ihren grellen Blitzen, in denen sein Gesicht auftaucht, verzerrt, verzweifelt, voll des qualvollsten Lachens.

Ich zwinge mich, an anderes zu denken. Das ist nicht leicht. Der Gedanke an meine Einsamkeit leistet gnädig Hilfe.

Da ist der Alte mit dem immer traurigen Gesicht. Es paßt in meine Stimmung, dieses Gesicht. Wie oft spricht man vom gesegneten Alter! Aber ich bin da nicht so sicher. Ich will die Geschichte von jenem Alten erzählen. Sie fällt in meine Studentenzeit. Sie hat mit Medizin nichts zu tun, doch das Erlebnis hat mich erschüttert. Es hat mich auch etwas gelehrt: Nachsicht mit anderen. Sind wir Menschen nicht oftmals unnachsichtig? Mit unseren Nächsten, besonders aber mit unseren Alten. Ich weiß, ich bin es gewesen. Trotz der Lehre, denn ich habe nicht immer an sie gedacht, oder sie ist mir zu spät eingefallen. Dennoch will ich sie niederschreiben. Oder vielleicht gerade deshalb. Vielleicht sind andere bessere Schüler als ich.

Der Kuß

Anita kam fast täglich an jener Tür vorüber, die vor lauter Alter schon keine Farbe mehr hatte. Außer einem halbblinden Fenster im oberen Drittel besaß diese Tür nichts, keinen Schmuck, kein Schild, keinen Namen. Das war auch nicht nötig. Jedermann wußte, wer dort Tag für Tag seine Arbeit tat.

Im Winter, wenn die Tür geschlossen war, sah man durchs Fenster hindurch den Draht von der Decke herabhängen, an dessen Ende der tellerförmige Lampenschirm die Glühbirne verdeckte, die ihr Licht spärlich auf alte Räder, Schläuche und andere Fahrradteile warf, die in buntem Durcheinander an der Wand hingen.

Im Sommer, wenn die Tür offenstand, sah man den Alten, den Rücken über ein Fahrrad gebeugt. Alles um ihn herum war schmutzig. Der Boden fast schwarz und von unzähligen Schrauben, Speichen und Instrumenten bedeckt. Der Mantel grau und ölbefleckt. Dunkel die Hände; aus ihren Runzeln ließ sich der Staub wohl nie mehr ganz herauswaschen. Desgleichen vom Kopf, in dessen Haarstoppeln Öl und Sand niemals fehlten.

Anita trat zuweilen bei dem Alten ein. Sie war freundlich zu ihm. Alle Menschen waren das. Wer hätte in jener Kriegszeit die alten Fahrräder so rasch und zuverlässig repariert wie er? Uralt waren die meisten schon. Man hätte sie längst aus dem Verkehr gezogen, hätte man nur neue bekommen können. Die Schläuche hatten unzählige Flicken, oft waren sie fast nicht mehr zu gebrauchen. Jeder aber, dessen Fahrrad nicht in Ordnung war, mußte damit am nächsten Tag wieder zur Arbeit fahren. So redete man dem Alten gut zu. Und der brummte nie. Geduldig stand er von früh bis spät in seiner Werkstatt. Sein schmaler Rücken war schon ganz krumm geworden, so daß niemandem auffiel, daß er seine Arbeit stets im Stehen tat. Die Studentin war jung und fröhlich, ihr Fahrrad dagegen sehr armselig geworden. Immer öfter mußten die beiden zu dem Alten hin. Und wenn sie ihm auch Arbeit brachte und er davon schon mehr als genug hatte, schien er sich doch zu freuen, wenn sie kam. Manchmal bot Anita ihm an, den Schaden selbst zu beheben, wenn er ihr das Material dazu gebe. Das ließ er stets geschehen, obwohl es ihm kaum Zeit ersparte.

Anita plauderte dann über dies und das. Oftmals lachte sie oder trällerte ein Liedchen vor sich hin. Ihr Haar glänzte in der Nachmittagssonne, und, so oft es über die Schulter nach vorne fiel, warf sie es mit mutwilliger Bewegung in den Nacken zurück.

Da geschah es eines Tages, daß er, als sie, mit der Arbeit fertig, die Geldbörse herauszog und ihn fragte, was er haben wolle, antwortete:

»Einen Kuß. «

Einen Augenblick lang sahen sie sich an. Er sah ihr maßlos überraschtes Gesicht und senkte schnell den Blick.

»Es war ja nur Spaß«, sagte er leise. Dann erklang ihr silberhelles Lachen.

»Damit hätten Sie auch kaum neuen Gummi kaufen können. «

Sie bestieg ihr repariertes Fahrrad und radelte davon. Doch war ihr der Blick des Alten nicht entgangen. Gleichsam aus Versehen hatte sie in sein Herz geschaut, das so einsam war und fror, das sich so sehr nach einem bißchen wärmendem Leben sehnte.

Es war ja nur Spaß! Wie verzagt, fast verzweifelt hatte es geklungen, und wie roh war ihr eigenes Lachen gewesen.

Anita wußte, daß der Alte bei seinem Sohn lebte, seit die Frau gestorben war. Sie stellte sich vor, wie er am Abend die Treppe hinaufstieg und in die Küche trat. Wie er Gesicht und Hände wusch und sich ans Ende des Tisches setzte, wo des Sohnes Frau ihm schon das Abendbrot gerichtet hatte.

Man war gut zu ihm, gab ihm ein freundliches Wort. Sagte er in einer Sache seine Meinung, so widersprach man ihm nicht. Und doch lebte er nur am Rande mit. Es war ja nicht wichtig, was man ihm sagte, ebensowenig das, was er selber sprach. Man hörte seine Meinung, doch wer richtete sich je danach? Er saß auf seinem Platz, doch wen hätte es gestört, wäre er eines Tages fortgeblieben? Er lebte, aber das Leben ging an ihm vorüber.

Wenn dann die jungen Leute schlafen gingen, schlurfte auch er in seine Kammer. Vor dem Einschlafen aber dachte er an die

Zeit, da er auf den ruhigen Atem seiner Frau gelauscht hatte, der ihm sanft und ein bißchen zärtlich über die Wange gestrichen war. Zuweilen glaubte er ihn wieder zu spüren, er streckte die Hand aus, um über einen weichen Arm zu streichen – da stieß er an die kalte Kammerwand und fröstelnd zog er die Decke über die Schulter.

Das alles dachte Anita. Sie dachte auch an Karneval und andere übermütige Feste. Wie schwer wog da schon ein Kuß? Gleichzeitig schüttelte es sie, wenn sie sich vorstellte, der Alte könnte sie küssen. Er war wieder an die kalte Mauer gestoßen.

Bald schon mußte sie erneut zu ihm hin. Sie tat es schweren Herzens. Als sie jedoch bemerkte, daß er es vermied, sie anzusehen, gab ihr das mehr Sicherheit.

Anita kam noch oft, und nie wußte sie, was sie tun würde, wenn er seine Bitte wiederholte. Doch er sprach nicht mehr davon.

Eines Tages war wieder die Luft aus dem Vorderrad mit leisem Knall entwichen. Anita ging zu dem Alten.

Sie beugte sich hinab, um ihm die schadhafte Stelle zu zeigen. Da spürte sie, wie eine kleine, schwielige Hand sich auf ihr Haar legte, ein wenig scheu, ein ganz klein wenig zärtlich. Sie fühlte wieder, was sie einst in seinen Augen gelesen hatte, jene Sehnsucht nach dem Leben, das sich abgewandt hatte.

Was soll ich tun? dachte sie. Ekel stieg in ihr hoch. Sein Gesicht mußte dicht über ihrem Haar sein, sein ölbeschmiertes Greisengesicht mit den traurigen Augen, die das Lachen verlernt hatten und es doch nicht vergessen konnten.

Ich will stillhalten, dachte sie, was auch geschehen mag. Sie brauchte ihre ganze Kraft dazu, als sie seinen Atem wie einen wehen Hauch in ihrem Haar verspürte.

Anita tat später, als sei nichts geschehen. Sie war einfach freundlich zu dem Alten.

Der Alte aber schien nicht fröhlicher, als sie ging. Er hatte wohl in einem kleinen Augenblick erkannt, daß sich das Leben nicht zurückholen läßt. Er wußte jetzt, daß die Erfüllung eines Wunsches neue Wünsche gebiert und daß die Sehnsucht und die Einsamkeit ihn nicht mehr verlassen würden.

Er neigte sich über seine Arbeit, still, wie er's gewohnt war, und war freundlich zu den Menschen, wie sie es zu ihm waren.

*

Ich lösche die kleine Lampe über meinem Bett und liege mit offenen Augen. Nur wenige Sekunden währt die Dunkelheit, gerade so lange, wie das menschliche Auge braucht, um sich den neuen Lichtverhältnissen anzupassen. Dann erkenne ich, daß die Nacht bereits zu Ende geht. Das Dunkel ist nicht mehr dunkel, die Decke ist grau. Ich meine, sie sei weiß. Ich meine das natürlich nur, weil ich weiß, daß sie am Tag wirklich weiß ist. Eben noch stand der Alte vor mir, eingehüllt in Schmutz und Hoffnungslosigkeit, und schon verdrängt ihn erneut das Bild des jungen Melthaun. Doch ist es nicht mehr so grell, sondern gedämpfter, dem Grau des Morgens angepaßt. Statt mich zu quälen, regt es mich zum Denken an.

Ich habe mich früher zuweilen gefragt, ob Studenten später reif sind als andere Menschen. Sie sind so lange Schüler. Auch ein Student ist im Grunde genommen noch Schüler, er hat nur bedingt eigene Entscheidungen zu treffen. Sie mögen eine intelligente Elite darstellen, doch garantiert das gleichzeitig Reife und Vernunft? Sicher gibt es irgendwo eine Statistik darüber, ob Studentenehen mehr oder weniger dauerhaft sind als andere.

Die Ehe der jungen Melthauns war eine solche Studentenehe. Und ich selbst hätte fast eine Studentenehe geführt. Hätten Arthur und ich uns verstanden, wenn das Leben begonnen hätte, Ansprüche an uns zu stellen?

Ich schließe die Augen. Ich stelle mir Arthur vor, wie er durch den Sektionssaal ging, meist heiter, zuweilen ein wenig spöttisch, immer mit diesem schwingenden, tänzelnden Gang. Ich habe so lange nicht an ihn gedacht, was mag aus ihm geworden sein? Hat er den Krieg überlebt? Ich suche nach seinem Gesicht, wie er mich ansah, wenn ich ihn von der Prosektur abholte, wenn er sich freute, mir etwas Liebes sagte, aber ich kann dieses Gesicht nicht finden. Nur im Sektionssaal sehe ich ihn, wie ich viele sah und wie ihn viele sahen. Aber das Gesicht, das mir gehörte, nein, das kann ich einfach nicht finden.

Diese Feststellung enttäuscht mich. Ist es die Zeit, die dergleichen auslöscht? Ich habe in all den Jahren sein Gesicht nicht gesucht. Ich hatte meinen Mann, meine Kinder, meine Arbeit. Zeit hatte ich nie. Auch keine Zeit, mir Arthurs Gesicht vorzustellen.

Eine Geschichte fällt mir ein, eine ganz kleine Geschichte aus meinem Lesebuch im dritten oder vierten Schuljahr: Ein Kind fing in der Schule an zu weinen. Der Lehrer fragte, warum es denn weine.

»Ich weiß nicht mehr, wie meine Mutter aussieht«, antwortete das Kind.

»Dann lauf schnell und schau sie an«, erwiderte der Lehrer. Das Kind lief heim und kam bald fröhlich zurück, denn es wußte jetzt wieder, wie seine Mutter aussah.

Unsere Lehrerin erklärte uns damals, man vergesse Gesichter, wenn man sich zu sehr nach ihnen sehne. Ich fand den Gedanken wunderschön. Darum habe ich die Geschichte wohl in Erinnerung behalten.

Ich sehne mich nicht nach Arthurs Gesicht. Heute nicht mehr. Erst jetzt, da ich ihn nicht finden kann, kommt Wehmut in mir auf, die fast ein bißchen schmerzt, – nein, das ist wohl zuviel gesagt. Dennoch ist mir, als habe ich soeben, in diesem Augenblick, einen bedeutenden Verlust erlitten.

Das Gefühl des Verlustes hat mich nicht am Einschlafen gehindert. Soeben hat mich die junge Schwester geweckt, die mit einem fröhlichen »guten Morgen!« in mein Zimmer kommt und die Vorhänge aufzieht. Sie bringt kein Thermometer, denn wir sind hier kein Krankenhaus. Der Tag beginnt auch viel später, nach dem Waschen wird gleich das Frühstück kommen. Danach werden sie mich in einen Stuhl betten und in den Raum hinausfahren, in dem sich alle zu einem Schwätzchen treffen.

Heute bitte ich darum, im Garten in einem stillen Winkel liegen zu dürfen. Die schlaflose Nacht geht mir noch nach. Vielleicht gelingt es mir an der frischen Luft, ein wenig einzunicken.

Zunächst träume ich vor mich hin. Das Blätterspiel in den Baumkronen fasziniert mich immer wieder. Es beruhigt trotz der ständigen Unruhe von Tausenden von Blättern. Meine Augen werden schmal, denn das Licht, das durch sie hindurchfällt, ist glitzerig und hell.

Über die Wiese, zwischen den Bäumen hindurch, kommt ein Auto gefahren. Ich kenne es nicht, aber ich weiß genau, es ist der junge Melthaun, der am Steuer sitzt. Er fährt nicht gerade, er nimmt einen Zickzackweg, immer hautnah an den Bäumen vorbei. Ich will ihn rufen, ihn warnen, vielleicht auch schimpfen, er soll den Unsinn sein lassen. Er scheint es gemerkt zu haben, denn jetzt entfernt er sich von mir, wird schneller. Da ist er schon auf einen Baum gefahren. Mich wundert, daß man den Aufprall nicht hört, er muß stark gewesen sein, denn das Auto ist vorne ganz eingebeult. Gottlob hat er es überlebt, denn jetzt steigt er aus. Ein wenig schwankend kommt er auf mich zu. Allmählich wird sein Gang ruhiger, ja, er tänzelt. Da weiß ich, es ist gar nicht der junge Melthaun, sondern Arthur. Ich erwarte ihn voller Spannung. Gleich muß er nahe genug sein. Er sieht hier niemanden außer mir, jetzt muß es das Gesicht sein, das mir gehört. Immer näher kommt er, ich kann die Spannung kaum noch ertragen. Ich richte mich in meinem Stuhl auf, will ihm entgegeneilen – da weckt mich die Anstrengung oder die Erregung auf.

Beim Mittagessen liegt neben meinem Gedeck ein Brief meines Mannes. Er schreibt lieb und sehr lange. Ein zärtliches Gefühl steigt in mir auf. Ich möchte den Brief an mich drücken, ganz rasch und heimlich. Aber ich wage es nicht, um mich herum gibt es zu viele Augen.

Er schreibt von seiner Einsamkeit, wie sehr ich ihm fehle. Von den Kindern, von der vielen Arbeit im Geschäft und über einige meiner Patienten, die nicht glauben wollen, daß ich nicht mehr komme, und was er gerade so hört.

Der alte Meier sei gestorben, sei grauenvoll erstickt. Auch der neue Doktor habe ihn nicht retten können.

Der alte Meier war gar nicht mehr mein Patient. Er hatte Darmkrebs, war in der Klinik daran operiert worden. Sie konnten den Tumor nicht restlos entfernen, deshalb wollten sie im Anschluß an die Operation eine Behandlung mit Spritzen und Tabletten durchführen. Leider hatte er einen Leidensgenossen im Dorf.

»Ich rate dir ab, wirklich, ich kann nur von dem Giftzeug abraten«, sagte der. Er selbst hatte die Injektionen erhalten, er nahm auch die Tabletten. Warum er dem anderen von allem abriet, war nicht ersichtlich.

Natürlich war ich, wie die Klinikärzte, für die Behandlung. Aber die Meinung eines alten Freundes wog schwerer.

»Ihr Freund hat seinen Krebs schon länger und lebt noch immer!« sagte ich. Ich beschwor ihn, bat die Frau um Hilfe, aber die war selbst mißtrauisch dem »Gift« gegenüber.

Bis eines Tages eine Tochtergeschwulst in der Lunge festgestellt wurde. Da habe ich meinem Zorn über das dumme Geschwätz des anderen Luft gemacht. Die Frau bekam es in die falsche Kehle. Es sei unverschämt, sie dafür verantwortlich zu machen, schrie sie, und ich bräuchte in Zukunft nicht mehr zu kommen.

Ich habe ihn nicht wiedergesehen, aber ich kann mir vorstellen – nein, ich möchte mir gar nicht vorstellen, wie er gestorben ist.

Das Essen ist gut. Sehr zartes Bratenfleisch, Kartoffelpüree, dazu Erbsen und gelbe Rüben gemischt. Wie sie nur die guten Soßen machen! In manchen Restaurants habe ich mich das auch schon gefragt. Es wird wohl das viele Fleisch sein, das den ganzen Tag auf dem Herd brutzelt. Im Privathaushalt klappt das natürlich niemals, die Portionen sind zu klein.

Während der Mittagsruhe denke ich wieder an meine Schreiberei. In der ersten Woche hier im Haus hatte ich nicht die geringste Lust, einen Bleistift in die Hand zu nehmen, doch jetzt drängt es mich geradezu, weiterzumachen.

Immer kommen die Bilder aus meiner Praxis. Aber ich muß Ordnung halten, muß die Reihenfolge beachten, damit kein Loch entsteht. Es braucht ja nicht viel zu sein, nur ein paar Erlebnisse liegen mir zu sehr am Herzen, als daß ich sie auslassen könnte.

Angst

Medizinstudenten müssen famulieren. Das heißt, sie arbeiten in einem Krankenhaus. Nicht als Ärzte und nicht als Schwestern, sondern als ein undefinierbares Mittelding.

Die Schwestern sagten »Frau Doktor« zu Anita, die Ärzte nannten sie »Kollegin«. Beides klang in den ersten Tagen seltsam, besonders, weil sie sich entsetzlich unwissend vorkam. Ganz allmählich erst lernte sie, wie man einen Krankenbefund aufnahm, wie man Lunge und Herz untersuchte und vor allem auch zuverlässig beurteilte, wie man die Leber tastete und die Milz. Mußte sie Injektionen machen, genierte sie sich vor den Schwestern, die das weitaus besser konnten, und im Labor zitterte sie vor den kritischen Blicken der Laborantin.

Nach den ersten Wochen wurde alles besser. Sie fühlte sich nicht nur sicherer, sie verlor auch ihre Hemmungen, wenn sie etwas nicht beherrschte. »Wozu würden Sie diese Zelle zählen?« konnte sie die Laborantin fragen, wenn sie sich nicht sicher war. Sie erkannte, daß man, sobald man vieles weiß, sich keine Blöße mehr gibt, wenn man etwas nicht weiß. Diese Feststellung erstaunte sie. Dann nahm sie sich vor, sie nie wieder zu vergessen.

Eines Tages kam ein schwerer Fall von Tetanus ins Haus. Die Aufregung war groß.

»Er ist schon über fünfzig. Und natürlich nicht geimpft.«

»Das ist wohl aussichtslos. So viel Kraft hat man in diesem Alter nicht mehr.«

»Die Anfälle sollen furchtbar sein, kaum zum Ansehen.«

»Ich bin froh, daß er nicht auf unserer Station liegt.«

Ich auch, dachte Anita. Sie konnte in der folgenden Nacht kaum schlafen. Sie hatte den Mann nicht gesehen. Das Furchtbare war, daß er in ihren Wachträumen das Aussehen ihres Vaters bekam. Das Aussehen des Vaters von damals, als er ihr den Tetanus erklärte.

»Was ist Tetanus?« hatte sie beim Abendessen gefragt, ein Kind von höchstens zehn Jahren. Sie hatte das Wort irgendwo aufgeschnappt.

»Das ist Wundstarrkrampf«, hatte die Mutter geantwortet, »eine ganz schlimme Krankheit. Ich habe im Krieg Menschen daran sterben sehen. Es war furchtbar.«

»Wie ist das? Wie stirbt man daran? Und warum?«

»Wenn man eine Wunde hat, gerät der Bazillus durch diese Wunde in den Körper. Dort vermehrt er sich ganz schnell. Sind genügend Bazillen entstanden, dann bricht die Krankheit aus. Alle Muskeln verkrampfen sich, der Mensch kann sich nicht mehr bewegen, auch nicht mehr atmen und stirbt sehr rasch.«

»Muß er dann ersticken?«

»So ungefähr.« Die Mutter sagte es zögernd. Das Kind erschien ihr zu jung für so schreckliche Dinge.

70

Das Kind aber wurde den Gedanken daran nicht mehr los. Immer wieder brachte es das Gespräch darauf.

»Wenn der Mensch sich dauernd bewegt, kann er doch gar nicht steif werden?«

Eines Tages mischte sich der Vater ein. Er war der Ansicht, man dürfe einem Kind die Wahrheit nicht verbergen und keine Antwort schuldig bleiben.

»Paß auf«, er sprach langsam, um einfache Worte bemüht, »wenn der Mensch die Bazillen im Körper hat, fängt die Krankheit im Unterkiefer an. Die Muskeln werden steif, der Mensch kann den Mund nicht mehr öffnen. Den zieht es dann in die Breite, siehst du so...«, er verzog das Gesicht zu einer grinsenden Grimasse. »Weiter verkrampfen sich die Arme, er kann sie nicht mehr strecken. Auch die Beine werden starr und alle Muskeln am ganzen Körper. Ein solcher Kranker liegt dann so im Bett...«, der Vater hob die Arme, winkelte sie ab, spreizte und krümmte die Finger. Dazu trat wieder das gräßliche Grinsen in sein Gesicht. Er sah aus wie eine Katze, die mit entblößten Krallen sich eines Feindes erwehrt. Alles an ihm war starr, nur die Augen jagten, weit aufgerissen, hin und her, hin und her – es war ein Bild des Grauens.

Der Vater sprach noch weiter, daß zwischendurch Anfälle aufträten, die so stark würden, daß selbst das Atmen unmöglich würde. Je nachdem, wie lange solche Anfälle dauerten und wie stark der Kranke noch sei, könne er solche Anfälle durchstehen oder ginge daran zugrunde.

Der Vater hatte es gut gemeint. Die Mutter ahnte wohl etwas von dem, was in dem Kind vorging.

»Heute kommt diese Krankheit ja nicht mehr vor, weil die Menschen dagegen geimpft werden.«

Das Kind aber wurde das Bild nicht mehr los, nicht nach Tagen und nicht nach Jahren. So konnte es geschehen, daß der unbekannte Kranke jetzt die Züge des Vaters trug und der Studentin die Nachtruhe raubte. Vielleicht sollte sie ihn sehen, dachte sie, vielleicht wäre der Schrecken dann vorbei. Aber sie war ihrer Sache nicht sicher und so hatte sie nicht den Mut, darum zu bitten.

Zwei Tage später war der Mann tot. Er wurde bedauert und vergessen. In einem Krankenhaus löst ein Schicksal das andere ab, verdrängt ein Leid das andere.

Aber eines Tages trat das Gefürchtete ein: Als Anita am Morgen die Station betrat, war da ein neuer Fall von Tetanus. Ein junger Bursche von siebzehn Jahren! Er lag auf Zimmer dreihundertvierzehn, und das gehörte zu ihrem Arbeitsbereich.

Der Stationsarzt war außer sich.

»Jetzt haben wir das Impfserum, und immer wieder sind die Leute so bodenlos leichtsinnig! Sie verdienen es nicht, daß die Wissenschaftler Tag und Nacht daran arbeiten!«

Auch für die Schwestern gab es kein anderes Thema. Die jungen waren besonders eifrig.

»Paß auf, wenn du bei der Blutabnahme dabei bist. Du kannst selbst krank werden, wenn du mit dem Blut in Berührung kommst!«

»Dazu muß man erst verletzt sein.«

»Na, einen kleinen Riß oder so was hat man leicht irgendwo.«

Anita hörte das alles und hörte es auch nicht. In ihrem Kopf herrschte ein Durcheinander, schlimmer als vor einem Examen. Aus weiter Ferne schien die Stimme der Stationsschwester zu kommen.

»Zuerst gehen wir zum Tetanus. Er muß alle zwei Stunden gespritzt werden.«

Anita begriff nicht, daß mit der Aufforderung sie gemeint war. Erst als die Schwester zu schimpfen begann, sie solle sich im Bett ausschlafen und nicht auf Station, kam sie in Bewegung und ging wie in Trance zu Zimmer dreihundertvierzehn.

Da lag der Bursche, fast noch ein Kind, und trug das Grinsen des Vaters. Auch Arme und Beine waren verkrampft wie einst beim Vater. Dennoch war es anders. Was machte den Unterschied? Sie wußte es nicht.

»Komm, Bub«, sagte die Schwester, »wir müsen dir wieder eine Spritze geben. «

Sie war eine rauhe Schwester, grob zu Rekonvaleszenten, grob zu ihren Untergebenen, grob sogar zu den Ärzten. Zu Schwerkranken aber war sie wie eine Mutter. Sachte, fast zärtlich nahm sie seinen Arm, begann ihn zu strecken. Ganz langsam tat sie es, unsagbar vorsichtig.

»Es ist gleich vorbei«, tröstete sie, als der Junge seinen Schmerz durch die Zähne pfiff.

Dann lag der Arm. Die Schwester hielt ihn fest. Anita legte die Staubinde an. Die Venen schwollen auf. Sie stach die Nadel ein.

Zum ersten Mal hatte sie vergessen zu fragen, welches Mittel in der Spritze war. Und gerade diese Frage hatte sie sich zum obersten Gesetz gemacht.

Ich will dir helfen! flüsterte es in ihr. Bei Gott, ich will dir helfen! Vielleicht hilfst du dann auch mir! Ob es uns beiden gelingt?

In diesen Minuten ging eine Wandlung in ihr vor: Sie empfand den Kranken als ihr gehörig, ihr ganz allein. Er war gewissermaßen ihr zweites Ich geworden, ein Stück ihrer selbst. Von diesen Minuten an wachte sie eifersüchtig über jeden, der sich ihm näherte. Niemand durfte ihm mehr etwas tun, das sie nicht selbst hätte tun können.

Ihr war, als hinge ihr Schicksal von dem seinen ab.

Am nächsten Tag entschloß sich der Stationsarzt, einen Teil des Antitetanusserums direkt in die Nervenbahnen zu spritzen, das hieß in den Kanal des Rückenmarks. Anita mußte ihm assistieren.

Die Schwester drehte den Jungen zur Seite. Sie hielt ihn in den Armen und flüsterte ihm Trostworte zu. Der Arzt ertastete auf dem Rücken die Stelle zwischen den Wirbeln. Dann stach er die

Nadel ein. Das Gewebe war hart. Zunächst trat kein Liquor aus, der Nervenkanal lag tiefer.

Der Arzt suchte. Der Junge stöhnte. Die Stimme der Schwester klang innig. Durch Anitas Kopf huschte der Anflug eines Gedankens: Sie liebt ihn.

Da strömte es aus der Kanüle.

»Halten Sie«, sagte der Arzt. Anita faßte das Metall. Der Liquor rann über ihre Finger. Sie achtete nicht darauf. Der Arzt setzte die Spritze an, drückte auf den Kolben. Langsam lief das Serum in den Wirbelkanal hinein.

Laß es helfen, betete Anita. Laß es ihm helfen. Und mir! Sie war dem Weinen nahe.

Als die Prozedur beendet war, bekam der Junge einen Anfall. Der ganze Körper zog sich zusammen, die Muskeln wurden bretthart, auch die Schwester konnte nichts mehr halten. Das Gesicht verfärbte sich, zuerst rot, dann blau. Nur unter furchtbarer Mühe vermochte er ein wenig Luft in seine Lungen zu ziehen. Auf der Höhe des Anfalls schien es gar nicht möglich zu sein. Gottlob dauerte er nicht lange, und der Arzt atmete auf.

»Sie werden nicht schlimmer. Vielleicht schaffen wir es.« Als der Kranke die Augen einen Spalt öffnete, sagte er noch: »Mut, Junge! Nur Mut!«

In diesem Augenblick wußte Anita, was bei dem Jungen anders war als damals beim Vater: Es waren die Augen. Das Schlimmste an Vaters Gesicht waren die Augen gewesen, die weit aufgerissenen, nimmer ruhenden! Das hatte er falsch gemacht, es war so unmenschlich gewesen. Aber der Kranke war ein Mensch. Und die Qual des Anfalls hatte ihm die Augen geschlossen. War es eine Gnade der Natur? Für uns, die wir ihn umstehen, ihn sehen müssen? Für ihn selbst? Vielleicht kann man ihn später danach fragen. Falls er es übersteht. Und falls er es überhaupt weiß.

In der Nacht kam zu Anita die Angst. Der Liquor war über ihre Finger gelaufen. Am Ende hatte sie sich infiziert? Hatte sie in den letzten Tagen irgendwelche Verletzungen an den Händen? Sie kann sich nicht erinnern. Dennoch macht sie Licht, schaut prüfend ihre Finger an, jeden einzeln. Da, die wunde Stelle am Nagelbett! Sagt man nicht, daß der kleinste Defekt schon ausreicht? Natürlich sagt man es. Also kann diese wunde Stelle am Nagel schon genügen! Was ist zu tun? Ich kann doch nicht zusehen, wie das Gift meinen Körper überschwemmt! Kann nicht müßig warten, bis ich erkranke! Ich bin zu jung, ich will nicht sterben! Um Gottes willen nicht sterben! Gleich morgen werde ich mit dem Stationsarzt sprechen, er muß mir eine Spritze geben! Die letzte Impfung ist so lange her, wer weiß, ob sie noch wirksam ist! Oder soll ich es heute tun? Jetzt gleich? Wieviel Uhr ist es? Kurz vor Mitternacht! Ob ich ihn anrufe? Wird er böse werden? Das kann er nicht, er muß doch verstehen! Vielleicht hat er sich selbst längst eine Spritze geben lassen, denn über seine Hände ist der Liquor auch geflossen. Oder nimmt er es nicht so ernst?

Am Ende lacht er über mich, findet meine Angst albern? Und wenn er morgen auf Station erzählt, daß ich ihn um Mitternacht angerufen habe, werden sich alle über mich lustig machen. Eigentlich ist es auch lächerlich. Wie oft hat man kleine Wunden und wie selten erkrankt man an Tetanus. Ich bin ja verrückt. Und doch muß jeder logisch denkende Mensch sagen, daß in diesem Fall die Gefahr gegeben ist, daß sie sogar ziemlich groß ist. Natürlich ist sie das! Tetanus führt meist zum Tod! Auch der Junge ist noch nicht über dem Berg. Und ich will nicht sterben! Es muß sofort etwas geschehen! Was soll ich tun? O Gott, was soll ich nur tun?

Bleich vor Müdigkeit erschien Anita am nächsten Morgen auf Station. Dem Jungen ging es nicht schlechter. Er bekam Spritze über Spritze, in die Muskeln, in die Venen, ins Rückenmark. Die Stationsschwester überließ die Station weitgehend den anderen, sie lebte nur noch für ihn. Anita erging es ähnlich. Wenn er es schafft, schaffe ich es auch. Wird er mit der Krankheit fertig, dann auch ich mit meiner Angst. Der Gedanke umklammerte ihr Hirn wie eine Zange.

Wenn nur die Nächte nicht gewesen wären!

Eines Morgens lag auf dem Gesicht der Stationsschwester ein Leuchten.

»Er schafft es!« schrie Anita. Die Schwester nahm es ihr nicht übel.

»Ich glaube schon«, sagte sie kurz und wandte sich ab.

Die Anfälle hatten in der Nacht plötzlich nachgelassen. Sie kamen seltener und wurden schwächer. Die Schwester fand wieder Zeit, sich um ihre Station zu kümmern. Ihr Brummen zeigte an, daß der Alltag zurückkehrte.

Eine knappe Woche währte es, dann stand der Junge, noch mager und blaß, mit einem Koffer in der Hand, im Gang und sagte Lebewohl. Alle umstanden ihn, alle strahlten ihn an, und er lächelte verlegen zurück.

»Danke schön für alles«, sagte er zum Arzt, als er ihm die Hand reichte. »Danke schön« zur Stationsschwester, die jetzt, da er genesen war, ihren rauhen Ton wieder völlig beherrschte.

»Mach nicht wieder solche Dummheiten«, brummte sie. »Laß dich gefälligst impfen.«

Der Junge gab allen die Hand, auch Anita, und sagte sein »Danke schön«. Dann wandte er sich um und ging den Gang entlang bis zur Glastür, hinter der die Treppe lag.

Der Arzt ging zurück ins Ärztezimmer. Die Schwester folgte ihm. Alle verliefen sich. Nur die Studentin blieb stehen und sah ihm nach, bis er durch die Tür verschwunden war. Du und ich, dachte sie, wir beide sind noch einmal zur Welt gekommen. Dann sagte sie: »Danke schön.« Und diesmal sprachen ihre Lippen die Worte mit.

✳

Ich kann nichts dafür, aber auch jetzt, da ich an all das zurück-
denke, befällt mich wieder das Grauen. Die große Angst,
nein, die ist nicht wieder gekommen. Aber das Grauen vor
der Furchtbarkeit dieser Krankheit habe ich nie ganz abgelegt.
Glücklicherweise habe ich in den Jahrzehnten meines Arzt-
seins nie wieder einen Fall von Tetanus erlebt. Die Impfungen
sind schon ein Segen. Ich kann nicht verstehen, daß es auch
heute noch Impfgegner gibt. Sie haben sicher nie am Bett eines Tetanuskranken gestanden. Wahrscheinlich sind es hauptsächlich Menschen, die überhaupt nicht viel von der moder-
nen Medizin halten. Sie halten sich, wie sie sagen, lieber an die
Natur. Wer bezweifelt, daß natürliche Dinge oft nützlich und
gut sind? Und doch sind die Menschen in den Zeiten, da es
keine Chemie gab, im Durchschnitt nicht älter als sechsund-
dreißig Jahre geworden, während man heute mit dem Dop-
pelten rechnet, und das, obgleich es früher keine Luftver-
schmutzung gab.
Haben die Impfgegner nie überlegt, daß aus den früheren Na-
turärzten die Schulmedizin hervorgegangen ist? Eine Weiter-
entwicklung im wahrsten Sinne des Wortes. Es waren die
Denker und Forscher unter ihnen, die den Kampf gegen frühere Epidemien bestanden, die die Pocken so gut wie ausge-
merzt haben, desgleichen die Pest und die Cholera. Wer hat
die Kinderlähmung zurückgedrängt? Wer hat in jahrzehnte-
langer Forschung Penizillin und ähnliche Mittel entwickelt?
Hat die Zuckerkrankheit in den Griff bekommen?
Und welcher Mut gehörte oft zu den Versuchen der Ärzte! Ich
muß da immer an den englischen Landarzt Edward Jenner
denken, der Ende des achtzehnten Jahrhunderts sich ganz bewußt mit Pocken infizierte, nachdem er sich vorher mit seinem Kuhpockeneiter »geimpft« hatte. Wie überzeugt muß er
von der Richtigkeit seiner Theorie gewesen sein! Oder war es
Opfergeist, der ihn beseelte? Sicher kam beides zusammen,
denn er war ja nicht dumm.

Und dieser Doktor Forssmann, der sich erst vor ein paar Jahrzehnten einen Katheter von der Armvene aus ins Herz schob! Als er einen Kollegen bat, ihm dabei zu helfen, fiel dieser fast in Ohnmacht und lief davon.

Nein, ich habe kein Verständnis für die abfälligen Urteile, die man zuweilen über Ärzte und die heutige Medizin hört. Mag hier und da ein Fehler unterlaufen, mag der eine oder der andere seine Schwächen haben, die Menschlichkeit ist auf dieser Welt nicht auszuschließen. Im großen und ganzen gesehen hat die Schulmedizin unsagbar viel geleistet, das sollte jeder denkende Mensch anerkennen.

Es ist heute so mild, daß sie uns den Kaffee im Garten servieren. Das ist sehr hübsch und macht dem Personal nicht mehr Umstände, im Gegenteil. Die Küche hat eine Tür in den Garten hinaus, und draußen stehen immer genügend Plastiktische.

Als ich ankomme, haben die meisten ihre Plätze schon eingenommen. Sie lachen mir entgegen, rufen: »Tüchtig! Tüchtig!« Sie haben wohl gesehen, wie ich meinen Rollstuhl durch die Wege steuere. Ich gebe zu, ich übe fleißig. Der Wagen ist die einzige Möglichkeit für mich, eine gewisse Selbständigkeit zu erlangen.

Anfangs war es unsagbar mühevoll, die beiden großen Räder rechts und links mit den Händen zu drehen. Sie sind mit dem Steuerrad eines Autos nur sehr fern verwandt. Sobald man sie nicht mehr dreht, bleibt der Rollstuhl stehen. Werner denkt daran, mir ein elektrisches Vehikel zu kaufen, aber im Augenblick ist das noch Zukunftsmusik.

Allmählich wird die Muskulatur meiner Arme auch stärker, ich komme nicht mehr so rasch außer Atem. Vielleicht spielt auch noch etwas anderes eine Rolle: Ich begnüge mich mit mäßigerem Tempo. Anfangs wollte ich immer möglichst schnell sein, der Trieb steckte noch in mir. Doch von Tag zu Tag erkenne ich mehr, daß Geschwindigkeit keine Rolle spielt – in meinem Leben nicht mehr. Natürlich gelingt es mir nicht immer, meine »Pferde« zu zügeln, zuweilen vergesse ich meine weisen Erkenntnisse. Ich muß eben auch mit mir selbst Geduld haben, nicht nur mit dem Tempo meines Transportmittels.

Mir gegenüber sitzt ein netter Herr in meinem Alter. Er lacht, weil ich so erhitzt von der Fahrt bin.

»Es ist schon erstaunlich, was ein Mensch alles lernt, wenn er muß«, sagt er. Er hat im Krieg den rechten Arm verloren, außerdem ein Auge.

Ich nicke ihm zu und lache gleichfalls.

»Auch Ihnen wird am Anfang nicht alles leicht gefallen sein.«

»Beileibe nicht! Ich werde nie vergessen, wie ich eines Tages einen Fisch schuppen wollte. Ich hatte mir überlegt, daß ich ihn am besten am Wasserhahn festbinde. Schleifenbinden hatte ich schon gelernt, mit Mund und Hand ging das ganz gut. Also, dachte ich, ran an die Sache! Aber so ein Fisch ist glitschig! Ständig schlüpfte er mir aus der Hand. Nicht mal die Zähne werden mit so einem Biest fertig. Und als ich dachte, jetzt habe ich ihn, da, wupp, sauste er mir aus dem Waschbecken und unters Bett, natürlich in die hinterste Ecke. An jenem Abend habe ich nicht schlecht geflucht. Aber am Ende war mein Fisch geschuppt. Natürlich nicht nach Hausfrauenart, ein paar Schuppen kriegte ich noch zwischen die Zähne, aber er hat mir dennoch geschmeckt!«

»Die Menschheit weiß sich eben immer zu helfen!« ruft jemand vom anderen Tischende, »deshalb sind wir auch noch nicht ausgestorben!«

»Gibt es eigentlich Dinge im täglichen Leben, die Sie gar nicht zuwege bringen?« frage ich.

»Ja«, antwortet der Einarmige. »Sie werden es nicht glauben, aber ich kann kein weichgekochtes Ei essen.«

79

Wir schauen alle verwundert, und er lächelt darüber.

»Versuchen Sie es bitte! Sie werden sehen, es geht nicht. Das Ding ist einfach zu rund, es hält nicht. Nicht einmal im Eierbecher. Sie können es oben aufklopfen, die Schalen abbröckeln, aber dann sind Sie am Ende mit der einarmigen Kunst.«

Wir haben noch einen Einarmigen in unserem Kreis. Natürlich schauen alle fragend zu ihm hinüber. Doch er gesteht, daß er Eier nicht mag und deshalb keine Erfahrung hat.

Ich nehme mir vor, es selbst zu versuchen, wenn es auch Unsinn ist. Ich habe ja jetzt Zeit für unsinniges Zeug.

Mittlerweile sind alle mit dem Kaffeetrinken fertig bis auf den jungen Mann mit seiner schweren multiplen Sklerose. Er ist ein freundlicher Mensch, klagt nie, obgleich das Stadium der Krankheit schon weit fortgeschritten ist. Man kann kaum zusehen, mit welcher Mühe er die Arme, die Hände bewegt, mit welcher Langsamkeit er den Kuchen zum Mund führt und später auch die Tasse. Die Nachbarin will ihm helfen, aber er dankt, es gehe schon allein. Er lächelt dabei.

Manchmal ist die Natur barmherzig. Multiple-Sklerose-Kranke sind meist heiter. Man spricht in Medizinerkreisen von ihrer typischen Euphorie. Aber es ist die einzige Barmherzigkeit bei dieser Krankheit.

Jetzt, da der Kuchen verschwunden ist, läßt die Frau unseres Kurhausdirektors die Hunde laufen. Es sind Setter, eine Hündin und zwei Junge. Die Hündin ist bildschön in ihrem braunen Fell, das wie Seide glänzt. Die Kleinen sind noch nicht schön, dafür aber um so drolliger. Wie zwei Wollknäuel toben sie durch den Garten und zwischen den Tischen umher. Manche unter uns beugen sich nieder, versuchen sie zu streicheln, aber sie kommen stets zu spät.

Da fällt mir die Geschichte mit Betty ein. Betty, die ein solches Tierchen geheilt hat. Die Sache geschah kurz nach meinem Staatsexamen. Ich hatte die erste Stelle angetreten. Zum ersten Mal stand ich vor Patienten als vollausgebildete Ärztin, also auch mit Verantwortung. Das will nicht heißen, daß der Stationsarzt mich als voll einsetzbare Kraft angesehen hätte, er hatte ja oft Neulinge in seiner Obhut, er wußte, was er ihnen zutrauen und auch zumuten konnte. Immerhin hatte ich aufgrund meiner Ausbildung die Verpflichtung, für alle Handlungen die Verantwortung zu tragen, die nahm mir niemand ab. Heute abend werde ich das Erlebnis mit Betty und dem Hundchen niederschreiben.

Betty

»Willst du mir wirklich nicht die Hand geben?« fragte der Stationsarzt schon zum dritten Mal, aber das Kind rührte sich nicht. Er sah auf es nieder und wußte nicht, was mit ihm anfangen. »Na ja«, sagte er, und nochmals »Na ja«. Dann wandte er sich plötzlich um. »Das ist doch etwas für Sie!« Anita sah ihn fragend an. »Sie sind doch eine Frau! Sie wissen besser mit Kindern umzugehen. Versuchen Sie Ihr Glück! Ich wünsche Ihnen alles Gute dabei.«
Er war sichtlich erfreut über seinen Einfall. Als er jedoch Anitas unglückliches Gesicht sah, mußte er lachen.
»Sie sehen mich an, als hätte ich Ihnen die Quadratur des Zirkels aufgegeben. Erheben Sie zunächst einmal die Anamnese.«
Er rief die Schwester und gab ihr das Zimmer an, in dem das Kind untergebracht werden sollte. Die Schwester murrte, sie seien hier doch keine Kinderklinik und zog mit dem Kind los. Als Anita mit dem Arzt allein war, fragte auch sie, was das Kind hier solle. Wohl wußte sie, daß die Kinderklinik fast völlig zerstört und der einzige erhaltene Trakt ständig überfüllt war und sie zuweilen Nothelfer spielen mußten. Daß man aber ausgerechnet ein psychisch gestörtes Kind hierher zu Erwachsenen legte, schien ihr mehr als ungeschickt.

Der Stationsarzt zuckte die Achseln.

»Ich weiß so gut wie Sie, daß es Unsinn ist. Aber was soll ich tun? Sie haben mir hoch und heilig versprochen, das Kind in den nächsten Tagen zu übernehmen. Sie müssen eben jeden Morgen anrufen, damit man uns nicht großzügig vergißt.«

So ging denn Anita zur Mutter des Kindes, einer schüchternen, blassen Frau, die draußen gewartet hatte. Sie holte sie ins Arztzimmer, hieß sie sich setzen und begann mit der Anamnese.

Sie erfuhr, daß Betty im August sieben Jahre alt würde, daß es keine Besonderheiten gab, weder bei der Geburt noch im Säuglings- und Kleinkindalter, wenn man davon absah, daß Betty mit der Mutter allein lebte, denn der Vater war im Krieg und später in Gefangenschaft.

»Seit wann spricht Betty nicht mehr?«

»Seit mein Mann uns verlassen hat.«

»War das nach dem Krieg?«

»Bald danach. Wir hatten keine Ahnung. Wir haben oft von ihm gesprochen, haben miteinander geträumt und uns vorgestellt, wie schön es sein wird, wenn er wieder bei uns ist.« Die Frau sagte es mit bebenden Lippen. »Dann war er eines Tages gekommen, und die Freude war groß gewesen. Nach anfänglicher Scheu war Betty nicht mehr von ihrem Vater gewichen. Sie waren den ganzen Tag zusammen. Ich mußte ja zur Arbeit gehen. Einer mußte das Geld verdienen.«

»Hatte er keine Arbeit?«

»Er hat keine gesucht. Er wollte ja nicht bleiben. Erst nach Tagen kam er mit der Wahrheit heraus: Er hatte eine Freundin. Vom Krieg her. Irgend so ein Blitzmädchen oder von der Flak.«

»Was geschah, als er ging? Hat die Kleine es mitbekommen?« Die Frau nickte.

»Den ganzen Krach. Er hat gebrüllt. Und ich hatte wohl auch nicht die besten Nerven.«

»Hat er Sie geschlagen?«

82

»Ja.«

»Auch das Kind?«

»Er hat es angeschrien und weggestoßen.«

»Hat Betty geweint?«

»Sie hat ihn angestarrt. Nur angestarrt, so wie sie jetzt noch starrt – manchmal wenigstens. Als er sie zum Abschied hochnehmen wollte, wehrte sie sich und lief davon. Da wurde er wütend und nannte sie eine dumme Gans.«

»Und seitdem spricht sie nicht mehr?«

»Als er gegangen war, fragte sie noch: ›Mama, kommt mein Papa wieder?‹ Ich schüttelte bloß den Kopf. Seitdem hat sie nicht mehr gesprochen. Anfangs ist es mir kaum aufgefallen, ich war ja selbst so durcheinander. Da zittert man sechs Jahre lang und hofft – und dann kommt dieses Ende.« Die Stimme war so leise geworden, Anita konnte sie kaum noch verstehen. Eine Weile schwiegen beide. Dann fragte die Frau:

»Wird sie wieder normal? Ich meine, wird sich das wieder geben? Kann denn ein Kind das Sprechen richtig verlernen?«

»Das glaube ich nicht.« Anita bemühte sich, ihrer Stimme einen zuversichtlichen Klang zu geben. »Ich bin zwar keine Kinderärztin und auch keine Psychologin, aber ich meine, dergleichen müßte zu beheben sein.«

Das Kind kam in ein Zimmer, in dem eine ältere Frau und ein junges Mädchen lagen. Der Arzt hatte es ausgesucht, weil die beiden nicht schwer krank waren und sich recht munter die Zeit vertrieben.

»So«, sagte die Frau, »Betty heißt du. Der Name war früher ziemlich häufig. Ich hatte mal eine Puppe, die nannte ich Betty, weil ich den Namen so schön fand.«

Und das junge Mädchen fügte hinzu: »Heute gibt es den Namen oft in Amerika.«

»Was Sie nicht sagen!« staunte die Frau. Dann, zu dem Kind gewandt: »Deinen Eltern hat er wohl auch gefallen, drum haben sie dich so getauft.«

Betty rührte sich nicht. Sie saß auf ihrem Stuhl und starrte in eine Ecke, als sei sie selbst eine Puppe.

»Komm mal her zu mir!« rief die Frau. »Schau, ich habe einen Apfel. Magst du einen Apfel?« Aber Betty schwieg.

Es begann eine schwere Zeit. Die beiden Frauen, die Schwestern, die Ärzte, alle bemühten sich um Betty. Aber das Kind schwieg. Es ließ alles mit sich geschehen, Untersuchungen aller Art, doch es schwieg.

Manchmal holte Anita das Kind ins Ärztezimmer, doch ihr Gespräch mit ihm blieb ein Monolog. Sie brachte ihm Obst mit, einen Ball, ein Stückchen Schokolade, alles Dinge, die in jener Zeit kaum aufzutreiben waren. Das Kind bedankte sich nie. Man konnte nicht einmal erkennen, ob es sich darüber freute.

Die Tage vergingen. Der Stationsarzt drängte, Betty zu verlegen. Anita war ganz unglücklich, daß sie bei dem Kind nichts ausrichtete. Sie hatte es sich plötzlich zur Aufgabe gemacht, ihm zu helfen.

Und eines Tages tauchte der junge Hund auf. Er war wohl ausgesetzt worden. Einer der Ärzte hatte ihn winselnd am Straßenrand entdeckt und kurzerhand mitgenommen. So watschelte er zum Ergötzen aller auf seinen krummen Beinchen durchs Ärztezimmer. Sein Winseln wurde als Hunger gedeutet, was sicher nicht ganz abwegig war.

»Er ist für Fleisch wohl noch zu klein«, meinte eine der Ärztinnen. »Milch müßte man haben.«

»Richtig! Und zwar sollte man ihm die Flasche geben.«

Die Visite begann heute verspätet, weil zuerst der Kampf zwischen Hund und Milchflasche ausgefochten werden mußte. Als das Tierchen endlich trank wie ein kleiner Nimmersatt, atmeten alle erleichtert auf. Plötzlich sagte der Stationsarzt:

»Wie ist das bei den Psychologen? Bedienen die sich nicht manchmal der Tiere zur Behandlung von Kindern?« Dann zu Anita gewandt: »Stecken Sie ihn doch mit Betty zusammen, mal sehen, was draus wird.«

Das war ein Einfall! Kaum hatten die Ärzte das Zimmer verlassen, eilte sie und holte das Kind.

»Schau, Betty, was wir hier haben!«

Bettys Augen wurden groß. Der Hund watschelte durchs Zimmer mit einem Kindergesicht, das suchte und nichts verstand. Sein Stimmchen war unendlich zart und übertönte doch den Straßenlärm, der durchs Fenster drang.

Anita ließ eine Weile verstreichen, dann lockte sie ihn:

»Komm her, du Kleiner! Na, komm schon und begrüße unsere Betty!«

Als habe der Hund verstanden, machte er ein paar Schritte auf das Mädchen zu. Er streckte ihm seine Schnauze entgegen, schnüffelte in die Luft und blickte mit seinen braunen Augen treuherzig zu ihr auf.

»Ist er nicht süß?« fragte die Ärztin, aber das Kind schwieg.

»Gefällt er dir?« Betty schwieg.

»Hast du schon einmal einen so kleinen Hund gesehen? Wollen wir ihm einen Namen geben? Wie sollen wir ihn nennen?«

Anita seufzte leise, bückte sich und hob das Tierchen auf.

»Er wird frieren, er ist das warme Fell seiner Mutter gewöhnt. Wir müssen ihn warmhalten.« Sie setzte sich auf einen Stuhl, legte den Hund in ihren Schoß und strich mit der Hand über seinen Rücken.

Da läutete das Telefon.

Anita sprang auf, packte Betty und drückte sie in den Stuhl.

»Nimm das Tierchen, schnell!« sagte sie und legte den Hund in Bettys Schoß. Dann nahm sie den Hörer ab.

Während sie sprach, beobachtete sie die beiden. Das Kind saß steif und starrte auf das Tier, das unruhig hin und her zitterte. Einmal hob es die Hand, als wollte es seinen Rücken streicheln, doch ebenso schnell zog es sie wieder zurück.

Die Ärztin kam vom Schreibtisch zurück zu Betty.

»Ich muß zu einem Kranken. Behalte das Tierchen und hüte es

gut.« Ohne eine Antwort abzuwarten verließ sie das Zimmer.

In den Kriegs- und Nachkriegszeiten war vieles Unvorstellbare möglich geworden. So störte es auch niemanden, daß das Ärztezimmer von nun an einen jungen Hund beherbergte. Er blieb einfach da, von allen geliebt, von allen verwöhnt. Oftmals wurde Betty geholt.

»Betty, bleib bei dem Hund, er ist einsam.«

»Betty, paß auf ihn auf, wir haben keine Zeit.«

»Hier, stell ihm das Futter hin, er muß aus der Schüssel fressen lernen.«

Die Frauen in Bettys Zimmer fragten eines Tages, weshalb das Tier keinen Namen habe.

»Wir warten darauf, daß Betty ihm einen gibt«, sagte Anita.

Betty schwieg zu alledem. Jedes Mal aber, wenn von dem Hund die Rede war, trat in ihre Augen eine Spannung, die die anderen anspornte, wieder und wieder davon zu sprechen.

Eines Tages verlor Anita die Geduld. Sie hatte Betty ins Ärztezimmer geholt, ihr das Tier übergeben und unter der Tür ein wenig barsch gesagt:

»Wenn wir jetzt nicht bald einen Namen finden, müssen wir das Tier in ein Tierheim geben.« Dann hatte sie die Tür energisch zugemacht und war gegangen.

Als sie zurückkam, saß Betty in einer Ecke des Zimmers auf dem Boden. In den Armen hielt sie den Hund, und als sie jetzt das Gesicht zur Tür wandte, war es so voller Qual, daß die Ärztin erschüttert stehenblieb. Wie ein Blitz schoß ihr der Gedanke durch den Kopf: Hat sie so ihrem Vater nachgesehen? Dann eilte sie zu dem Kind.

»Wir brauchen einen Namen, Betty!« rief sie und kniete vor den beiden nieder. Sie sah, wie es in dem Gesicht zuckte, wie der Kampf tobte. Es muß durchgestanden werden, dachte sie verzweifelt.

»Sollen wir ihn Lux nennen? Oder Bosco? Oder Benno? Oder Jacki?«

Da, bei dem letzten nickte Betty. Es war ein kurzes, hastiges Nicken, aber Anita hatte es gesehen.

»Jacki? Meinst du Jacki?« Sie hing an Bettys Gesicht wie eine Dürstende am Wasserstrahl.

Da kam das Nicken zum zweiten Mal, deutlicher jetzt und bestimmter.

»Fein«, erwiderte Anita, und Glück schwang in ihrer Stimme.

»Wir werden ihn also Jacki nennen. Das müssen wir auch den anderen sagen. Und immer, wenn du ihn unter dem Tisch hervorholen willst, mußt du ihn rufen, damit er seinen Namen lernt. «

Ein neues Spiel begann. Alle Menschen, die Betty begegneten, fragten, wie der Hund heiße. Doch sie erfuhren es nicht. Sie mochten locken und schmeicheln, Betty schwieg. Alle waren enttäuscht, am meisten Anita. Als die Mutter eines Tages erneut fragte, ob ihr Kind gesund werde, wagte sie keine Prognose.

Eines Morgens stand die Tür des Ärztezimmers offen. Niemand wußte, ob es ein Versehen war, doch zufällig war auch Betty in der Nähe. Sie sah, wie das Tierchen über den Gang watschelte, wie es von der ersten Treppenstufe zur nächsten hopste oder fiel, wie es weiter hopste und fiel, eine Stufe nach der anderen.

Da kam eine Schwester.

»Haltet den Hund!« rief sie. Gleich darauf erschien einer der Ärzte.

»Wenn er auf die Straße rennt, ist er verloren!«

Da kam Leben in Betty. Sie rannte zur Treppe und schrie:

»Jacki!« Sie lief ihm nach, die Stufen hinab, so rasch sie konnte. Der Arzt war schneller. Immer zwei Stufen auf einmal nehmend war er gleich bei dem Tier. Er nahm es hoch und kehrte zu Betty zurück.

»Komm«, sagte er ruhig, »wir bringen ihn ins Zimmer. Du hast ihn zwar gerufen, aber er hat seinen Namen noch nicht

87

gekannt, und das war gefährlich für ihn. Du mußt ihn jetzt jeden Tag viele Male rufen, denn nur so kann er lernen, wie er heißt.«

Betty sah von Jacki zu ihm und wieder zu Jacki.

»Wirst du ihn rufen, damit er seinen Namen lernt?«

Wieder sah das Kind hin und her. Und dann nickte es.

»Gut«, sagte der Arzt, »aber vergiß es nicht, sonst ist Jacki in Gefahr.« Dann ging er.

Betty war noch oft mit dem Hund allein. Ob sie ihn rief, konnte niemand sagen, keiner hörte es jemals.

Als aber eines Tages eine junge Schwester neu auf der Station erschien und ahnungslos fragte:

»Nanu, was ist denn das für ein niedlicher Hund? Wie heißt er denn?« Da sagte Betty wie selbstverständlich:

»Jacki.«

Die Nachricht verbreitete sich wie ein Lauffeuer über die ganze Station. Der Stationsarzt trug das Kinn hoch, als hätte er den Nobelpreis erhalten, und die Schwestern umringten am Nachmittag Bettys Mutter, so daß sie lange kein Wort verstand.

Wenig später war Ostern.

Anita hatte mit Bettys Mutter im Ärztezimmer gesprochen. Danach ließen sie Betty rufen.

»Du hast doch hoffentlich nicht vergessen, daß heute Ostern ist?« Das Kind sah die Frauen an und schwieg. Anita sprach weiter. »Und weil du jetzt noch in der Klinik bleiben mußt, hat deine Mutter den Osterhasen hierherbestellt. Drinnen im Zimmer ist er gewesen. Willst du hineingehen und schauen, was er versteckt hat?«

Wieder sah Betty von einem zum anderen.

»Betty!« rief die Mutter bittend. Da kam ein kaum merkliches Nicken.

Anita öffnete die Tür. Sie mußte Betty hineinschieben.

»Du mußt suchen, Betty!« Wieder brauchten sie viel Geduld.

Da kam das bekannte Winseln. Dort, in der hintersten Ecke stand ein Körbchen, mit Gras ausgelegt und voller bunter Eier. Mitten unter den Eiern aber saß Jacki wie ein Wollknäuel und streckte sein Schnäuzchen dem Kind entgegen.

»Jacki!« rief Betty, und noch einmal »Jacki!« Dann sah sie mit großen Augen zu den Erwachsenen hinüber.

»Der Osterhase schenkt ihn dir, weil du ihn so gern hast«, sagte Anita. Bettys Mutter fragte:

»Willst du ihn haben, Betty? Willst du ihn mit nach Hause nehmen?«

»Ja«, erwiderte Betty, »ja, Mama.« Sie kniete nieder, hob den Hund heraus und wiegte ihn in den Armen wie ein kleines Kind. Und plötzlich lachte sie und sagte:

»Schau, Mama, mein Osterhase hat ganz kurze Ohren.«

Die Mutter mußte sich umwenden, weil ihr die Tränen in die Augen stiegen.

Aus Anitas Brust rang sich ein Seufzer der Erleichterung.

»Betty ist genesen«, sagte sie.

∗

Monatelang habe ich nicht geschrieben. Ich fand mich in meinem neuen Leben nicht zurecht. Es war hart.

Dabei hat Werner so viel getan, um mir die Heimkehr zu erleichtern. Er hat unsere alte Margot zurückgeholt, die, bis die Kinder groß waren, bei uns gearbeitet hat. Ich hätte beiden so gerne meine Dankbarkeit gezeigt, doch bei jedem »danke« sind mir die Tränen gekommen und Margot auch. Ich wußte vorher gar nicht, daß ich so nahe ans Wasser gebaut habe.

Die größte Überraschung aber war dieser komische Fahrstuhl, den sie ans Treppengeländer angebracht haben. Es ist ein richtiger Stuhl, oder – noch richtiger – ein Sessel, auf dem ich sitzen und in den oberen Stock hinauffahren kann.

»O Werner...!« Mehr vermochte ich im ersten Moment nicht zu sagen. Ich verstand sofort, weshalb er ihn montiert hatte: Er sollte mir mein Heim im oberen Stock erhalten, mein Zimmer, meinen Blick aus dem Fenster.

Ich liebe diesen Blick. Er geht auf den Fluß und über die Rundung des Flusses hinweg in die Ferne. Nein, Ferne ist wohl zuviel gesagt. Weite, das ist richtig. Die Flußebene mit den vereinzelten Häusern, deren Licht in den Fenstern die Abende in Märchen verwandeln, wird eingerahmt von grünen Hügeln. Das Grün ist hell, vereinzelt Wald als dunklerer Kontrast, abwechselnd Felder und Wiesen, richtiger Weiden, wenn auch meist kein Vieh darauf zu sehen ist.

»Die geborgene Weite« habe ich meine Aussicht getauft. Ursprünglich war mir der Ausdruck für eine Landschaft in Italien gekommen, für eine Gegend in den Ausläufern der Toscana. Doch hierher paßt er ebensogut. Wenn ich hinausschaue, denke ich oft an die Toscana, und ich vergesse, daß die Welt nicht überall schön ist.

»Du hast jetzt einen Privatfahrstuhl! So etwas besitzt nicht jeder.« Seine Freude über die geglückte Überraschung überspielte für einen Augenblick die Härte der Situation. Es kostete ihn einige Mühe, mich aus meinem Stuhl zu heben und in den Fahrstuhl zu setzen, ich hörte, wie schwer sein Atem ging. Natürlich bekommt er mit der Zeit Übung darin, findet den einen oder anderen leichteren Griff heraus. Aber der Gedanke lastet auf mir, daß er nicht jünger wird. Im Lauf der Jahre ersetzt auch der raffinierteste Aufzug nicht eine gesunde Frau.

Die erste Zeit war schlimm. Um ehrlich zu sein: Sie war schlimmer, als ich befürchtet hatte. Mal wollte ich rasch zum Schrank gehen, um ein Jäckchen oder ein Taschentuch zu holen, mal zum Türöffner laufen, weil es an der Haustür geklingelt hatte. Mal wollte ich das Fenster öffnen oder in die Küche gehen, um eine Kleinigkeit zu essen. Die Augenblicke, in denen ich mir wünschte, tot zu sein wie der junge Melthaun, waren nicht selten.

Langsam, ganz langsam erobere ich mir alles. Die Frau, die Werner nach langem Suchen aufgetrieben hat, ist freundlich, doch ein bißchen faul. Auch hat sie Launen. Morgens muß ich mit Spürsinn ertasten, wie ich sie heute behandeln darf.

Mein Mann gibt sich heiter und geduldig. Aber er ist alt geworden. Ich fühle es, und ich sehe es. Manchmal frage ich mich, ob es für ihn noch härter ist als für mich. Außer seiner Arbeit gibt es nichts mehr für ihn, kein Theater, kein Konzert, nichts. Ich verlange gar nicht, daß er immer bei mir bleibt, ich möchte es nicht einmal. Ich bitte ihn immer wieder, aber er geht nicht, hat keine Lust, ist angeblich zu müde. Immerhin ist es mir gelungen, ihn zu überreden, am nächsten Wochenende zur Geburtstagsfeier seines Bruders zu fahren. Die Frau wird im unteren Stockwerk übernachten, ich kann dann auf den Boden klopfen, falls ich sie brauche.

Heute verbringe ich den Tag mit Sichten und Sortieren alter Papiere, eine Arbeit, zu der ich früher nie gekommen bin. Die Frau stellt eine Schublade vor mich hin, später tauscht sie sie gegen die nächste ein.

Sonderbare Dinge finde ich da. Briefe von Menschen, die ich längst vergessen habe und von solchen, die mich wohl vergessen haben. Ein altes Testament meiner Tante, das seine Bedeutung verloren hat, weil ihr Haus kurz vor Kriegsende durch einen Volltreffer zerstört wurde. Ein ungültiges Sparbuch, in dem die Eintragungen noch in Deutscher Reichsmark stehen. Die darin vermerkten Summen scheinen heute gering, direkt zum Lachen. Ich lächle auch tatsächlich, aber es ist mehr ein wehmütiges Lächeln, und gleichzeitig ein stolzes, denn immerhin war ich schon damals ein eifriger Sparer. Fast jeden Monat ist es mir gelungen, ein paar Mark für das Büchlein zu erübrigen. Ich habe das Sparen in meinem ganzen Leben nicht lassen können. Mein Mann hat mich deswegen oft genug bespöttelt, aber ich glaube, im geheimen hat er mich dafür doch ein bißchen bewundert. So etwas kann ein Mann natürlich niemals zugeben.

Da ist ja auch noch das Gedicht, in Bleistiftschrift, kaum noch leserlich. Es war damals die einzige Möglichkeit gewesen, unserer guten Schwester auf Station Schönlein eine Freude zu machen. Kaufen konnte man damals, kurz nach Kriegsende, nichts.

Eine Kriegsfolge war auch, daß wir die Köpfe voller Läuse hatten. Fast täglich setzten unsere Schwestern den Patienten solche Hauben auf, für mindestens drei Stunden. Auf der Gebrauchsanweisung stand zwar eine Stunde, aber das hätte nie gereicht, die Mittel waren so schlecht.

Ich habe mich spät am Abend ins Schwesternzimmer geflüchtet und wollte es ganz geheim halten. Ich weiß heute noch nicht, wie der junge Arzt gemerkt hat, daß ich noch im Haus war. Ich habe seinen Schritt gehört und bin zur Tür gestürzt. Gerade als er die Klinke herunterdrückte, drehte ich den Schlüssel um. Von diesem Tag an versuchte er nicht mehr, mit mir zu flirten. Er sah auch über mich weg, als ich das Gedicht vorlas. Er muß ein Mensch ohne Humor gewesen sein.

Ja, ich mußte es vorlesen. Die Schwester bat mich darum, denn sie tat sich schwer mit den Handschriften der jungen Ärzte. Es war auch schlecht geschrieben, nachts, zwischen zwei und drei Uhr, dazu nur mit Bleistift.

Ich hatte mich schon am Abend mit dem Gedanken getragen, aber ich war mit dem Anfang einfach nicht zu Rande gekommen.

»Ein Mensch hat heute Namenstag...« Das war unmöglich. Kein deutsches Gedicht kann jemals wieder mit »Ein Mensch« beginnen, nachdem es Eugen Roth gegeben hat.

»Ein Mensch gerät gar unverhofft...« Da ist es mir schon wieder passiert! Etwas anderes wollte mir einfach nicht einfallen. Erst nach ein paar Stunden Schlaf fand ich den Ausweg: *Der* Mensch. Gewiß, die Ähnlichkeit sticht ins Auge. Aber schließ-

lich kann man nicht Eugen Roth zuliebe alles um den Menschen herum zum Tabu erklären! Sei's drum:

> *Der Mensch gerät gar unverhofft*
> *Und das auch leider ziemlich oft*
> *In eine recht verzwickte Lage,*
> *Die ihm höchst kummervolle Tage*
> *Und Angst und Lebensüberdruß*
> *Und was es sonst gibt, bringen muß.*
> *So ist es dem doch sicher peinlich,*
> *Der, sich von Kindesbeinen reinlich*
> *Und aller Laster frei geglaubt,*
> *Gedankenlos streicht über's Haupt,*
> *Am Schreibtisch sitzend, ganz entrückt,*
> *Dieweil ihn grad ein Buch entzückt,*
> *Wenn seinem Kopf entfällt ein Läuschen!*
> *Sogleich gerät er aus dem Häuschen,*
> *Verzweifelt erst an Gott und Welt,*
> *Dann wieder nicht für möglich hält,*
> *Daß ausgerechnet ihn von allen*
> *Das schwerste Übel hat befallen,*
> *Stiert angeekelt hin auf sie*
> *Und sitzt ihr machtlos vis-à-vis.*
> *Trübsinnig schleicht er durch die Gassen*
> *Und kann es immer noch nicht fassen,*
> *Weiß nicht, wohin er sich soll wenden*
> *Und weiß nicht, wie soll alles enden.*
> *Doch da erscheint dem innern Auge*
> *Auf einmal eine weiße Haube.*
> *Und plötzlich hat er leis gelacht:*
> *Daß er noch nicht an sie gedacht!*
> *Und eilig strebt er hin zu ihr,*
> *Berichtet von dem Ungetier,*
> *Das ihn so schändlich hat belästigt.*

Und in dem Glauben schon gefestigt,
Daß bald die ganze Quälerei
Vorbei, das Leben wieder neu
Beginnt, begibt sich ins Exil
Der Mensch, weil er nicht haben will,
Daß etwa ungebetne Gäste
Teilhaben sollten an dem Feste,
Das sich nicht, sondern umgekehrt
Er nur den Läusen hat beschert.
Gar bald schon sieht man fröhlich ihn
Und wieder reinlich heimwärts ziehn.
Kaum ein paar Tage sind verronnen,
Da ist zu Ohren ihm gekommen,
Daß heute sie hat Namenstag,
Die ihn errettet von der Plag.
Was aussagt, daß der gute Geist
Auf Schönlein Schwester Cosma heißt.
Schnell eilt der Mensch zu gratulieren,
Ihr seinen Dank zu zelebrieren,
Er wünscht von Herzen ihr das Beste
Für heut und alle weitren Feste,
Bringt allen in der heitern Runde
Voll Freude seine gute Kunde:
Wenn je an euch ein Kummer nagt,
Und wenn euch gar ein Läuslein plagt,
Klopft zuversichtlich bei ihr an!
Sie hilft euch gerne, wenn sie kann!

Wie gesagt, ich mußte es vorlesen. Ich genierte mich schrecklich, meine Stimme hat bestimmt gezittert. Aber dann sah ich,
wie die Freude aus ihren Augen strahlte. Ich eilte zu ihr hin und
wollte ihr die Blätter überreichen. Sie errötete leicht und schüttelte den Kopf.
Ich verstand nicht.

»Nehmen Sie es, Schwester Cosma! Als kleinen Dank und als Andenken. «

»Ich darf nicht. « Sie sagte es so leise, daß ich sie kaum verstand.

»Das ist doch kein wertvolles Geschenk! Nur diese paar Blätter...«

»Unsere Oberin hält nichts von weltlichen Dingen. «

»Jetzt machen Sie aber einen Punkt! Ich weiß, daß in Ihrer Kirche alles viel freier geworden ist. «

»Vielleicht in manchen Klöstern. Es ist halt verschieden. Unsere Oberin ist streng. «

Ich war maßlos enttäuscht und steckte die Blätter in die Tasche. So sind sie heute noch bei mir, fast dreißig Jahre alt, vergilbt, kaum noch leserlich.

Ob sie noch lebt? Ob sie sich daran erinnert?

In jener Nachkriegszeit waren die Dimensionen unserer Freuden kleiner, aber wir erlebten sie intensiver. Vielleicht waren sie darum doch größer? Allein schon, weil sie so selten waren? Wie haben wir in der Frauenklinik gelacht! Natürlich lag das viel an unserem Oberarzt. Ich habe bei ihm bald nach dem Staatsexamen gearbeitet. An ein paar Erlebnisse erinnere ich mich noch lebhaft.

Unglaubliche Empfängnis

Der Oberarzt war ein schöner Mann und ein heiterer dazu.

»Fein«, sagte er und lachte zu Anita hinüber, »kommen Sie für ein paar Monate zu uns. Erweitern Sie meinen Hühnerhof. «

Sie sah ihn fragend an.

»Nun ja, ich bin der einzige Mann in der Abteilung, sozusagen Hahn im Korb! Da muß ich zuweilen meine Federn plustern oder nicht?«

Jetzt lachte auch Anita.

»So ist's recht, lachen Sie nur. Wir lachen oft. Schließlich sind wir der einzige Zweig in der Medizin, der nicht nur mit Patienten zu tun hat. Oder sind schwangere Frauen etwa krank?«

»Natürlich nicht.«

»Sehen Sie! Kerngesund sind sie! Und, wie man so sagt, guter Hoffnung. Freilich gibt es ein paar darunter, denen fährt der Schreck in die Glieder, wenn sie hören, daß die nächste Menses erst in zehn Monaten kommt. Aber das geht vorüber, spätestens nach der Entbindung sind sie ganz närrisch mit ihrem Kind.« Er strahlte, als hätte er selbst soeben eines geboren.

Es war ein kühnes Unterfangen, das Haus noch als Klinik zu bezeichnen. Der größte Teil des Gebäudes war unter dem Bombenhagel des letzten Kriegsjahres zusammengestürzt. Die Ambulanz bestand eigentlich nur aus zwei Räumen. Der kleinere war das Reich des Oberarztes. Es war mit einem Schreibtisch, der beim Einsturz einer Wand lediglich ein paar Kratzer abbekommen hatte, geradezu prunkvoll eingerichtet. Das Untersuchungszimmer war wesentlich größer. Man hatte es mit Vorhängen unterteilt und so noch einen Arbeitsraum für die Schwestern gewonnen.

Wartezimmer war keines vorhanden. Ein paar Stühle standen an den Wänden des Ganges, düster und nicht gerade einladend.

In der Ambulanz ging es zu wie in einem Bienenkorb.

»Deutschland stirbt nicht aus«, lachte der Oberarzt. Ihn störte die Arbeit nicht, im Gegenteil. Je mehr zu tun war, desto besser wurde seine Stimmung. Und er steckte die anderen damit an. So kam es, daß das Hantieren in der Enge nicht nur erträglich war, sondern sogar Spaß machte.

Gleich am ersten Tag nahm er seine junge Kollegin beim Arm: »Wir machen es folgendermaßen: Sie nehmen die Patienten in Empfang und schreiben die Anamnesen. Sie dürfen auch untersuchen und mir dann berichten. Danach werde ich sie mir ansehen, und wir vergleichen unsere Diagnosen. Einverstanden?« Er blinzelte ihr zu, als seien sie Verschwörer.

Natürlich war Anita einverstanden. Es war die beste Methode, so viel wie möglich zu lernen.

Sie lernte. Die Zeit flog nur so dahin. Die täglich wachsende Sicherheit befriedigte sie ungemein. Eines Tages flüsterte die Oberschwester ihr ins Ohr:

»Passen Sie auf, jetzt kommt eine ganz komische Person.«

»Die nächste Patientin?«

Die Schwester nickte.

»Sie will in einem Hotelbett schwanger geworden sein.«

»Ist das so unmöglich? Weshalb sollte man in einem Hotelbett nicht...«

»Nicht so. Vom Bett, verstehen Sie? *Vom* Bett!« Sie brach in helles Lachen aus. »Ich habe hier ja schon vieles erlebt, aber das...«

Herein trat eine verblüffend elegante Dame. Wie war das im Nachkriegsdeutschland möglich? War sie Ausländerin? Eine Frau, die irgendwo in Übersee, unberührt von Nöten und Entbehrungen, ihrer Schönheit hatte leben können? Ihr Aussehen hatte etwas Hoheitsvolles.

Sie musterte die Ärztin vom Kopf bis zu den Füßen. Leises Mißtrauen furchte die Brauen und verschmälerte den Mund. Dann sprach sie mit dunkler, nicht ganz klarer Stimme:

»Ich war vor einem Monat hier. Herr Doktor fand, meine Gebärmutter sei zu groß. Ich sollte deshalb zur Kontrolle kommen.«

»Wollen Sie sich bitte freimachen.«

»Ich sage Ihnen gleich, daß eine Schwangerschaft nicht möglich ist.« Die Stimme, leiser geworden als zuvor, durchdrang den Raum wie eine Forderung.

»Wir werden sehen«, erwiderte Anita.

»Mein Mann ist Major und befindet sich in Gefangenschaft. Sie werden mir glauben, daß eine Frau aus meinen Kreisen – wie gesagt, es steht nicht zur Debatte.«

Die Oberschwester reichte Anita das Krankenblatt. Während

jene der Patientin auf den Untersuchungsstuhl half, las Anita den Befund. Es handelte sich um eine junge Schwangerschaft. Während der Untersuchung redete Antia vor sich hin:

»Die Gebärmutter ist vergrößert, der Muttermund...«

»Das kann ein Tumor sein«, fuhr ihr die Dame rasch dazwischen. »Ja, ein Tumor! Ich werde operiert werden müssen! Und das so schnell wie möglich!« Gleich nach der Untersuchung wollte sie den Stuhl verlassen. Die Ärztin gebot ihr zu bleiben.

»Zunächst wollen wir den Oberarzt bitten.«

Als der Arzt die Frau erkannte, blitzte Schalk in seinen Augen auf.

»Nun, meine Gnädigste, hat sich die Menses eingestellt?«

»Das nicht, Herr Doktor, aber ich scheine einen Tumor zu haben, nach den Aussagen Ihrer Kollegin.« Die traf ein erstaunter Blick ihres Chefs. Sie schüttelte den Kopf und biß sich auf die Lippen.

»Da wollen wir mal nachsehen. Aha, die Gebärmutter ist größer geworden...«

»Es kann nur ein Tumor sein! Am Ende ist es Krebs? Sie müssen mich operieren, Herr Doktor, müssen den Tumor entfernen!«

»Aber meine Gnädigste! Die Entfernung dieses Tumors ist unnötig, denn er kommt von selbst heraus – in etwa sechs Monaten.«

»Wie oft soll ich es Ihnen sagen: Es ist ausgeschlossen! Ich bin alleine!«

»Liebe gnädige Frau, ich habe heute zum zweiten Mal eine intakte Schwangerschaft festgestellt. Es steht Ihnen frei, einen anderen Kollegen zu konsultieren.«

Sie schwieg einen Augenblick, als ob sie nachdenke. Dann sah sie ihm plötzlich voll ins Gesicht.

»Vielleicht gibt es eine Möglichkeit, Herr Doktor. Als ich vor drei Monaten im hiesigen Hotel ankam, habe ich nach der langen Reise sofort ein Bad genommen. Ob die Wanne nicht sauber war? Wenn vor mir dort ein Herr gebadet hat, ist es doch möglich, daß ich daher – daß ich auf diese Weise schwanger geworden bin?«

Einen Augenblick lang sahen die beiden einander an. Dann wandte der Arzt sich brüsk um. Seine Schultern zuckten, schließlich schüttelte sich sein ganzer Körper.

»Das ist zuviel!« Er vermochte kaum zu reden. »Bei Gott, das ist zuviel! Suchen Sie sich einen anderen Arzt, gnädige Frau! Das – nein...« Weiterer Worte nicht mächtig verließ er rasch den Raum.

Auch Anita und die Schwester hatten sich umgedreht, das Lachen schüttelte sie. Als sie sich nach einer Weile umsahen, war die Dame verschwunden.

»Es ist doch nicht zu fassen«, trompetete der Arzt aus seinem Zimmer, »was uns Ärzten alles serviert wird!«

Alma war ein Meter achtzig groß, und ihr Gewicht durfte die Zweizentnermarke überschritten haben. So glich sie mehr einer Waschfrau als einem jungen Putzmädchen. Alma hatte eine Schwäche. Sie liebte kleine, dünne Männer, und die nannte sie alle Bubi. Der Himmel weiß, wo und wie sie sie auftrieb. Etliche munkelten, es wären solche, die eine Futterkrippe suchten; und wo sollten sie sie vermuten, wenn nicht hinter Almas vielversprechendem Umfang? Auch sonst wurde Alma nicht wenig gehänselt.

»Haben sie keine Angst vor dir?«

»Findest du sie noch in deinen Armen?«

»Erdrücke sie nicht, wenn du sie liebst!«

Niemand war sonderlich verwundert, als Alma eines Tages schwanger war.

»Wird es aussehen wie du oder wie sein Vater?« fragte man sie und dachte dabei sicher nicht an die Nase.

Alma nahm die Nachricht gelassen auf. Vielleicht freute sie sich sogar auf das Kleine. Hatte sie früher beim Putzen zuweilen gesungen, so tat sie es jetzt fast ununterbrochen. Eines Tages aber sang sie nicht mehr.

»Mir tut's hinten so weh. Krieg' ich eine Frühgeburt?«

Der Oberarzt lachte:

»Eine Frühgeburt hinten, das wäre mal etwas Neues.« Und hieß sie sich freimachen.

Alma zog sich aus, hielt ihm ihr Hinterteil entgegen. Die eine Gesäßbacke war gerötet. Er tastete sie ab.

»Au!« schrie Alma.

»Komisch«, meinte der Arzt, »da ist etwas. Aber was? Es ist sogar ziemlich groß.« Unter dem ständigen Jammern des Mädchens suchte er das ›Große‹ einzukreisen, zu umfassen, in seiner Form abzuschätzen.

»Also das Kind ist es nicht.« Er lachte ein bißchen. »Aber weiß der Kuckuck, was du da gebierst.«

Er verordnete schwarze Salbe, feuchte Umschläge und einmal täglich eine Bestrahlung.

Nach zwei Tagen war die Rötung etwas kleiner geworden, dafür aber höher und dunkler.

»Es ist ein Abszeß«, sagte der Oberarzt, »es schmilzt ein.« Aber das harte Undefinierbare steckte immer noch mitten drin.

Zwei Tage später konnte man ihn schneiden.

Voller Spannung umstanden alle Almas Po. Der wurde desinfiziert und vereist. Dann stach der Oberarzt das Skalpell ein. Alma schrie auf.

Der Eiter spritzte heraus. In der Öffnung steckte etwas Dunkles, Rauhes. Der Arzt faßte es mit zwei Fingern und zog daran. Noch einmal wimmerte Alma, dann hielt er ein Stück Holz in der Hand in der Form eines Schiffchens, wie sie die Buben mit dem Taschenmesser schnitzen. Es war fast zehn Zentimeter lang und so dick wie zwei Daumen.

»Nun sag nur…« Diesmal verschlug es sogar dem Oberarzt

die Sprache. Es war mäuschenstill, alle starrten und konnten es nicht glauben.

Alma hob den Kopf, sah das Schiffchen in seiner Hand und rief aus:

»Da ist es ja! Das hat Bubi mir geschnitzt! Und ich habe es überall gesucht!«

Da fand der Arzt die Sprache wieder.

»Hast du das mit dem Kind empfangen?« rief er mit Trompetenstimme.

»Keine Ahnung! Ich hab' doch gar nicht gemerkt, wie es da reingekommen ist.«

»Du liebe Güte! Wenn du *das* nicht gemerkt hast, mußt du aber sehr intensiv mit deinem Schatz beschäftigt gewesen sein!«

Alma schaute noch einen Augenblick verwundert, hörte das Gelächter um sich herum und stimmte schließlich selbst mit ein. Dann packte sie das wiedergewonnene Idol einer Liebe, drückte es mit inniger Gebärde an ihren mächtigen Busen und hauchte voller Inbrunst:

»Danke, Doktor!«

Einst sagte ein Professor in der Vorlesung:

»Merken Sie sich, meine Damen und Herrn: Es gibt nichts, das es *nicht* gibt!« Ich ahnte damals nicht, wie recht er hatte.

*

Heute habe ich einen Brief erhalten, der mir Freude macht. Er ist eine Gemeinschaftsarbeit all jener, die mit mir im Sanatorium waren und jetzt noch dort sind. Sehr viele sind es nicht mehr. Die meisten zieht es nach Hause, zu ihren Frauen oder Männern. Das Heimweh ist ziemlich verbreitet.

Verfaßt hat ihn die Lehrerin, dann hat sie ihn als letzte unterschrieben. Sie ist eine Frau in meinem Alter. Bei einem Brand hat sie die Haare verloren und auch im Gesicht schwere Verbrennungen davongetragen. Für die Schule ist ihr Anblick nicht mehr tragbar. Der rechte Mundwinkel ist so vernarbt, daß ihre Sprache kaum mehr verständlich ist. Leider werden die Narben noch weiter schrumpfen, denn der Unfall liegt noch nicht lange zurück. Natürlich werden plastische Operationen später einiges retten, doch für ihren Beruf wird es nicht reichen. Sie ist eine geistreiche Frau und gab sich stets heiter. Ich habe mich oft gefragt, wie ihre Nächte aussehen. Nicht so schlimm wie die meinen? Vielleicht hat sie mehr Selbstdisziplin als ich. Darum ist sie zu beneiden, aber natürlich gönne ich es ihr.

Sie schreibt nur kurz: Daß sie oft im Garten seien. Daß die jungen Hunde wachsen, ihrer Mutter sozusagen über den Kopf. Daß jetzt ein einstiger Komiker im Haus sei, der sie unentwegt zum Lachen bringe. Daß sie noch oft an mich denken und mich grüßen. Dann kommen die Unterschriften. Sie nehmen einen weit größeren Teil des Blattes ein. Da ist zunächst der junge Mann, der beide Unterarme bei einem Autounfall verloren hat. Sein Name braucht mit Abstand den meisten Raum. Seine Buchstaben sind eigentlich keine Buchstaben, sie sind nur die Versuche davon. Die Prothesen für seine Hände sind noch zu neu. Immer, wenn ich ihm begegnete, zog es mir das Herz zusammen. So auch jetzt beim Anblick dieser fahrigen Ungetüme. Er ist noch so jung, kaum zwanzig. Gewiß wird er vieles lernen. Auch werden die Prothesen im Lauf der Zeit besser, funktionstüchtiger werden. Aber es gibt so vieles im Leben, das Fingerspitzengefühl im wahrsten Sinn des Wortes erfordert, und das kann kein Apparat je bieten.

Auch der andere junge Mann hat unterschrieben, der beim Skilaufen so unglücklich stürzte, daß er beide Füße verlor. Er war oft so verzweifelt. Doch glaube ich, daß er besser zurechtkommen wird. Wir hatten einen Patienten ohne Füße in der Klinik. Er lud uns eines Tages zu einer Autofahrt ein. Es wurde ein bildschöner Tag. Nur als wir über die Talsperre zur anderen

Seite des Sees gingen, blieb er beim Auto zurück, weil langes Gehen ihm beschwerlich war.

Auch der Pfarrer mit der Kopfverletzung hat unterzeichnet. Bei ihm hat es das Sprechzentrum getroffen. Er findet die richtigen Worte nicht mehr. Das mußte ausgerechnet einem Pfarrer passieren, der schließlich vom Wort lebt. Einmal erzählte er mir eine Geschichte. Ich brauchte lange, bis ich begriff, daß sie von einem Vogel handelte. Dann aber begann das Raten, welcher Vogel es sein sollte. Ich versuchte ihn zu trösten, es sei doch gleich, um welchen Vogel es sich handelte, er solle ruhig weitererzählen, aber er war hartnäckig. So zählte ich denn Vögel auf, die ich kannte, die mir einfielen. Ich hatte vorher keine Ahnung, daß es so viele Vogelarten gibt, ich war geradezu erlöst, als er beim Adler endlich nickte. Auf jeden Fall war er dankbar für jedes Wort, das man mit ihm sprach, denn er war oft einsam. Die Ärzte hatten gesagt, er müsse üben und immer wieder üben. Doch wer brachte die Geduld auf, sich seine Wortsuche lange anzuhören? Sein Name ist ihm glücklicherweise noch eingefallen. Er hat ihn in zierlicher, beinahe künstlerischer Schrift unter den Brief gesetzt.

Da ist auch noch die junge Frau, die nach einer Gehirnoperation in das Sanatorium kam. Sie mußte dabei ein Auge einbüßen. Ich weiß nicht, ob der ständige Schwindel bei ihr von der noch ungewohnten Einäugigkeit kam oder ob sie auch Gehirnschäden davongetragen hat. Ich kenne ihre Krankengeschichte nicht, aber ich fürchte, das letztere ist wahrscheinlicher.

Die Unterschrift des Multiple-Sklerose-Kranken ist wieder ein Riesengebilde. Zum Glück nimmt er sein Schicksal leicht. Mir scheint auch, jemand hat ihm beim Schreiben geholfen. Da sind vereinzelt Doppelstriche, die das Ganze verdeutlichen sollen. Ich sehe ihn, wie er dabei lächelt.

Wenn ich ›Multiple Sklerose‹ höre, muß ich an Professor Robin denken. Ich habe ihn über alles verehrt. Nachdem er mir die Geschichte erzählt hatte, habe ich ihn, glaube ich, geliebt.

Ich weiß nicht, ob ich sie schreiben soll. Es ist eine Geschichte ohne Ende. Eigentlich passiert auch nichts darin. Vielleicht macht sie auf andere gar keinen Eindruck.

Muß in einer Geschichte etwas passieren, damit sie wert ist, geschrieben zú werden? Eigentlich endet sie mit einer Frage. Der Professor hat sie sich einst gestellt, seitdem stelle auch ich sie mir. Doch sie ist noch immer ohne Antwort.

Vielleicht findet sie einer meiner Leser?

Das Bekenntnis

Der Hörsaal war bis zum letzten Platz besetzt, denn keiner der Honoratioren fehlte. Neben dem Rektor der Universität saß der Dekan der medizinischen Fakultät, beide im vollen Ornat alter akademischer Tradition. Das war ein seltener Anblick geworden, denn der Sinn für schmuckvolle Feste war in der Kriegs- und Nachkriegszeit verlorengegangen. Nur zur Feier des siebzigsten Geburtstags eines wahrhaft großen Mannes hatte man sich der alten Bräuche erinnert. Auch der Bürgermeister und die Herren der Regierung waren vertreten. Zahlreiche kurze Ansprachen hatten einen schon ermüdet, als endlich der Jubilar selbst aufstand und sich seine eigene Festrede hielt.

Er begann mit ein paar launigen Worten darüber, daß man ihm zwar Ehre erwies, aber auch die Arbeit des Vortrags auferlegt habe. Dann sprach er über Entwicklungen der Medizin in den vielen Jahren seines Wirkens, über Erfolge in der Wissenschaft, über Hoffnungen und Enttäuschungen. Aus seiner Erinnerung sprudelten ernste und heitere Geschichten hervor. Und als er schließlich mit den Worten endete, daß man zwar stolz auf die Erfolge sein könne, aber die Augen nicht vor den noch vorhandenen Mängeln verschließen dürfe, denn schließlich nenne man sich ja » Professor «, und das hieße » Bekenner «, da wollte der Applaus kein Ende nehmen.

Manchmal schämte sich Anita ihrer Bewunderung für den Professor, die schon an Schwärmerei grenzte. Sie hatte sich in die hinterste Reihe gesetzt und ließ ihn nicht aus den Augen. Er trug heute einen dunklen Anzug, das machte ihn fremd. Doch nur für kurze Zeit. Die Ruhe schien ihm angeboren, sie verließ ihn auch heute nicht. Er war wie bei der Arbeit auch an diesem Tag gelassen und Herr der Lage. Ob er je einmal verlegen sein könnte? Einmal unsicher? Man konnte es sich schlecht vorstellen.

Später ging Anita in die Klinik zurück, denn sie hatte Dienst. Anfangs war sie nicht recht bei der Sache. Im Geist sah sie immer noch die Herren mit ihren großgliedrigen Amtsketten und den Redner mit dem schlohweißen Haar und seiner ruhigen Würde. Erst gegen Abend rief sie die Schwester und brach mit ihr zur Visite auf. Gemeinsam gingen sie von Bett zu Bett. Anita traf hier eine Anordnung, tröstete dort einen Ungeduldigen.

Gerade als sie den Rundgang beendet hatten, kam eine junge Schwester und meldete, soeben sei der Herr Professor gekommen und in sein Zimmer gegangen.

» Der Herr Professor? «

Anita war überrascht. Heute, an einem solchen Tag? Sie ging zu seiner Tür, zögerte einen Augenblick, faßte sich ein Herz und klopfte an.

» Herein! Sie sind es. « Es klang ein wenig müde, aber die Stimme war ruhig und freundlich wie stets.

» Guten Abend, Herr Professor. Ich habe Sie nicht erwartet – heute nicht mehr. «

» Ich hatte es auch nicht vor. « Er lächelte ein wenig abwesend. Dann wurde die Stimme energischer.

» Nein, ich hatte heute nicht mehr kommen wollen. Aber ein Fest kann diesen Tag nicht füllen. Es bleibt da eine Leere. Deshalb bin ich gekommen. Können Sie das verstehen? «

Er schwieg, nahm einen Bleistift und drehte ihn mit beiden

Händen. Anita kam die Stille endlos vor, doch ihn schien sie nicht zu stören. Er wirkte zufrieden und gelöst.

Da faßte sie sich ein Herz.

»Es hat mir großen Eindruck gemacht, als Sie daran erinnerten, daß Professor der Bekenner heißt. Wer denkt heute noch daran?«

Er sah kurz zu ihr auf, lächelte und senkte den Blick wieder auf seine Hände, die noch immer den Bleistift drehten.

»Bekenner, ja, man sollte öfter daran denken.«

Wieder schwieg er. Die Bewegungen seiner Hände wurden langsamer, verebbten schließlich ganz. Versonnen betrachtete er den ruhenden Bleistift.

Plötzlich sah er wieder auf und wies Anita mit einer Kopfbewegung auf einen Stuhl.

»Setzen Sie sich. Ich will Ihnen etwas erzählen.«

Er wartete, bis sie Platz genommen hatte, dann begann er:

»Es ist schon etliche Jahre her, da hatte ich hier auf dieser Station einen etwa fünfunddreißigjährigen Patienten mit einer schweren multiplen Sklerose. Er konnte nur noch mühsam gehen, und seine Sprache war kaum verständlich. Gleichwohl stand er täglich auf, übte das Gehen mit ungeheurer Willenskraft und schaffte in der Tat den Gang bis hin zum Fenster und wieder zurück zu seinem Zimmer. Die Euphorie jedoch, diese unerklärliche Heiterkeit fast aller Multiple-Sklerose-Kranken, die hatte er nicht. Im Gegenteil, er war ungeduldig, unzufrieden, haderte mit seinem Geschick. Die Schwestern beklagten sich über seine Grobheit. Auch ich selbst erhielt nur unfreundliche Antworten. Manchmal stand die Verzweiflung in seinem Gesicht.

Ich suchte nach Hilfe für ihn und fand doch keine. Eines Tages ordnete ich an, man solle den Pfarrer der Klinik zu ihm schikken, doch kurz danach berichtete die Schwester, er lehne den Geistlichen ab, weil er keinerlei Beziehung zur Kirche habe. Da wußte ich keinen Rat mehr.

Wie erstaunt aber war ich, als ich eines Tages an sein Bett trat und einen völlig veränderten Menschen vorfand. Er lächelte mich an, und aus seinen Augen strahlte es wie Glück, das ich mir selbst nicht erklären konnte. Auch in den nächsten Tagen blieb er freundlich, zufrieden, fast heiter. Und eines Morgens fand er den Mut, mich zu fragen:

»Bitte, Herr Professor, kann ich Sie irgendwann unter vier Augen sprechen?«

»Gerne«, erwiderte ich, »kommen Sie nach der Visite in mein Zimmer. Sagen wir um halb elf.«

Er strahlte mich an und war einverstanden.

Ich beendete meine Visite und wartete mit Spannung.

Aber er kam nicht. Ich gab der Schwester Anweisung, ihn zu holen. Sie kam zurück mit der Nachricht, der Patient glaube, eine Aussprache sei nicht erforderlich, er wolle meine Zeit nicht unnötig in Anspruch nehmen.

Ich muß zugeben, daß ich enttäuscht war. Um so neugieriger wartete ich auf sein Verhalten bei der nächsten Visite.

Er war freundlich, aber unruhig. Er versicherte erneut, eine Aussprache sei nicht nötig. Vielleicht später einmal, setzte er vage hinzu.

Es vergingen Tage oder sogar Wochen. Der Patient blieb aufgeschlossen und freundlich. Und doch spürte ich eine Unruhe in ihm, die ich gewissermaßen zu belauern begann, ohne etwas erkennen zu können. Ich wurde das Gefühl nicht los, daß etwas auf mich zukam, daß irgendetwas geschehen werde.

Und es geschah.

Als ich eines Tages meine Visite beendet hatte und zu meinem Arbeitszimmer ging, sah ich ihn im Gang stehen, einige Meter hinter meiner Tür, als wolle er sich verstecken. Als er sah, daß ich ihn bemerkt hatte, kam er langsam mit seinem schleppenden Gang auf mich zu.

»Verzeihung, Herr Professor, haben Sie ein paar Minuten Zeit für mich?«

»Natürlich«, antwortete ich, fast erleichtert darüber, daß sich die Spannung jetzt lösen würde, die so lange auf ihm und, ich muß es ehrlich gestehen, auch auf mir gelastet hatte.

Ich öffnete die Tür. Er trat mit unsicheren Schritten ein. Dann saßen wir uns gegenüber und lächelten beide, ich ermunternd, er, als wolle er um Verzeihung bitten.

»Nun«, fragte ich, »was wollen Sie mir erzählen?«

Es dauerte noch eine Weile, bis er Mut gefaßt hatte. Dann begann er mit seiner stockenden Sprache:

»Ich weiß nicht, ob ich mit Ihnen reden soll, Herr Professor – ich meine, ich weiß nicht, ob es Sie interessiert – oder ob es einen Sinn hat...«

Ich wurde immer neugieriger.

»Das werden wir schon sehen«, meinte ich, »nun mal heraus mit der Sprache.«

»Es handelt sich um einen Traum«, sagte der Mann. »Glauben Sie an Träume?«

Nun war ich auf vieles gefaßt gewesen, aber diese Frage hatte ich nicht erwartet. So kam es, daß er mich gleich zu Beginn aus der Fassung brachte. Er muß es bemerkt haben, denn er wollte sofort wieder gehen. Nur mit Mühe gelang es mir, ihn zum Weitersprechen zu bewegen.

»Es ist so: Ich hatte neulich einen Traum.« Er sprach noch stockender als sonst, er hatte seine Angst noch immer nicht ganz abgelegt. »Sie, Herr Professor, kamen zur Visite. Und zahlreiche Assistenten und Schwestern, die das ganze Zimmer füllten. Sie alle machten ernste Gesichter, todernste sogar. Mir wurde bei Ihrem Anblick entsetzlich bang. Niemand sprach. Auch Sie nicht. Da hielt ich es nicht mehr aus. Ich rief ganz laut: ›Ich bin krank, Herr Professor! Sie sollen mir helfen! Sie müssen mir helfen! Können Sie mir helfen?‹

Sie sahen mich finster an, dann wandten Sie sich um und sprachen leise mit den vielen Ärzten. Als Sie sich wieder zu mir kehrten, war Ihr Gesicht noch düsterer. Sie sagten laut und deutlich: ›Nein, ich kann Ihnen nicht helfen. Niemand kann Ihnen helfen. Es gibt keine Hilfe für Sie.‹

Ich schaute von einem zum andern. Alle nickten zu Ihren Worten und blickten finster drein. Ich wollte schreien, ganz laut schreien... In diesem Augenblick kam mir eine Idee. Sie schoß mir gewissermaßen in den Kopf und erfüllte mich ganz. Ja, sie verjagte meine Verzweiflung wie eine Gewitterwolke. Ich konnte plötzlich lachen und ich lachte, befreit von aller Last, und dann rief ich Ihnen triumphierend zu: ›Aber die Mutter Gottes kann mir helfen! Ja, die Mutter Gottes kann helfen, die Mutter Gottes...!‹ Ich war wie trunken vor Glück, ich konnte nicht mehr aufhören zu lachen, ich lachte und lachte, und schließlich steckte ich sie alle an. Ihre Gesichter verwandelten sich, die Trauer verflog, Sie begannen zu lachen! Wir alle lachten und schrien: ›Die Mutter Gottes kann helfen! Die Mutter Gottes...!‹ «

Ich muß sagen, ich erkannte den Mann kaum noch, wie er da vor mir saß und schrie, mit leuchtenden, triumphierenden Augen. Dann schwieg er und sah mich an.

» Und weiter? « fragte ich. Die Spannung in mir war schier unerträglich.

» Weiter? « fragte er, plötzlich ernüchtert. » Es gibt kein weiter. Das ist alles. « Einen Augenblick noch sah er mich an, bittend, bettelnd. Dann fiel er in sich zusammen.

Ich weiß nicht mehr genau, was ich zu ihm sprach, die Erschütterung in mir war zu groß. Es muß etwas vom Glauben gewesen sein und seiner Beglückung, daß er oft mehr helfen könne als alle Medizin. Ich war wohl nicht sehr überzeugend, denn während ich noch redete, wußte ich, daß ich ihn nicht erreichte.

» Ich hätte es nicht erzählen sollen «, flüsterte er schließlich müde. Dann erhob er sich, zitternd, und wandte sich zur Tür, ein erloschenes, wesenloses Stück Mensch. Und ich wußte, daß ich es verbrochen hatte. «

Der Professor schwieg. Die Stille war schwer und beklemmend. Als er schließlich aufblickte und seine wie versteinert sitzende Assistentin sah, spielte um seinen Mund ein vages Lächeln, doch in seinen Augen stand unaussprechliche Traurigkeit.

»Sehen Sie, auch ich habe versagt. Darüber täuschen keine Feste und schönen Worte hinweg. Auch diese Geschichte gehört zum Professor, denn das heißt ja Bekenner.«

Wieder schwieg er eine Weile. Dann erhob er sich. Langsam ging er auf Anita zu, die gleichfalls aufgestanden war. Er faßte sie an beiden Armen und sagte versonnen, wie zu sich selbst:

»Ich habe seitdem oftmals überlegt, was ich ihm hätte sagen müssen. Aber es ist mir nicht eingefallen. Wahrhaftig, ich weiß es bis heute nicht.«

✳

Was wissen die Menschen eigentlich von unserem Beruf? Befragung, Untersuchung, Rezept. Hilft die verordnete Medizin, so ist der Arzt gut. Hilft sie nicht, ist er schlecht. So einfach ist das.

Ich behaupte nicht, daß alle Menschen so denken. Die meisten tun es. Wie oft habe ich gehört: »Nein, Frau Doktor, in Ihrer Haut möchte ich nicht stecken! Keine Nacht Ruhe, nicht einmal sonntags, nein, das wäre nichts für mich!«

Sicher ist es bitter, wenn man aus dem tiefsten Schlaf gerissen wird. Sicher ist der Sonntagsdienst kein Vergnügen. Aber es gibt Schlimmeres.

Es ist die Machtlosigkeit. Das Wissen um die Krankheit, um das baldige Ende und die Unfähigkeit, das alles abzuwenden. Man sieht die Augen der Kranken auf sich gerichtet oder die der Angehörigen, man hört ihre Bitten, selbst wenn sie nicht ausgesprochen werden, man fühlt ihr Ringen mit sich selbst und weiß doch, daß der Kampf vergebens ist.

Unser Beruf wäre unerträglich, wenn wir nicht zuweilen einen

Erfolg hätten, wo wir ihn selbst nicht zu erhoffen wagten. Wo ein Glücksgefühl uns durchströmt, für das es keine Worte gibt.

Mutterherzen

Dienstag. Die Chefvisite hatte begonnen.

Sie schritten durch die Säle, eine schier endlose Zahl weißer Mäntel, die die Patienten oft genug bespöttelten. An jedem Bett standen sie für ein Weilchen still, verglichen Röntgenaufnahmen, besprachen den EKG-Befund oder das Ergebnis der neuesten Blutuntersuchung, oder sie zogen ihr Stethoskop aus der Tasche, um noch einmal Herz und Lunge abzuhören.

So kamen sie schließlich zu dem Zimmer, in dem die blasse Frau nun schon seit Wochen lag, ohne daß sich ihr Zustand geändert hätte.

Es war still um sie. Unwillkürlich dämpften selbst die Ärzte ihre Stimmen, wenn sie vor ihr standen. Ihr Gruß wurde von der Kranken nicht erwidert, ihr Blick unter halbgeschlossenen Lidern hob sich nicht über das Fußende des Bettes. Man kannte ihre Stimme nicht. Noch einmal, gewohnheitsmäßig, berichtete Anita die Anamnese:

»Es begann damit, daß sie ihre Kleidung vernachlässigte. Der Mann redete ihr gut zu. Dann wurde die Wohnung zusehends unordentlicher. Der Mann packte mit an, so gut er eben konnte. Auch beim Kochen half er, solange sie wenigstens etwas dazu tat. Eines Tages aber verließ sie das Bett nicht mehr. Da wußte er sich nicht mehr zu helfen. Der Hausarzt überwies sie zu uns.«

Der Professor sah lange auf die Frau hinab.

»Therapie?« fragte er schließlich.

»Wird abgelehnt«, murmelte Anita.

»Geht irgendetwas?«

Sie zuckte hilflos die Schultern.

Man hatte bei der Röntgenuntersuchung ein kleines Magengeschwür entdeckt und war fast erleichtert, daß man wenigstens diesen Anhaltspunkt hatte. Sie besprachen mit der Schwester die Kost, die die Kranke bekommen sollte. Die Schwester nickte und schwieg. Wozu hätte sie sagen sollen, was schon so oft vorgekommen war: Daß der Teller meist unberührt wieder aus dem Zimmer getragen wurde, daß auf gutes Zureden ein Wenden des Gesichts die einzige Antwort war. Die Ärzte wußten es. So wenig sie am Krankenbett zu sagen vermochten, so viel beschäftigten sie sich mit ihr später im Ärztezimmer.

»Der Tod geht dort noch um«, hatte einer von ihnen gesagt. Das Wörtchen »noch« aber hatte bedeutet, daß nicht jener Tod gemeint war, der Tag für Tag durch die Räume eines Krankenhauses schleicht.

Zu ihr war der Tod gekommen in Gestalt eines kleinen Päckchens, das nichts weiter enthielt als die goldene Uhr, das Zigarettenetui und ein kleines Büchlein des Sohnes sowie die Beteuerung eines fremden Menschen, der Sohn sei ein tapferer Soldat und guter Kamerad gewesen und habe in treuer Pflichterfüllung sein Leben für das Vaterland gegeben. Der Tod sei barmherzig gewesen, hatte der Offizier noch geschrieben, die Kugel habe ihn ins Herz getroffen, er habe nicht zu leiden gehabt.

Der Tod aber war nicht barmherzig gewesen: Marterte er nicht den Sterbenden, so hielt er sich schadlos an den Überlebenden. Eine Feder war in dem zarten Werk zerbrochen, das emsige, nie ermüdende Ticken war verstummt, die Zeiger standen still und wiesen ins Leere, ins trostlose Nichts.

Auch der Professor vermochte ihr nicht zu helfen. Hier nutzten keine sorgfältigen Studien, kein bienenhafter Fleiß.

Der Anblick der Frau schnitt Anita ins Herz. Es mußte doch möglich sein, ihr zu helfen!

Man kann jeden Menschen erreichen, man muß nur den Weg

zu ihm finden. Das ist schön gesagt, aber wo soll man die Suche beginnen? Sie wußte es nicht.

War es Zufall, der ihr Hilfe brachte, oder war es Fügung?

Sie kam in Gestalt eines Briefes ihrer Mutter. Er berichtete von der Heirat des jungen Mädchens, das vor Jahren in ihrer Nachbarschaft gewohnt hatte.

Anita ließ den Brief sinken und dachte zurück an die Zeit vor dem Krieg, an ihre gemeinsame Kindheit. Sie hatten fast immer zusammengesteckt, jenes Mädchen und sie. Als kleine Kinder mit ihren Puppenwagen, später mit Murmeln oder auf ihren hölzernen Stelzen. Eines Tages waren sie auch gemeinsam zur Schule gegangen. Da waren sie schon rechte Wildfänge, die mit den Brüdern Räuber und Gendarm spielten. Und die Mutter des Mädchens war eine stets heitere Frau gewesen, mit roten Wangen und lachenden Augen.

Die Augen der Mutter! – Hier stockten die Gedanken. Die Augen von des Mädchens Mutter!

Da standen sie plötzlich vor ihr und sahen sie an. Nicht lachend wie einst, nein, so wie sie sie zum letzten Mal gesehen hatte, vor wenigen Monaten, bei ihrem kurzen Besuch in der alten Heimat: Groß und dunkel, ein wenig verschleiert, doch noch immer voller Wärme in dem vertrauten Gesicht, das blasser geworden war und schmäler und voll einer milden Weisheit.

Und jetzt stand daneben das Bild der anderen, der stillen Frau in ihrem Krankenhausbett, die Wangen hohl, die Augen tot und leer.

In diesem Augenblick erkannte Anita den Weg zu ihr. Die eine Mutter hatte ihn der anderen bereitet. Sie aber, Anita – schaudernd fühlte sie, es war ein Gebot! sie mußte die Kranke führen.

Eine Weile stand sie, zögerte. Es war so plötzlich gekommen. Und es war schwer, sie wußte es nur zu gut. Vielleicht wäre es besser, eine Nacht darüber zu schlafen, um alles in Ruhe zu durchdenken. Doch hatte sich ihrer eine Unruhe bemächtigt, die sie als unerträglich empfand. Nein, es mußte jetzt geschehen, und zwar so schnell wie möglich.

Langsam wurde alles klar. Sie verließ ihre Wohnung, ging zur Klinik zurück. In ihr war ein Zittern, und sie wußte nicht, war es Freude oder Angst. Ich darf nicht versagen! Der Gedanke hielt mit dem Rhythmus ihres Herzens Schritt und suchte vergeblich, es zu übertönen.

Als sie das Krankenzimmer betrat, dämmerte es bereits. Sie holte einen Stuhl und setzte sich neben das Bett der Frau. Sie tat es vorsichtig und leise, als fürchte sie, sie zu erschrecken. Dann war sie so weit. Noch einen Augenblick der Stille; und sie begann.

»Sie sind sehr traurig.« Sie hörte das Schwanken ihrer Stimme und konnte es doch nicht verhindern. »Wie viele Menschen sind heute unglücklich. Ist es ein Wunder nach einem solchen Krieg? Ich selbst war ja oft verzweifelt...« Wenn sie lachen könnte, würde sie über mich lachen, ging es ihr durch den Sinn. Aber ich muß weiterreden, muß versuchen, sie zu packen. »Wie oft habe ich geschimpft und meine verlorene Jugend beklagt! Bis ich eines Tages zutiefst beschämt wurde. Das war nach Kriegsende, als ich für einen kurzen Besuch in die Stadt zurückkehrte, aus der wir vor Jahren fortgezogen waren.

Gleich am ersten Tag besuchte ich eine einstige Nachbarin, mit der wir sehr herzlichen Umgang pflegten. Ich klingelte, sie öffnete selbst die Tür. Sie freute sich, als sie mich sah. Da sie gerade in der Küche zu tun hatte, setzte ich mich dort zu ihr.

Sie war schwarz gekleidet. Sie war freundlich wie immer und doch irgendwie anders. Ob das an dem schwarzen Kleid lag oder woran sonst, hätte ich in diesem Augenblick noch nicht zu sagen vermocht. Lange fand ich keinen Mut, aber schließlich fragte ich:

›Sie tragen Schwarz – ist etwa Ihrem Mann oder einem Ihrer Söhne etwas…?‹ Das Herz klopfte mir bis zum Hals, ich konnte nicht weitersprechen.

In ihrem Gesicht zuckte es wie unter einem Peitschenhieb. Sie wandte sich von mir ab, im Umdrehen aber flüsterte sie mit verlöschender Stimme:

›Alle drei…‹«

Anita schwieg einen Augenblick. Sie schloß die Augen, dann fuhr sie mit gepreßter Stimme fort:

»Ich konnte nichts sagen. Was hätte ich auch sagen sollen? Ich, die ich so jung bin? Jedes Wort hätte wie Hohn geklungen oder wie eine Lüge. Auch sie schwieg und kehrte mir den Rücken zu.

Nach sehr langer Zeit dachte ich, daß irgendetwas geschehen müsse. In meiner Erregung begann ich, zuerst leise, dann immer lauter auf diejenigen zu schimpfen, die die Schuld am Krieg trugen, die alles Unglück über uns gebracht hatten. Ich hatte das Gefühl, ich müsse das Entsetzen, das auf mir lag, mit Verwünschungen und bösen Worten verjagen, um wieder atmen zu können.

Sie sprach eine ganze Weile nichts. Als sie sich endlich umwandte, war ihr Gesicht wieder ruhig. Ja, es lächelte fast ein wenig, als sie sagte:

›Man muß verzeihen können.‹«

Wieder hielt Anita in ihrer Erzählung inne. Ihr war, als hätte sich's im Bett geregt. Sie sah schärfer hin. Es war nichts zu erkennen. So fuhr sie fort:

»Ich starrte meine Nachbarin sprachlos an. Lange.

›Das sagen Sie mir?‹ konnte ich endlich stammeln, ›Sie, die Sie alles verloren haben?‹ Sie entgegnete nichts weiter als: ›Ja.‹

Da sprang ich von meinem Stuhl auf, eilte zu ihr hin und sah ihr in die Augen:

›Haben *Sie* verziehen?‹ fragte ich flüsternd.

›Ja‹, erwiderte sie.

Da schämte ich mich. Ich hätte mich ihr an den Hals werfen mögen und heulen. Aber ich tat es nicht, weil ich mich so unsagbar schämte.«

Anita schwieg. Es war dunkel geworden. In der Ferne verklang das Geräusch eines Motors, dann war Stille.

Lange noch saß sie neben dem Bett und horchte. Sie konnte der Kranken Atem hören, leise und regelmäßig. Einmal nur schien er unterbrochen von einem Atemzug, der länger war und tiefer – der vielleicht ein Seufzer war...

Als Anita am nächsten Morgen das Zimmer betrat, trafen sich die Blicke der beiden Frauen für den Bruchteil einer Sekunde. Da wußte die Junge, daß die Ältere verstanden hatte.

Auch der Mann, der am nächsten Tage kam, erkannte, daß etwas geschehen war und daß die Frau zu ihm zurückkehren würde. Seine Augen strahlten in dankbarer Freude.

Ich habe es nicht geahnt, dachte Anita, daß ein Mutterherz die Welt zerstören oder erhalten kann. Aber es wird sie erhalten, denn es weiß um das Glück des Verzeihens.

*

Allmählich wird das Neue alt. Mein Leben verläuft in geregelten Bahnen. Man könnte meinen, es sei immer so gewesen.

Unsere Freunde besuchen mich. Anfangs hatte ich mir Besuche verbeten. Ich fürchtete ihre bedauernden Worte, ihre mitleidigen Blicke. Jetzt haben wir uns alle daran gewöhnt. Sie kommen und gehen arglos und fröhlich. Nur mein Mann macht mir Kummer.

»Werner«, sage ich oft, »ich bitte dich! Ich bin zwar ein Krüppel, aber doch kein kleines Kind! Und schließlich bist *du* nicht gelähmt! Du sollst leben! Du mußt leben, wenn du mir nicht Gewissensbisse machen willst!«

Seine Reaktion ist verschieden. Hat er sich selbst in der Gewalt, so lächelt er und beteuert, ihm fehle nichts und ich wisse doch, er müsse viel arbeiten, unsere Vergnügungen seien in den letzten Jahren sowieso immer seltener geworden. Dann streicht er mir übers Haar oder küßt mich. Dabei lächelt er noch immer. Manchmal reagiert er nervös, brummt etwas von Unsinn und rennt unter irgendeinem Vorwand aus dem Zimmer.

Immerhin gelingt es seinem Freund hin und wieder, ihn zu einem Ausflug zu überreden, meist zu einem nahegelegenen Pferdestall. Dort leihen sie sich zwei Tiere aus und unternehmen einen Ritt durch den Wald oder zu einem dritten Pferdeliebhaber, der sie dann allerdings vor dem späten Nachmittag nicht wieder fortläßt. Wenn er von solchen Exkursionen zurückkommt, glaubt er sich immer entschuldigen zu müssen, und erst, wenn ich in überschwenglichen Worten meine Freude über sein prächtiges Aussehen bekunde, beruhigt er sich und ist zufrieden.

Ich leide sehr unter Schlaflosigkeit. Wovon sollte ich auch müde werden? Allerdings bin ich jetzt nicht mehr kleinlich, ich nehme getrost jeden Abend eine Schlaftablette. Ich hätte das nicht für möglich gehalten, früher haßte ich Tabletten dieser Art. So ändert sich vieles.

Die Frau, die mittlerweile ganz in den unteren Stock umgesiedelt ist, braucht keine Tabletten. Manchmal dringt ihr Schnarchen bis zu mir herauf. Wenn ich klopfe, ist es meist vergeblich, denn sie scheint auch nicht gut zu hören. Nun, sie ist auch nicht mehr jung. Werner will mir eine Klingel einbauen lassen, die, wie er sagt, ›Tote erweckt‹.

Manchmal klingelt das Telefon, und ich werde von völlig unbekannten Menschen verlangt. Ihr Hausarzt sei nicht erreichbar, ob ich schnell kommen könne, weil jemand einen Anfall habe oder hohes Fieber, oder es ist ein Unfall passiert. Es gibt mir jedes Mal einen Stich, wenn ich sagen muß, daß das leider nicht möglich sei. Die meisten Leute bleiben freundlich oder entschuldigen sich sogar. Manche hängen wortlos ein. Ich weiß dann nicht, sind sie beleidigt, oder bin ich ihres Grußes nicht mehr wert.

Nun, solche Erlebnisse hat jeder Arzt zuweilen. Ich erinnere mich an einen Geburtstag meines Mannes. Ich wollte ihm eine Spieluhr schenken. Er hatte kurz vorher bei Bekannten eine gesehen und sich kaum von ihr trennen können. Ich erinnere mich noch heute, wie er das zierliche Ding bestaunte, das seine Töne so zart und glockenrein in die Welt schickte; wie er lauschte, mit zur Seite geneigtem Kopf und jenem innigen Lächeln, das ich so an ihm liebe.

Der Kaufmann hatte große Mühe, in der kurzen Zeit eine zweite zu besorgen. Immer wieder rief ich vergebens bei ihm an. Am letzten Tag war sie endlich gekommen.

Eine halbe Stunde, bevor die Geschäfte schlossen, konnte ich mich endlich auf den Weg machen – das heißt, ich wollte es. Gerade, als ich den Türgriff in die Hand nahm, läutete das Telefon.

Einen Augenblick lang war ich in Versuchung, schnell davonzulaufen. Aber dann nahm ich doch den Hörer ab. Der Name war mir unbekannt.

»Mein Sohn ist von einem Auto angefahren worden. Kann ich ihn schnell zu Ihnen bringen?«

»Wenn er größere Verletzungen hat, ist es besser, Sie fahren gleich mit ihm ins Krankenhaus«, riet ich.

»Nein, das glaube ich nicht. Er blutet etwas am Bein, kann aber gehen.«

»So kommen Sie meinetwegen. Aber bitte so schnell wie möglich! Ich muß gleich in die Stadt fahren und noch etwas einkaufen.«

Da wurde die Stimme plötzlich schrill.

»Wie bitte? Sie wollen einkaufen? Mein Sohn ist verletzt und Sie wollen einkaufen? Sie spinnen ja!« Der Hörer knallte auf die Gabel.

Da saß ich denn und wartete. Vergebens. Sie hatte wohl einen anderen Arzt gesucht. Als mein Mann nach Hause kam, stand ich mit leeren Händen da.

Patienten gehen nicht immer zart mit uns um. Andere sind geradezu rührend in ihrer Anhänglichkeit. Sie besuchen mich, bringen Blumen, schicken Obst. Oft sind es solche, die ich nie sonderlich beachtet habe, an deren Treue ich sogar gezweifelt hatte. Die junge Frau Werfler war schon mehrmals da. Sie sind schon vor Jahren in die Stadt gezogen, doch immer, wenn jemand von ihnen krank wurde, haben sie den Patienten im Auto zu mir gebracht, sogar mit hohem Fieber. Als sie mir eines Tages klagte, ihre Marina sei so einfältig geworden, sie weigere sich, die Arme über den Kopf zu nehmen, erschrak ich furchtbar. Ich ließ das Mädchen sogleich in der Universitätsklinik untersuchen, und in der Tat handelte es sich um eine Muskelatrophie. Die Lähmung schritt rasch fort. Im letzten Jahr wurde sie bereits in einem Rollstuhl gefahren. Wenn jetzt die Mutter zu mir kommt, wage ich nicht zu fragen, wie es ihr geht. Von sich aus sagt sie nichts, aber die Fröhlichkeit ist von ihr gewichen.
Ob man den Leuten öfter von Gott reden sollte? Sie gewissermaßen auf ihn aufmerksam machen? Das ist eine Frage, an der kein Arzt vorbeikommt. Dabei spielt es keine Rolle, ob er selbst gläubig ist oder nicht. Es ist die Hilfe, die wir bringen müssen, einerlei, auf welchem Weg. Sicher werden viele es als Unsinn abtun. Aber einigen kann ein kleines Wort sehr gut tun. Außerdem ist noch längst nicht gesagt, daß diejenigen, die es zuerst für Unsinn erklären, sich nicht doch später darüber Gedanken machen. Ärztliche Hilfe braucht nicht nur die richtige Tablette im richtigen Fall zu sein, sondern gegebenenfalls auch das richtige Wort im richtigen Augenblick. Was aber böte sich mehr an, was hätte den stärksten Klang als das kurze Wörtchen »Gott«? Man sollte mehr lieben. Unüberlegt. Ohne Räson. Einfach lieben.

Ich denke oft an meine alte Doktorin. Ich habe mehrere Monate bei ihr gearbeitet, gleich nachdem ich meine Zeit in den Kliniken abgedient hatte.

Ihr war nie etwas zuviel. Wir hatten vierzehn Dörfer zu betreuen und strampelten sie beide auf Fahrrädern ab. Dabei war sie schon über sechzig. Nahm sie den Telefonhörer auf, hörte man sogleich ihre eifrige Stimme:

»Schon wieder Schmerzen? Eiei, da muß ich kommen! Nein, so kann man ihn nicht liegen lassen. Jaja, beruhigen Sie ihn, ich bin gleich da!« Und schon schlüpfte sie in ihren Mantel und zog die Mütze über die Ohren. Sie trug oft Hosen, und das war zu jener Zeit bei älteren Damen durchaus noch nicht üblich. Sie hielt sich nicht an Konventionen, sie war keine Dame. Und doch war sie vornehmer als alle Damen. Wie habe ich an ihre Angehörigen geschrieben, als sie kürzlich in hohem Alter starb? Ein Mensch, vornehm im ursprünglichen Sinn des Wortes, oder so ähnlich. Ja, das war sie gewesen.

Nie werde ich vergessen, wie wir an einem kalten Wintertag nach dem Essen beieinandersaßen und über den Schmutz sprachen, der in manchen Häusern herrschte. Gemeint war nicht der Schmutz, den die Nachkriegszeit verursachte, wenn es keine Seife gab, kein Waschpulver, wenn alte Dinge nicht gegen neue eingetauscht werden konnten, weil sie einfach nicht zu kaufen waren. Nein, wir sprachen über den Schmutz, den manche Menschen nicht sahen, nicht empfanden, der uns jedoch ins Auge fiel, sobald wir das Haus betraten, der uns anwiderte und die Freude an der Arbeit nahm.

Da sagte sie plötzlich in ihrer so bescheidenen und doch eifrigen Weise:

»Aber wissen Sie, Doktorchen, mag einer noch so dreckig und verwahrlost sein, wenn er schwer krank ist, dann kann ich ihn doch liebhaben.« Und an ihren Augen konnte ich erkennen, daß sie nicht übertrieb.

Ja, so war sie gewesen, klug und gut, wahrhaft vornehm.

Nach meiner Arbeit bei ihr habe ich mehr als ein Jahrzehnt lang meinen Beruf nicht ausgeübt. Als ich wieder damit begann, habe ich mich oft bemüht, ihr nachzueifern. Manchmal ist es mir geglückt, aber bei weitem nicht immer.

Arztpraxis: Freude und Leid

Eines Tages erlebte Anita, was viele Menschen in ihrem Alter erleben: Sie verliebte sich und heiratete.
Sie war nun Ehefrau und Hausfrau und ein Jahr später auch Mutter. Es dauerte nicht lange, bis der Haushalt die stolze Zahl von sechs Köpfen zählte. Da hatte dann der Tag nicht genug Stunden und Anita nicht genug Hände, denn alles geschah zu einer Zeit, in der ein normaler Haushalt noch keine Waschmaschine besaß. Von Spülmaschinen wagte überhaupt niemand zu träumen; Hotels mochten so geheimnisvolle Dinge besitzen, aber normale Sterbliche hatten davon eine höchst vage Vorstellung. Es gab auch keine Einmalwindeln, kein Fertiggemüse, keine pflegeleichten Kleider. Es gab nur Arbeit, solide Tätigkeiten, die jede Frau beherrschen mußte.
Anita wusch Windeln, rubbelte Bettwäsche im Zuber und Fußböden mit dem Schrubber, sie kochte und spülte Geschirr. Die Abende benutzte sie zum Stricken und Nähen. Sie bestrickte die Kinder, den Mann und, wenn es die Zeit erlaubte, auch sich selbst. Im Nähen tat sie sich schwer. Um so glücklicher war sie, wenn ihr ein Kleidchen gelungen war oder gar ein Schlafanzug.
Es waren ausgefüllte Tage, Wochen, Jahre.
Manchmal, wenn sie durch die Straßen der Stadt ging, las sie die Schilder an den Praxistüren ihrer Kollegen. Dann stieg das Erinnern in ihr hoch und erfüllte sie mit einer Sehnsucht, die ihr das Atmen schwer machte. Einige von ihnen hatten zu

ihrer Zeit studiert, andere viel später, und jetzt waren sie alle anerkannte Ärzte, denen die Arbeit schier über den Kopf wuchs.

» Willst du nicht auch wieder arbeiten?« fragte Werner sie zuweilen. Dann schüttelte sie rasch den Kopf. » Ich sehe doch, wie schwer es dir fällt. Weshalb tust du es nicht?«

» Die Kinder brauchen ihre Mutter. Zumindest solange sie klein sind. « Und mit Feuereifer stürzte sie sich in die Hausarbeit.

Lange blieb es so, und die Kinder hatten ihre Mutter.

Eines Tages wurde ein Nachbarort in die Stadt eingemeindet. Wenig später stand in der Zeitung, daß der frisch angegliederte Ortsteil einen Arzt suche. Das war der Tag, an dem Anita schwach wurde.

» Meinst du, ich kann es wagen?« sie fragte es zögernd, fast ängstlich und doch voller Hoffnung.

» Natürlich! Die Jüngste wird bald zehn. «

» Das ist kein Alter, in dem man die Mutter entbehren kann. «

» Willst du warten, bis du Großmutter bist?«

» Um Gottes willen!«

Gemeinsam fuhren sie zu einer Bauernfamilie in eben diesem Ort, die Anita von früher her kannte. Ihre Mutter hatte einst von ihnen Kartoffeln und Winteräpfel bezogen, und sie füllten auch Anitas Keller in jedem Herbst.

Die Bäuerin fand den Gedanken wunderbar. Gemeinsam gingen sie auf die Suche nach geeigneten Räumen. Sie waren nicht schwer zu finden. Das Einrichten war noch viel aufregender. Und eines Tages war alles fertig und bereit. Am Abend vor der Eröffnung kam die Angst.

» Glaubst du, ich schaffe es?«

» Inwiefern?« fragte Werner.

» Werden die Leute mich annehmen?«

» Aber natürlich. Mach dir keine Sorgen. Aller Anfang ist schwer oder zumindest aufregend. « Und als er ihr zweifelndes

Gesicht sah: »Wenn nicht, kannst du ja jederzeit wieder aufhören. Du riskierst doch nichts. Du brauchst keine Familie zu ernähren, dazu hast du glücklicherweise mich.«

Die Stunde des Praxisbeginns rückte näher und war schließlich da.

Mit klopfendem Herzen öffnete Anita die Tür zum Wartezimmer: Da saßen tatsächlich drei Menschen! Die alte Bäuerin, natürlich. Aber auch noch zwei Fremde.

Als erste kam eine junge Frau, fast noch ein Mädchen. Als sie von ihrem Stuhl aufstand, tat sie es vorsichtig, mit einem Gesicht, das den Schmerz verriet.

Kaum hatte sie das Sprechzimmer erreicht, begann sie schon zu sprechen.

»Mir tut's im Bauch weh.« Ihre Stimme klang gepreßt.

»Jetzt setzen wir uns erst einmal«, sagte Anita, »dann erzählen Sie, wie es angefangen hat.«

Folgsam setzte sich die junge Frau auf den Stuhl, den Anita ihr anwies. Sie tat es wieder langsam, vorsichtig.

Auch Anita setzte sich.

»Also«, sagte sie, »seit wann haben Sie die Schmerzen?«

»Seit vorgestern. Das heißt, vorgestern war es mehr der Magen. Mir war übel dabei.«

»Und dann? Wie ging es weiter?«

»Ja, gestern dachte ich, es sei schon viel besser, da spürte ich fast nichts. Aber heute ist es da unten.« Sie legte die Hand auf die rechte Seite.

»Da müssen wir nachsehen«, erwiderte Anita und stand auf.

»Machen Sie mal den Bauch frei und legen Sie sich auf das Untersuchungsbett.«

Gehorsam tat die junge Frau, was Anita sagte.

Anita tastete den Leib ab. Zuerst den oberen Teil, die Magengrube. Sie war ganz frei. Die Gallenblase: frei. Unterhalb der Gallenblase spannte der Leib. Die Patientin wimmerte bei der Berührung.

»Passen Sie gut auf«, sagte Anita. »Ich drücke jetzt auf beiden Seiten in den Bauch. Ich mache es ganz vorsichtig, so. Nun werde ich gleich die linke Seite loslassen, also die Seite, die nicht schmerzt, verstanden? Sie müssen mir dann sagen, ob das Loslassen irgendwo weh tut.« Anita hob die Hand.

»Oh, oh...« jammerte die Patientin und zeigte auf die rechte Seite.

Es war eine Blinddarmentzündung.

»Ich hab mir's gedacht.« Tränen stiegen ihr in die Augen. »Davor habe ich ja Angst gehabt.«

Ist es nicht verrückt? dachte Anita, da studiert man jahrelang, lernt die unmöglichsten Dinge, die ausgefallensten Krankheitsbilder – und was erscheint als erstes in meiner Praxis? Ein läppischer Blinddarm!

Während sie den Telefonhörer abhob und die Nummer des Krankenhauses wählte, dachte sie weiter: Dabei gibt es kaum eine andere Krankheit, die so zwiespältige Empfindungen im Arzt auslöst. Hier lag der Fall klar. Aber das tat er beileibe nicht immer. Deshalb wird dieser kleine Wurmfortsatz gleichermaßen verachtet und gefürchtet. Nun, der Chirurg holt ihn in jedem Fall heraus. Was sollte er auch anderes tun?

Sie rief noch ein Taxi an.

Zwei Stunden später war die Frau bereits operiert.

Als nächste kam die Bäuerin an die Reihe. Sie war jahrelang nicht beim Arzt gewesen. Heute hatte sie eigentlich nur das Wartezimmer füllen wollen. Aber dann war doch der Blutdruck zu hoch, und die Krampfadern leuchteten durch die Strümpfe hindurch. Sie bekam eine elastische Binde. Dann noch ein Schwätzchen, nur so.

Die dritte Patientin war mittlerweile nicht mehr allein. Ihr Ehemann war gekommen. Anita holte sie gemeinsam herein.

Die junge Frau war groß, mäßig hübsch, ein bißchen zu stark. Der Mann war klein und verwachsen, der Hals steckte fast in seinem Buckel drin. Auch schien ein Bein kürzer zu sein, denn er hinkte.

Bizarres Paar, dachte Anita und fragte nach ihren Wünschen. Die beiden waren seit fünf Monaten verheiratet. Nun war die Menses ausgeblieben, schon zum zweiten Mal. Und nach dem Essen kam immer diese Übelkeit. Ob vielleicht...?

»Wir müssen halt nachsehen«, sagte Anita freundlich.

Es war eine junge Schwangerschaft.

Als sie es den beiden sagte, ging ein Leuchten über ihre Gesichter. Sie sahen einander an mit einer Innigkeit, die selbst den verkrüppelten Mann verschönte.

Wie Liebe veredelt! Und sie dachte einen Augenblick lang an ihre eigene erste Schwangerschaft.

Das war schon das Ende der ersten Sprechstunde. Mehr Leute kamen nicht. Immerhin, der Anfang war gemacht!

Am nächsten Tag waren es vier Patienten. Außerdem wurden zwei Hausbesuche erbeten. Am dritten Tag läutete das Telefon. Eine aufgeregte Stimme rief:

»Frau Doktor, kommen Sie sofort! Sie ist gestürzt und rührt sich nicht mehr!«

»Wer? Wo? Ihre Adresse!« Kaum verstand sie die Worte.

Dann saß sie im Auto. Leichter Nieselregen, der alles traurig machte.

Als sie ins Dorf kam, war die Straße voller Menschen. Sie wichen vor dem Wagen aus, leiteten ihn in einen Hof.

Dort lag eine junge Frau. Es war die Schwangere aus der ersten Sprechstunde. Ihr Gesicht war blaß, soweit es die bäuerliche Bräune zuließ.

Sie ist tot, dachte Anita, aber sie schwieg. Sie suchte den Puls und fand ihn nicht. Sie öffnete ihre Tasche und holte das Stethoskop. Sie setzte es im Blusenausschnitt auf die Brust. Kein Herzschlag.

Der Bucklige kniete daneben und hielt die Hand auf die Brust seiner Frau.

»Das Herz schlägt«, rief er. Seine Stimme klang heiser.

Du fühlst deinen eigenen Puls. Anita sagte es nicht.

»Ruft den Krankenwagen!« Das war ein Befehl. Etliche Leute eilten davon, zu irgendeinem Telefon.

Anita holte eine Spritze aus ihrer Tasche.

»Wie ist es geschehen?« fragte sie, während sie die Ampulle öffnete.

»Sie wollte die Hühner in den Stall jagen. Eines war in die Scheune ins Heu geflattert. Sie wollte es holen und ist dazu auf den Wagen gestiegen. Da ist sie dann heruntergestürzt.«

»Aber das ist ja nur ein guter Meter?«

»Höchstens.« Dann schwiegen alle und sahen zu, wie Anita die Spritze machte. Alle schwiegen und warteten. Aber es geschah nichts.

»Ich spüre ihr Herz.« Der Ehemann wiederholte es trotzig, verzweifelt.

Ich kann es ihm nicht sagen! Wieder richtete sie eine Spritze, diesmal mit langer Nadel.

»Ich spritze jetzt direkt ins Herz. Es ist ein Versuch.« Sie suchte die Stelle zwischen den Rippen, zwei Querfinger neben dem Brustbein, stach ein, zog den Kolben zurück. Das angesaugte Blut leuchtete über der blassen Haut. Anita spritzte. Alle warteten. Nichts.

Da kam der Krankenwagen. Die Träger stiegen aus.

»Die ist doch tot«, sagte einer von ihnen. Anita sah ihn an.

»Sie bringen die Frau ins Krankenhaus«, sprach sie laut. Und leise: »Es ist ein Unfall mit Todesfolge. Das bedarf der Kontrolle durch den Amtsarzt.«

Die Männer zuckten die Achseln und holten die Trage. Sie legten die Frau darauf und schoben sie in den Wagen. Der Bucklige fuhr mit ihnen.

Anita kehrte nach Hause zurück.

»Sie ist tot.« Sie setzte sich an den Tisch, legte den Kopf auf die Arme. »Warum mußte das passieren?«

Ihr Mann blickte auf sie hinab.

»Du darfst nicht so weich sein«, meinte er nach einer Weile. Er strich ihr übers Haar. »Das Leben ist nun mal brutal. Du mußt härter werden, sonst gehst du zugrunde.«

»Die beiden waren so glücklich«, flüsterte Anita und weinte still.

Erster Sonntagsdienst

Freitagabend. Anita war müde. Sie saß im Sessel, legte den Kopf zurück und schloß für Sekunden die Augen.

Sie hörte nicht, wie die Tür sich öffnete. Erst als die Schritte näherkamen, ward sie es mit einem kleinen Schrecken gewahr. Vor ihr stand ihr Mann. Für ein Weilchen sahen sie sich schweigend an. Dann senkte sie langsam den Kopf.

»Ich habe Angst«, murmelte sie, und ihre Stimme zitterte.

»Vor dem Sonntagsdienst?« Seine Stimme war weich. Anita nickte. Nach einer kurzen Pause fuhr er fort: »Die Patienten deiner Kollegen sind nicht anders als deine eigenen.«

»Das schon. Aber bedenke die Menge. Ich muß ja nicht nur die Stadt versorgen. Die vielen Dörfer im Umkreis gehören auch alle dazu.«

»Wenn es nicht zu bewältigen wäre, hätten die anderen Ärzte längst gemeutert.«

»Sie sind es gewöhnt. Für mich ist es das erste Mal.«

»Ich weiß, aber...«

»All die Straßen, die ich nicht mal kenne!« Anita war dem Weinen nahe. »Die Wege in den Dörfern, die oftmals gar keine Namen tragen, von Hausnummern ganz zu schweigen. Wen soll ich fragen, wenn ich morgens um drei oder vier Uhr dort umherirre?«

»Du kleiner Angsthase! Es werden doch nicht alle morgens um vier Uhr krank werden!«

»Alle! Mir genügt, wenn es einer wird!«

»Ich werde dir helfen. Wir werden gemeinsam auf die Suche gehen.«

Sie lächelte matt.

»Wirst du überhaupt wach werden?«

Er ging sofort auf ihren Ton ein, nahm ihre Hand und lachte schelmisch.

»Natürlich werde ich das! Und bei allen komplizierten Geburten werde ich dir assistieren!«

»Alter Spötter! Warte nur, ich höre dich fluchen, wenn es in der Nacht zehnmal läutet.«

Der Sonntagsdienst begann am Samstagmorgen um acht Uhr. Zehn Minuten nach acht klingelte das Telefon zum ersten Mal.

»Können Sie bitte gleich kommen?« fragte eine nervöse Männerstimme. »Meine Frau hat furchtbare Schmerzen!«

Anita notierte sich die Adresse.

»Soll ich dich begleiten?« rief Werner. »Warte, ich bringe dich hin!« Er nahm die Autoschlüssel und holte den Wagen aus der Garage. Dankbar setzte sie sich neben ihn.

Während der Fahrt redete er sanft auf sie ein.

»Du brauchst doch nicht nervös zu sein! Du wirst sehen, es geht alles gut!« Und: »Laß dich nur nicht verrückt machen!«

Da waren sie angelangt.

Der Mann hatte sie kommen sehen und die Tür bereits geöffnet.

»Das ging aber schnell, Frau Doktor. Hier herein, bitte. Es ist unmenschlich, was meine Frau aushält.«

Er öffnete die Zimmertür.

Da saß die Frau, den Mund weit geöffnet und hechelte zum Gotterbarmen. Anita ging zu ihr hin, wollte fragen. Die Frau hielt ihr den offenen Mund entgegen, deutete mit dem Finger hinein und schnappte nach Luft.

Sie sah auf den ersten Blick, daß es kein Asthma war. Weder Herzasthma noch Bronchialasthma. Das Schnaufen war gräßlich. Gleich würde sie anfangen zu krampfen, wenn das Gehirn zuviel Sauerstoff aufgenommen hätte.

»Sie dürfen nicht so stark atmen. Haben Sie Schmerzen?« Während sie redete, öffnete sie die Arzttasche und holte Taschenlampe und Mundspatel. Dann fragte sie den Ehemann, wie alles begonnen habe.

Sie erhielt keine Antwort. Verwundert wandte sie sich um. Er war nicht mehr im Zimmer.

Kopfschüttelnd knipste sie die Lampe an, dann legte sie den Spatel auf die Zunge. Die Frau schrie auf.

Sofort zog Anita den Spatel zurück. Im Schein des Lichtes schaute sie in den Mund und erschrak.

Da drinnen sah es furchtbar aus. Die Mandeln waren dick geschwollen und vereitert. Das Schlimmste aber war die Mundhöhle selbst. Vom Gaumen hing die Schleimhaut in Fetzen herab. Das Zahnfleisch war übersät mit Blasen. Einige waren aufgeplatzt und bluteten. Die Zunge war nur noch ein Geschmier von Blut und zerstörtem Gewebe. Die Frau mußte furchtbare Schmerzen haben.

»Ich gebe Ihnen eine Spritze gegen die Schmerzen. Das ist im Augenblick das Wichtigste«, sagte Anita. Die Frau nickte dankbar.

»Wie ist das nur gekommen?« Aber sie erhielt keine Antwort. Es kam nur erneutes Stöhnen.

Fieberhaft überlegte Anita, was die Ursache solcher Verwüstungen sein konnte. Ein so scharfes Gurgelwasser? Das war unmöglich. Etwas zum Lutschen? Sicher nicht. Roch es im Zimmer nicht nach Alkohol? Aber seit wann rief Schnaps eine derartige Verbrennung hervor? Wahrhaftig, wie eine Verbrennung sah das ganze aus. Wodurch verbrennt die Mundschleimhaut in diesem Ausmaß?

Nachdem sie die Spritze gegeben hatte, ging Anita zur Tür, öffnete sie und rief den Ehemann.

Der kam zögernd.

»Nun sagen Sie mir, wie konnte das geschehen?«

Der Mann war verlegen und nervös.

»Ich weiß nicht – woher soll ich – ich habe wirklich keine Ahnung...«

»Seit wann hat Ihre Frau die Schmerzen?«

»Sie hat gestern schon Halsweh gehabt.«

»Halsweh, schön, aber dieser Zustand? Der dauert doch nicht schon seit gestern?«

»Nein, das ist erst jetzt gekommen.«

»Und wodurch?«

»Das – das weiß ich nicht. Es ist halt jetzt so schlimm geworden.«

Der Mann verbarg etwas, und Anita begann sich zu ärgern.

»Das kam nicht von selbst. Hat sie etwas eingenommen?«

»Glaube ich nicht«, sagte der Mann, mehr nicht.

»Hat sie gegurgelt?«

»Das schon.«

»Und womit?«

»Mit einem Schluck Schnaps.«

»Zeigen Sie mir die Flasche.«

Er schlurfte hinaus und kam mit einer Flasche zurück. Sie enthielt normales Zwetschgenwasser.

»Das ist nicht die Ursache. Es muß doch irgendetwas geschehen sein!« Anitas Stimme wurde laut vor Zorn.

Der Mann gab keine Antwort. Er zuckte nur die Achseln.

»Wenn Sie mir nicht sagen, was geschehen ist, kann ich Ihrer Frau nicht helfen!« Sie machte Anstalten zu gehen, wandte sich aber doch noch einmal zu der Frau um.

Sie war ruhiger geworden, das Schnaufen hatte aufgehört. Offensichtlich wirkte die Spritze schon.

»Sagen Sie es mir!« Anita zwang sich zur Ruhe, doch der Zorn schwang in ihrer Stimme mit.

Aber auch die Frau sprach nicht. Vielleicht konnte sie noch nicht?

Unschlüssig stand Anita da. Was tun? So, wie die Dinge lagen, konnte sie nur ein mildes Spülmittel verschreiben und die weitere Klärung dem Hausarzt überlassen. Das war höchst unbefriedigend, aber wohl die einzige Möglichkeit.

Sie setzte sich an den Tisch, schrieb das Rezept aus und gab Anweisung, wie oft zu gurgeln sei. Danach ging sie zur Tür.

»Vielen Dank, Frau…« Der Mann wurde unterbrochen durch das Erscheinen des Sohnes.

»Na, geht's wieder, Mutter? Gott sei Dank! In Zukunft flambiere deine Puddings und nicht deinen Hals!«

Anita starrte auf den jungen Mann.

»Was hat Ihre Mutter getan?«

»Haben sie es Ihnen nicht erzählt? Habe ich ein Geheimnis verraten?« Er lachte und sah den Vater an. Der blickte verlegen zu Anita hinüber.

»Ja«, sagte er, »dann kann ich es Ihnen ja sagen, wo Sie schon die Hälfte wissen. Meine Frau hatte doch so Halsweh. Und weil sie so viel Arbeit hat und schnell wieder gesund werden wollte, hat sie immer mit Schnaps gegurgelt. Aber es wurde nicht besser. Da hat sie gedacht, wenn sie den Schnaps anzündet…«

»Im Mund anzündet?«

»Im Mund, ja. Aber das war wohl falsch…«

Da überfiel Anita eine Heiterkeit, die zu verbergen ihr nicht gelingen wollte. So schnell sie konnte, ohne unhöflich zu sein, verließ sie das Haus der Patientin.

Draußen im Auto legte sie den Kopf an die Schulter ihres Mannes und lachte. Sie lachte und lachte, und ihr war, als löse das Gelächter einen Panzer, den sie unsichtbar getragen hatte, der alle Angst enthielt, deren sie sich seit Tagen nicht hatte erwehren können. Sie fühlte, wie ihr im Innern leicht wurde, und bald wußte sie nicht mehr, ob ihr Lachen dem eben Erlebten galt oder ihrer eigenen neugewonnenen Freiheit.

Der Sonntagsdienst ging vorüber, wie alles im Leben.

Ein Stück Speck für Frau Doktor

Anita tastete den Leib der Hochschwangeren ab. Ihr Gesicht war besorgt.

»Es hat sich noch immer nicht gedreht«, sagte sie.

Die Lanzenbäuerin lächelte verständnislos.

»Warum soll sich's denn drehen?«

»Weil es in dieser Lage schwierig zu gebären ist.«

»Aber ich habe meine Kinder immer leicht gekriegt.«

»Sie lagen eben normal.«

Die Bäuerin verstand noch immer nicht.

»Was ist denn jetzt nicht normal?«

»Normalerweise liegt am Ende der Schwangerschaft der Kopf unten, zur Geburt bereit. Bei Ihnen liegt diesmal jedoch der Steiß unten.«

»Ist das so schlimm?«

»Es muß nicht schlimm sein, aber es kann. Eine Steißgeburt ist immer schwierig. Wann ist der Geburtstermin?«

Die Bäuerin stand auf, begann sich anzuziehen.

»Am zweiten August«, antwortete sie. Anita ging zum Schreibtisch, blickte auf die Karteikarte.

»Stimmt. Und am fünften August gehe ich in Urlaub.« Mit einem kleinen Seufzer setzte sie sich und wartete, bis die Frau ihr gegenüber Platz genommen hatte.

»Eines müssen Sie mir versprechen, Frau Lanzen«, Anita sprach langsam und eindringlich, »wenn das Kind erst kommt, wenn ich in Urlaub bin, gehen Sie ins Krankenhaus.«

»Aber Frau Doktor! Das ist mein fünftes Kind!«

»Es liegt falsch. Niemand kann sagen, ob es sich vor der Geburt noch dreht.«

»Ich sagte Ihnen schon, ich habe meine Kinder immer leicht gekriegt. In zwanzig Minuten waren sie da.«

»Seien Sie vernünftig, Frau Lanzen, versprechen Sie es mir!«

Die Frau wurde unsicher.

»Da muß ich erst mit meinem Mann reden. Der wird Augen machen! Wann gehen Sie in Urlaub?«

»Am übernächsten Samstag. Das ist der fünfte August.«

Jetzt wurde das Gesicht der Bäuerin wieder fröhlich.

»Bis dahin wird es da sein! Meine Kinder waren immer pünktlich! Obwohl es Mädchen waren!« Sie lachte. Sie war ein heiterer Mensch, man konnte sie nicht leicht aus der Fassung bringen.

»Auf jeden Fall will ich Sie Ende der nächsten Woche noch einmal sehen«, sagte Anita und seufzte erneut.

Der Geburtstermin verstrich, das Kind kam nicht. Am vierten August hatte es sich noch nicht gedreht. Vom Krankenhaus wollte die Bäuerin nichts wissen und ihr Mann erst recht nicht.

Da rief Anita die Hebamme zu sich und sprach eindringlich mit ihr.

Der Samstag kam, der erste Urlaubstag.

Das Auto wurde bepackt. Auf den Rücksitzen türmten sich Decken und Badetücher. Ganz obendrauf thronten die Kinder. Keine Maus hätte mehr Platz gefunden.

»Soll ich zuerst ein Stück fahren?« fragte Anita. Werner schüttelte den Kopf.

»Kommt nicht in Frage.«

»Aber du weißt, später werde ich oft so müde.«

»Das bist du jetzt schon. Wie oft bist du heute nacht wegen dieser Bäuerin wach gewesen?« Er öffnete die Wagentür und setzte sich ans Steuer.

Da ratterte ein Motorrad heran, hielt an. Ein Mann stieg ab. Es war der Lanzenbauer.

»Es geht los, Frau Doktor, es geht los!«

»Das ist doch...« Anita fuhr sich mit der Hand über die Stirn. »Gut, ich werde schauen.« Sie stieg zu den anderen ins Auto.

»Wir fahren noch schnell beim Lanzenbauer vorbei.«

Mehr sagte sie nicht. Mehr war auch nicht nötig.

»Du bist verrückt! Das ist ja der helle Wahnsinn! Wir fahren jetzt in Urlaub und damit basta!«

»Ich will doch nur sehen, ob sich das Kind gedreht hat. Wenn nicht, lehne ich die Verantwortung ab und schicke sie ins Krankenhaus.«

Wenig später hielten sie vor dem Hof.

»Ich komme gleich wieder, ganz bestimmt«, rief Anita, während sie ausstieg.

Drinnen wartete die Hebamme.

»Hat es sich gedreht?«

»Bis jetzt noch nicht.«

Anita legte die Hand auf den Bauch. Der begann gerade zu spannen. Dann kam die Wehe, eine kräftige, gute Wehe. Während sie auf das Ende der Wehe wartete, fragte sie weiter:

»Wie groß ist der Muttermund?«

»Als ich den Bauern zu Ihnen schickte, war er fünfmarkstückgroß.«

Die Wehe war vorüber, der Bauch weich. Mit letzter Hoffnung tastete Anita ihn ab. Das Kind hatte sich nicht gedreht.

Jetzt blieb nur das Krankenhaus.

»Kommt nicht in Frage!« Den Kopf des Bauern überzog helle Röte, die Adern schwollen am Hals. Die Bäuerin brach in Tränen aus. Da kam die nächste Wehe.

»Alle vierzig Sekunden«, sagte die Hebamme, »das ist gut, das ist sehr gut.« Sie zog den Fingerling an. »Ich will schnell noch nach dem Muttermund sehen. Oh, ist das aber rasch gegangen! Er ist schon ganz verstrichen!«

Dann blickte sie fragend zu Anita auf.

Die nickte und seufzte. Jetzt war es zu spät fürs Krankenhaus, unter normalen Umständen konnte das Kind jeden Augenblick geboren werden. Die erste Steißgeburt im Bauernbett, dachte sie, ohne Oberarzt oder Professor. Nichts außer meinen beiden Händen!

Sie wandte sich an den Bauern.

»Bringen Sie uns einen Topf mit heißem Wasser. Nein, nicht das Badewasser fürs Kind. Einen extra Topf. Und legen Sie zwei Handtücher hinein. «

Die Wehen blieben weiterhin gut und folgten immer rascher aufeinander. Auf ihrer Höhe sah man schon den vorangehenden Teil des kindlichen Körpers. Ohne Haare natürlich. Die Spannung wuchs.

»Frau Doktor, Ihr Mann fragt, wann Sie kommen!« Eine Stimme rief es vor der Tür.

Anita zögerte. Dann antwortete sie:

»Er soll nach Hause fahren und mir sterile Handschuhe holen!«

»Ich habe sterile Handschuhe«, sagte die Hebamme.

»Macht nichts. Wenn sie beschäftigt sind, wird ihnen die Zeit nicht so lang. «

Da, bei der nächsten Wehe wurde der Rumpf geboren!

»Was ist es?« rief der Bauer.

»Ein Junge!« schrie die Hebamme.

Der Bauer strahlte.

»Bringen Sie mir den Topf mit den Tüchern!« sagte Anita. Sie waren in Windeseile da.

Ein Junge nach vier Mädchen!

Anita nahm eines der Tücher aus dem Wasser und legte es um den kleinen Körper. So etwas hatte der Bauer noch nie gesehen. Sie sah die Frage in seinen Augen.

»Damit es warm bleibt«, erklärte sie, »so warm wie im Mutterleib. Wenn es kalt wird, fängt es an zu atmen. Das darf es aber nicht, solange der Kopf noch drinnen steckt, weil es sonst erstickt. «

Bei dem Bauern überlagerte Angst die erste Freude.

»Und wann kommt der Kopf?« fragte er.

»Ich hoffe bald. Bei der nächsten Wehe. «

Die Wehe kam. Anita versuchte das Kind auf den Bauch der

Bäuerin hinaufzuhebeln, aber der Kopf rutschte nicht nach, er rührte sich nicht vom Fleck.

»Ein neues Tuch! Nicht kalt werden lassen!« Die Hebamme folgte. Sie wußte, wie ernst die Lage war. Noch drei oder vier Wehen, und man konnte nicht verhindern, daß die Atmung einsetzte. Der Bauer wußte es nicht, doch spürte er die Gefahr. Da kam die Wehe. Anita versuchte es aufs neue. Der Kopf schien etwas zu rutschen, aber es reichte nicht. Nein, er wurde auch diesmal nicht geboren.

»Den rechten Handschuh bitte.« Die Hebamme stülpte ihn Anita über die Hand. Unablässig wechselte sie die Tücher.

Bei der nächsten Wehe *muß* es klappen.

Niemand spricht. Der Bauer hält die Hände gefaltet. Grobe Hände mit rissigen Fingern. An der Tür preist eine Stimme sterile Handschuhe an. Niemand gibt Antwort.

Langsam führt Anita die Hand in die Scheide, am Kopf des Kindes entlang. Sie tastet ihn ab. Das Kinn ist natürlich gleich über dem Hals, und dann ist da auch schon die Nase, das ist zu hoch. An diesem kleinen Gesicht liegt alles so nahe beieinander. Eine Spur zurück, dann ein sanfter Druck. Das Gewebe gibt nach, es muß der kindliche Mund sein, die Kiefer sind hart. Der Finger beugt sich in den Mund hinein, bleibt liegen, ganz still. Nur nicht verrutschen, den Mund nicht wieder verlieren! Die Wehe muß gleich kommen.

Da beginnt der Bauch zu spannen. Jetzt!

Mit der linken Hand hebelt sie den Rumpf auf den mütterlichen Bauch. Der rechte Zeigefinger im Mund des Kindes zieht nach unten, nicht zu stark, um nichts zu verletzen. Kommt er? Nein. Doch? – Da, ein Ruck! Endlich! Der Kopf gleitet aus dem Geburtskanal heraus, als sei das alles ein Kinderspiel. Der kleine Erdenbürger ist geboren.

Auf der Stirn der Ärztin stehen Schweißperlen. Der Bauer ist glücklich.

»Ein Junge!« Mehr vermag er nicht zu sagen.

Die Bäuerin sieht zu ihm auf. Während sie sich mit der Hand über das schweißnasse Gesicht fährt, sagt sie:
» Schneide der Frau Doktor ein Stück Speck ab. «
Der Bauer folgt.
Wenig später öffnet Anita die Wagentür und lächelt zu ihrem Mann hinunter. Er sieht nicht einmal auf.
» Wie konnte ich ein solcher Idiot sein, dir zu einer Praxis zu raten. « Anita schweigt.
Auch die Kinder nörgeln.
Sie müssen sich ausschimpfen, denkt sie und lächelt noch immer.

Das war damals das erste Mal seit Beginn meiner Praxis, daß Werner richtig böse auf mich war; abgesehen von ein paar kleinen Ärgernissen, wenn ich nicht rechtzeitig zu den Mahlzeiten kam oder wenn wir im Theater oder Konzert erst in letzter Sekunde anhasteten.
Natürlich hat es im Grunde nichts ausgemacht, daß unser Urlaub eine Stunde später begann. Was etwas ausmachte, war, daß er in Mißstimmung begann. Ich muß gestehen, daß ich, obwohl ich im Innern glücklich war, mich trotzdem irgendwie schuldig fühlte. Ich erinnere mich, daß ich überlegte, wie lange ich wohl schweigen müsse, um den Ärger verrauchen zu lassen, was ich als erstes sagen könnte – natürlich mußte es etwas ganz anderes sein, ein Thema, das alle interessierte und auf andere Gedanken brachte. Als Werner mich in barschem Ton aufforderte, ihm die Sonnenbrille aus dem Handschuhfach herüberzureichen, tat ich es wortlos, weil ich mich noch nicht für irgendetwas entschieden hatte. Werners » danke « für die Brille klang auch nicht gerade ermutigend, es bot mir in keiner Weise Hilfestellung.
Als nach einer Weile die Kinder hinter meinem Rücken zu streiten begannen, war ich ausnahmsweise froh darüber. Sie gaben mir die Möglichkeit, mit Kopf und Oberkörper eine halbe

Wende zu ihnen hin zu machen und ihnen ein » na, na! « zuzurufen, nicht böse, höchstens ermahnend, sogar nur besänftigend.
Als daraufhin Werner mich anfuhr:
» Sollen die Kinder etwa noch gut gelaunt sein? « da merkte ich erst, *wie* böse er war. Wir sprachen danach mindestens eine Stunde lang kein Wort und ließen die drei im Hintergrund sich balgen, mit einer einzigen Ausnahme, als nämlich Werner ein überdimensionales » Ruhe jetzt! « in den Wagen donnerte, was die Kinder tatsächlich für fünf Minuten friedfertig werden ließ.
Mit der Zeit wurde mein Stolz irgendwie doppelgesichtig: Neben dem Stolz darüber, daß ich die Geburt so gut geleitet hatte, erwuchs jetzt in mir das Empfinden, daß man mir Unrecht tat. Hatte ich nicht richtig gehandelt, indem ich die Stunde meines Urlaubs für die Gebärende opferte? Da war niemand, der es anerkannte. Das war ungerecht! Und diese letzte Version meines Stolzes wuchs und überstieg die erste, bis zu guter Letzt ich es war, die man nicht verstand, die beleidigt und verärgert war.
So saßen wir schweigend nebeneinander, jeder auf seinem Trutzbalkon, und keiner gab nach.
Es ist eine schöne Tatsache, daß in harmonischen Familien schließlich doch wieder alles ins reine kommt. Niemand weiß, wie es geschehen ist, daß plötzlich alle wieder lachten und miteinander redeten und der Urlaub als wunderbar in aller Erinnerung bleibt. Wie schön, daß es neben den Dornen auch die Rosen gibt!
Ja, eine Arztpraxis ändert das ganze Leben von Grund auf!
Eine alte Dame hatte vor vielen Jahren zu mir gesagt:
» Sie müssen wissen, liebes Kind, daß bei einer Familie mit mehreren Kindern die Ausnahmen zur Regel werden. «
Ich hatte längst erfahren, wie recht sie hatte, als ich erkannte, daß es etwas gibt, das kinderreiche Familien an Ausnahmesituationen übertrifft: Die Praxis.
Das fängt am frühen Morgen an.
Früher war sieben Uhr die Zeit, da es in unserem Haus lebendig

wurde. Da rauschte der erste Wasserhahn, da gurgelten die Kinder lautstark um die Wette, da begann es treppauf, treppab – je nach Temperament – zu huschen oder zu lärmen, und gleich darauf durchzog der Duft von frischem Kaffee alle Räume.

Das änderte sich mit Beginn meiner Praxis und wandelte sich immer mehr, je größer die Praxis wurde. Jetzt läutete um sechs das Telefon, manchmal war es noch früher. Man rief Frau Doktor, bat sie »ganz schnell« zu kommen, weil irgendjemand Schmerzen oder Atemnot oder Übelkeit hatte. Natürlich wurden alle im Haus wach, und es gelang niemandem mehr, noch einmal einzuschlafen, so tief er sich auch in die Decken kuschelte.

Dabei waren die Sechs-Uhr-Patienten noch die »Anständigen«. Sie hatten ihre Beschwerden oft die ganze Nacht hindurch gehabt und dennoch bis zum Morgen gewartet. Sie betonten das, und ich muß zugeben, daß viele von ihnen tapfer waren und rücksichtsvoll.

Daneben gab es die anderen, die nicht warten wollten oder konnten. Es ist zum Beispiel eine Tücke des Herzinfarktes, daß er gerne mitten in der Nacht auftritt. Oder wie hätten Lillis Eltern bis zum Morgen warten sollen, wenn ihr Kind keine Luft bekam? Es ist keine Schönmalerei, wenn ich behaupte, daß ich ganz selten während der Nacht unnötig gerufen wurde. Natürlich stöhnt man und schimpft im ersten Moment, aber wer will uns das übelnehmen?

Mir hat es ein Mann übelgenommen. Er kam morgens um drei und läutete an der Haustür. Bei seiner Frau hatten die Wehen begonnen. Das Fenster unseres Schlafzimmers stand offen, und er hörte auf der Straße, wie ich schimpfte, weil es gerade in der Nacht losgehen müsse. Seine Frau erzählte es mir später lachend, aber er verzieh mir nie und kam nicht mehr in meine Praxis.

Uns gegenüber ist eine Bäckerei. Eines Morgens sagte der Bäcker zu mir:

»Heute nacht sind Sie ja wieder weggefahren! Ich habe Ihr Auto gehört. Nein, ich möchte kein Arzt sein! Immer dieses Aufstehen in der Nacht, das hielte ich nicht aus!«
Und ich hatte immer den Bäcker bedauert, der morgens so früh aus den Federn muß!

Jedermann weiß, daß Ärzte oft um ihre Nachtruhe gebracht werden, und das Mitleid mit ihnen ist weitverbreitet. Dabei muß ich sagen, daß das Aufstehen der leichtere Teil der Störung ist. Mir fiel es viel schwerer, später wieder einzuschlafen. Das ist ganz logisch, wenn man bedenkt, daß man nachts selten zu Kleinigkeiten gerufen wird. Da ist es, wie schon gesagt, ein Herzinfarkt oder ein Asthmaanfall, eine Nierenkolik oder eine Tetanie und zuweilen auch ein Bild, das auf den ersten Blick gar nicht zu klären ist. Da kommt das Gehirn dann auf Hochtouren, man besteht nur noch aus Konzentration, um die Lage zu erfassen, die richtige Entscheidung zu treffen. Wenig später aber liegt man hellwach in seinem Bett und wird die Konzentration, die man sich vorher mühsam erkämpft hat, nicht mehr los, wälzt sich nach links und nach rechts oder starrt an die Decke mit Augen, die nichts sehen und denen es dennoch nicht gelingt, sich zum Schlafen zu schließen.
Mittags versuchte ich oft ein Stündchen vor- oder nachzuschlafen. Da ging dann das Telefon wie am Schnürchen: Wann die nächste Sprechstunde sei, ob man bitte rasch ein Rezept bekommen könne, wie das Blutbild ausgefallen, ob der Röntgenbericht schon gekommen sei. War ich dann zum sechsten Mal »fast« eingeschlafen, stand ich ächzend und schimpfend wieder auf.
Es gibt da noch etwas, woran kein Patient denkt: Des Arztes gemütliches Heim. Welcher Arzt träumt nicht vom Tag des Praxisbeginns an vom eigenen Haus? In Träumen baut er es viele Male, jedes Mal besser, jedes Mal schöner. Er gönnt sich nichts, spart jeden Pfennig, und eines Tages hat er es geschafft!

Da steht es, das Prachtstück, und die Freunde kommen und bewundern es. Sie weihen es ein in fröhlicher Runde bei einem Glas Wein und noch einem zweiten und zum Schluß sogar bei Sekt.

Nach dem Sekt läutet das Telefon. Der frischgebackene Hausbesitzer wird gebraucht. Darf er sich jetzt ins Auto setzen? Natürlich nicht, denn die Promille sind zu hoch. Darf er den Ruf abschlagen? Natürlich auch nicht, denn es wäre Verweigerung der Hilfeleistung, die der Patient niemals verzeihen würde. So bleibt denn nur das Taxi, auf eigene Rechnung, versteht sich, denn die Kasse vergütet dergleichen Luxus nicht.

Der nette Abend ist verdorben.

Das ist das Bitterste an meinem Beruf: Es gibt weder Gemütlichkeit noch Zuverlässigkeit im Privatleben. Woher soll man die innere Ruhe nehmen und die Ausgeglichenheit, die wir Ärzte so nötig haben?

Man muß das Leben in diesem Beruf erlernen.

Wir haben es immer so gehalten, daß wir das Mittagessen gemeinsam einnahmen, einerlei um wieviel Uhr. So trafen wenigstens einmal am Tag alle Familienmitglieder zusammen.

Immer ging auch diese Regelung nicht glatt über die Bühne. Mal maulte eines der Kinder, es »sterbe vor Hunger«, mal hatte mein Mann einen Termin und fand, daß mein Arbeitseifer nichts mehr mit Pflichtbewußtsein zu tun hätte, sondern reine Spinnerei sei.

So gab es manche harte Auseinandersetzung zwischen uns, und meine Arbeit brachte mir nicht nur reine Freude, sondern auch Kummer, Zorn und Tränen. Besonders schlimm war es im Winter, im ersten Winter, da es mir noch an Erfahrung und Überblick mangelte.

Nächtliche Schneefahrt

»Du bleibst im Schnee stecken«, brummte Werner, als Anita den Telefonhörer aufgelegt hatte.

»Sie soll eine große Wunde haben«, erwiderte Anita wie entschuldigend, »da werde ich schon hinfahren müssen. Nicht böse sein! Dreh dich um und schlafe noch ein bißchen. Ich bin bald wieder zurück.« Sie begann zu lachen. »Ich habe allmählich Übung in nächtlichen Schneefahrten. Im übrigen habe ich gute Reifen.«

Die Nacht geht gerade zu Ende. Das schmutzige Grau des Himmels wird durch die leuchtendweiße Schneedecke der Erde vorzeitig erhellt. Man hat das Gefühl eines Hoffnungsschimmers, auch wenn man nicht weiß, worauf.

Kaum hat der Wagen das Garagendach verlassen, prasseln kleine harte Körner auf die Windschutzscheibe. Sie schmelzen ebenso rasch, wie Nachschub vom Himmel fällt.

Es wird wärmer, denkt Anita. Ich bin nicht böse, wenn der Winter zu Ende geht.

Da ertönt ein Glockenton, hart zunächst, klingt weicher nach, wird von einem zweiten verdrängt, und dann ist die Welt eingehüllt in das Geläute, das das Prasseln des vereisten Schnees verschluckt und fast sogar das Surren des Motors.

Sonntagmorgen. Wieviel Uhr ist es? Kurz vor sechs. Da hat die Höllerwill-Bäuerin den Speck aber früh geschnitten, und ihren Arm dazu.

Die Glockentöne werden schwächer, seltener, hinken hinter den früheren her wie fußlahme Schafe hinter der Herde und verebben schließlich ganz.

In der Stille wird Anita gewahr, daß die eisigen Körner in Regentropfen übergegangen sind. Aber sie waschen die Windschutzscheibe nicht, sondern bilden einen Film auf ihr.

Hoffentlich wird es nicht glatt. Sie setzt den Scheibenwischer in Gang. Er vermag die Scheibe jedoch nicht zu säubern, im

Gegenteil. Die Straße wird immer undeutlicher. Man muß mit dem Gesicht dicht an die Scheibe gehen, um überhaupt etwas zu sehen.

Zwei Minuten später ist die Straße ein Spiegel. Der Wagen rutscht zur Seite, wird aufgehalten durch den Rand des Bürgersteigs, rutscht zurück, dreht sich um seine Achse und bleibt schließlich wie zu seiner eigenen Verwunderung stehen.

Sachte tritt Anita das Gaspedal. Eine kleine Bewegung, allerdings in die falsche Richtung. Ein neuer Versuch. Jetzt könnte sie gerade wieder nach Hause fahren, wollte sie der Laune ihres Autos folgen. Aber das will sie eben nicht. Wenn nicht rechts herum, dann links! Sie vollendet die Drehung, und dann stimmt die Richtung wieder. Die guten Reifen aber scheinen die Achseln zu zucken, sie wollen den geraden Kurs der Straße nicht halten. Noch nicht langsam genug? Sie schaut auf den Tachometer: Ganze zwanzig Stundenkilometer fährt sie, aber die reichen bereits, um einen neuen Tanz quer über die Straße zu zelebrieren. Gottlob kommt kein Mensch auf die Idee, jetzt aus dem Haus zu gehen.

Ob der Pfarrer heute allein in seiner Kirche ist? Langsam, ganz langsam gelingt es ihr, die erforderliche Richtung einzuschlagen. Der Tachometer zeigt nicht einmal fünf Kilometer an.

Zu Fuß ginge es vielleicht schneller. Ob ich es versuche? Der Hof liegt gut drei Kilometer weit entfernt. Trotzen die Schuhsohlen der Glätte besser als die Reifen? Kaum! Man kann es nicht riskieren, denn von zwei Füßen fällt man so leicht herunter, während das Auto immerhin vier Räder hat. Und solange ja sonst niemand unterwegs ist...

Aber da ist schon jemand unterwegs. Zentimeter um Zentimeter schiebt sich etwas um die Kurve, das wie ein grauer Opel aussieht. Jetzt heißt es, die rechte Straßenseite zu erkämpfen und, was viel schwerer ist, auch zu halten. Am besten bleibt man zunächst mal stehen. Der andere tut dasselbe. Jetzt ein bißchen Gas. Halt, nicht zuviel! Ganz minimal! Ob die Düse überhaupt so wenig Gas geben kann? Ja, wir nähern uns dem Straßenrand. Noch ein kleiner Schwenker aus Übermut – alter Spitzbube, jetzt bleibst du gefälligst hier – der andere scheint es ebenso zu tun.

Sie brauchen mindestens fünf Minuten, bis sie aneinander vorbeigeschlichen sind. Zwei Schnecken hätten es schneller geschafft. Erst als Anita wieder allein ist, fällt ihr ein, daß sie nicht einmal gesehen hat, wer in jenem Auto saß. Ein Mann? Eine Frau? Der einzige Kirchgänger oder etwa der Herr Pfarrer selbst, heute auch verspätet? Vorsicht, die Gedanken dürfen nicht abweichen, müssen bei der Arbeit bleiben, denn diese Fahrt ist Arbeit, unerhört harte sogar, die die Kräfte aufzehrt wie ein Zehn-Kilometer-Dauerlauf.

Wie lange dauert der Spuk nun schon? Schon eine halbe Stunde, wahrhaftig! Allmählich spürt sie die Kälte. Bei diesem Tempo kann der Wagen ja nicht warm werden. Dabei ist dort erst die Kreuzung mit der Bundesstraße. Das bedeutet, daß noch mehr als zwei Kilometer zurückzulegen sind. Jetzt ist Gras an den Seiten und leider ein kleiner Graben. Normalerweise könnte man ihn spielend überwinden, sollte man einmal hineinrutschen. Aber heute? Also Vorsicht! Ja nicht zu weit nach rechts geraten!

Dort vorne sieht man jetzt die kleine Steigung. O Gott, an die habe ich gar nicht gedacht! Wie wird das werden? Hätte ich nicht doch lieber zu Hause bleiben sollen? Aber die Leute haben kein eigenes Telefon. Die Bäuerin hat es sich schon oft gewünscht, aber der Bauer war stur geblieben. Das moderne Zeug kam nicht in sein Haus. So hätten sie also gewartet und gewartet. Natürlich: Wer weiß, ob die Blutung wirklich so schlimm ist. Die Menschen übertreiben im ersten Schreck oft. Aber wenn sie es ist, ob er das mit dem Abbinden dann so hingekriegt hat, das weiß man halt auch nicht. Es ist schon richtig, daß ich losgefahren bin, wenn ich jetzt auch schon fast eine Stunde unterwegs bin.

Da ist die Steigung. Nein, es ist nicht zu glauben! Ausgerechnet hier muß mir wieder ein Wagen entgegenkommen! Da kann ich nur stehenbleiben und warten, denn für den Hügel muß ich nachher alles riskieren, muß schneller fahren, auch kreuz und quer, wenn es nicht anders geht, um überhaupt hinaufzukommen. So, schön nach rechts, um Gottes willen nicht in den Graben! Das hat gerade noch geklappt!

Der andere fährt entsetzlich langsam. Nun ja, er kommt den Berg herunter, das ist auch nicht gerade angenehm. Wenn es nur wärmer wäre in diesem Auto! Bis zu den Knien spüre ich schon gar nichts mehr, und die Hände sind in den Handschuhen klamm. Wenn ich nachher wieder fahre, muß ich daran denken, daß ich das Steuerrad nicht so krampfhaft halten darf. Im Augenblick kann ich jedenfalls mal schütteln und reiben.

Im anderen Wagen sitzt ein Mann. Er sieht nicht nach mir, er liegt fast über dem Steuer. Wie ein verängstigter Anfänger! Sehe ich am Ende auch so aus? Glücklicherweise sieht mich niemand.

Jetzt fährt er den unteren Teil des Hügels hinab. Fährt er oder rutscht er? Mir scheint, er ist schneller geworden. Ja wirklich! Und jetzt, da er dicht vor mir ist, macht er eine kleine Kurve zu mir herüber! Mir stockt der Atem. Dem anderen wohl auch. Sein Gesicht verzerrt sich zur Grimasse. Ich kann nicht erkennen, ob er zu bremsen versucht oder nur das Steuer in die andere Richtung reißt. Haarscharf rutscht sein Wagen an dem meinen vorbei. Er hat es geschafft. Wir atmen beide auf.

Nun beginne ich den Anstieg. Ich brauche allen Mut dazu, und als ich oben bin, kommen mir doch wahrhaftig die Tränen. Ich will nicht weinen! Ich habe meinen Beruf gern!

Mein Mann liegt jetzt noch genüßlich im Bett. Ob er inzwischen einmal aufgewacht ist? Ob er auf die Uhr schaut und sich wundert, wo ich so lange bleibe? Nur Mut, jetzt bin ich gleich da! Dort ist das Dach! Ich erkenne es an dem Rand, der sich schneeweiß gegen den grauen Himmel abhebt.

Bin ich wirklich schon da? Ich glaube, die letzten paar hundert Meter habe ich ein bißchen geträumt, ich kann mich gar nicht an sie erinnern. Ich bin müde, zum Umfallen müde.

Der Bauer reißt die Tür auf. Er ist aufgeregt. Als ich die Verletzung sehe, kann ich ihn verstehen. Der linke Unterarm ist in seiner ganzen Länge aufgeschlitzt. Das Abbinden der Gefäße hat er erstaunlich gut geschafft. Die Wunde ist trocken, aber sehr tief.

»Da hilft nichts«, sage ich, »sie muß sofort ins Krankenhaus.«

Der Bauer nickt. Selbstverständlich. Er wird gleich fahren, er hat Schneeketten auf den Autoreifen.

Er hat Schneeketten! Da hätte er die Frau doch auch zu mir...

Auf dem Heimweg wird das Gesicht der Ärztin ganz hart. Sie kann es geradezu spüren. Keinen Muskel vermag sie mehr zu bewegen.

Werner steht unter der Tür. Als Anita ihn erblickt, laufen ihr Tränen übers Gesicht.

»Drei Stunden.« Mehr sagt er nicht, nimmt sie in den Arm, setzt sie an den Ofen, reibt ihre Hände und Füße. Dazwischen gießt er immer wieder heißen Tee in ihre Tasse.

»Leg dich jetzt eine Stunde schlafen. Und wenn du heut noch einmal auf die Idee kommst, fortzufahren, lasse ich mich scheiden.«

Sie braucht lange, bis sie einschläft. Und dann schläft sie viel länger als eine Stunde.

Das Telefon weckt sie.

»Frau Doktor, ich glaube, der Opa hat wieder einen Herzinfarkt! Es ist genau wie beim ersten Mal!«

»Dann ruft sofort den Krankenwagen, damit er ihn ins Krankenhaus bringt!«

Nach ein paar Minuten läutet es erneut.

»Der Krankenwagen ist unterwegs zur Universitätsklinik. Er kann vor drei Stunden nicht zurück sein.«

»So – ja – dann...« – O Gott, laß es draußen nicht mehr glatt
sein!– »ja, dann muß ich eben kommen.«
Werner hat sich nicht scheiden lassen.
Bis jetzt nicht.

∗

Bis jetzt nicht! Der Satz ist mir oft über die Lippen gegangen,
denn ich habe das Erlebnis häufig erzählt. Es war nach der Stra-
paze ein so versöhnliches Ende, der Schelm saß mir dabei in den
Augenwinkeln, und die Zuhörer waren gleichermaßen amüsiert und gerührt. Dieser Charme und ihre Rührung, dazu
Werners Lächeln, wenn er den Triumph seines Edelmutes genoß, das alles strahlte auf mich zurück, und ich sonnte mich
darin. Ja, es war eine gute Geschichte, und ich erzählte sie
gerne.
Heute liegt der Satz schwer auf meiner Seele. Habe ich das
Schicksal herausgefordert? Kann man mit leichtsinnigen Worten ein Unglück heraufbeschwören?
»Wir dürfen das Schicksal nicht beschreien«, pflegte meine
Mutter zu sagen. Mein Vater wurde dann höchst ärgerlich. Das
sei Aberglaube, schimpfte er, und Aberglaube sei eine »un-
sichtbare Fessel«. Er hatte einen Vortrag mit diesem Titel gehört und war seitdem ein Gegner des Glücks durch Schorn-
steinfeger und des Unglücks durch schwarze Katzen.
Ob es aber doch irgendetwas Derartiges gibt? Das Herbeireden
einer Sache, meine ich. Genaugenommen paßt alles gar nicht
zusammen, Werner ist so gut zu mir, was hat der dumme Satz
mit meinem Unfall zu tun? Und doch! Ach, und doch...
Da ist schon wieder das »Warum?« Ein bißchen vesteckt, so
um sechs Ecken, aber es ist da, und das wollte ich doch nicht!
Ich will nicht! Nein, ich will es nicht! Ich habe so viele Erlebnisse ohne Prophetie! Ich will mich ihrer erinnern mit Liebe
und ungetrübter Freude, mit Bewunderung und zuweilen mit
Hochachtung!

Stille Größe

Es war an einem grimmigen Wintertag, als er zum ersten Mal in der Sprechstunde erschien. Der dicke, handgestrickte Schal reichte ihm bis zu den Ohren, darüber brannten im hochroten Gesicht zwei fiebrig glänzende Augen.

»Weshalb kommen Sie hierher?« fragte Anita, und Vorwurf schwang in ihrer Stimme. »Hätten Sie mich gerufen, so hätte ich Sie besucht. In Ihrem Zustand gehören Sie ins Bett!«

Die Augen blickten unsicher, aber nicht verlegen.

»Tante Emma meinte…« Das weitere wurde durch einen unbändigen Hustenanfall erstickt.

»Tante Emma?« wunderte sich Anita. »Tante Emma aus dem Heim?«

Der junge Mann nickte und hustete weiter.

»Sie wohnen im Heim?«

Erneutes Nicken.

Anita sah ihn prüfend von oben bis unten an. Einfach, aber sauber gekleidet wirkte er bescheiden und durchaus normal. Was hatte er in einem Heim für geistig behinderte Kinder zu tun? Bei Mongoloiden, Debilen und Epileptikern?

»Sind Sie mit Tante Emma verwandt?«

»Nein.« Der Husten hatte sich gelegt, aber die Stimme blieb ein Krächzen.

Anita nahm die Stablampe und leuchtete ihm den Hals aus. Dann hieß sie ihn den Oberkörper frei machen. Er gehorchte ein wenig zittrig und umständlich.

Sie studierte die frischgeschriebene Karteikarte. Er hieß René Müller und war 1945 geboren.

Wieder glitt ihr Blick über den jungen Mann. Neunundzwanzig Jahre war er alt! Und fast hätte sie ihn geduzt, weil sie ihn nicht einmal für zwanzig gehalten hatte!

Ich kann ihn nicht einordnen, dachte sie, aber anormal? Geistig zurückgeblieben? Das ist er sicher nicht.

Laut fragte sie:

»Sie arbeiten in der Schreinerei Roder?« Sie fragte es, obwohl es deutlich auf der Karteikarte stand.

»Ja.«

»Als Lehrjunge?«

»Als Geselle.«

Sie wunderte sich nicht über die Antwort. Ich bin dumm, dachte sie, ich suche nach Beweisen dafür, daß er klug ist. Dabei brauche ich ihm nur ins Gesicht zu sehen, um es zu wissen! Eine Erregung bemächtigte sich ihrer, die sie kaum zu beherrschen vermochte. Sie erkannte den jungen Menschen nicht, vermochte ihn auf keine Ebene zu stellen, um sich auf ihn einzustellen. Sie kam sich entsetzlich hilflos vor, ohne zu wissen, warum.

Nach der Untersuchung sah sie ihn sehr ernst an.

»Sie haben eine Viruspneumonie!« sagte sie. »Sie gehen schleunigst ins Bett! Ich werde Sie besuchen. Sagen Sie Tante Emma einen Gruß, sie soll Sie gut pflegen!«

»Das tut sie schon«, artikulierte der Mund vor dem nächsten Hustenanfall, und die Augen versuchten zu lächeln.

Während er sich anzog, schrieb Anita die Krankmeldung und ein Rezept. Dann wurde sie nachdenklich.

»Es gefällt mir nicht, daß Sie den weiten Weg bis zum Heim in der Kälte gehen«, sagte sie.

»Ich bin mit dem Auto gekommen«, flüsterte die Stimme.

»Sie haben ein Auto?« Wieder fand sie ihre Frage entsetzlich dumm.

»Ja.« Und wieder dieses halbe Lächeln.

Schlicht! dachte die Ärztin. Das ist das richtige Wort. Sie wußte plötzlich, daß sie den Jungen mochte. Aber da war noch etwas. Sie sah es und konnte es nicht erkennen, sie fühlte es und konnte es nicht fassen, es ging sie nichts an und fesselte sie doch ungemein.

Als sie ihn verabschiedete, spürte sie in ihrem Innern etwas wie

Demut aufsteigen und wieder diese unerklärliche Hilflosigkeit. Sie hätte gern so vieles gefragt – aber da hatte der nächste Patient schon das Sprechzimmer betreten.

Emma Schattler, im Heim kurz Tante Emma genannt, war eine jener Frauen, die selbst nie Kinder geboren haben, aber in der Sorge um anderer Leute Kinder aufgehen. »Meine Buben«, pflegte sie sie zu nennen.

»Am letzten Sonntag habe ich mit meinen Buben einen schönen Ausflug gemacht.« Oder: »Meine Buben haben den Christbaum so hübsch geschmückt!« Oder auch: »Ich weiß, ich komme spät, Frau Doktor, aber meine Buben brauchen noch so viele Pullover und Handschuhe, vor lauter Stricken komme ich nicht mehr von daheim fort!« Daheim, das war für sie das Heim geworden, und obwohl sie längst das Rentenalter erreicht hatte, blieb sie ihren Buben treu, freute sich über ihre Freuden und litt mit ihnen, wie eine gute Mutter es tut.

Als Anita aus dem Aufzug trat, strahlte ihr Tante Emmas Gesicht entgegen.

»Es geht ihm besser, Frau Doktor, es geht bedeutend besser. Er hustet zwar noch, aber das Fieber ist nicht mehr so hoch, und essen tut er auch wieder ganz ordentlich.«

Anita lächelte, nickte und nahm Tante Emma am Arm.

»Sagen Sie, was ist das für ein Junge?« fragte sie leise. »Er gefällt mir, aber ich werde nicht recht klug aus ihm. Was hat er hier im Heim zu suchen?«

Tante Emma verstand sofort. Sie führte Anita in ihr eigenes Zimmer. Dort bot sie ihr einen Stuhl an und setzte sich dazu, als sei es selbstverständlich.

»Sie haben recht, Frau Doktor«, erwiderte sie, »der Junge gehört nicht hierher. Aber er ist nicht der einzige, der nicht ins Heim paßt, wir haben mehrere solcher Jungen. Es sind Findelkinder, wie man früher sagte. Teils wurden sie von der Polizei gebracht, teils vom Roten Kreuz oder auch nachts vor die Tür des Heims gelegt. Sie sind alle im gleichen Alter, alle aus dem letzten Kriegs- oder dem ersten Nachkriegsjahr, wo alles drunter- und drüberging. Einige sind später von ihren Eltern wieder abgeholt worden, die meisten sind geblieben. Manche wollten unbedingt ihre Eltern finden. Da haben wir dann geschrieben, an Ämter und Organisationen, aber wir hatten nur selten Erfolg. Mit René war es zeitweise ganz schlimm, er konnte nicht glauben, daß seine Eltern sich nicht um ihn kümmern wollten. Wir haben schwere Jahre miteinander durchgemacht, bis er sich schließlich in sein Schicksal fügte. Und ich glaube, er leidet heute noch darunter, wenn er auch nicht mehr darüber spricht. «

Tante Emma schwieg. Auch Anita sagte lange kein Wort.

Es ist das Leid, dachte sie, durch das er gehen mußte. Jetzt kann ich es erkennen. Es war schwer, weil er so jung aussieht. Aber jetzt ist es deutlich. Es liegt noch auf seiner Seele, er hat es noch nicht ausgekämpft. Aber sie sagte es nicht laut.

Dann standen sie beide auf und gingen zu dem Jungen. Er freute sich, als er sie sah.

Anita besuchte René noch ein zweites Mal. Dann bestellte sie ihn in die Sprechstunde zu einer Blutuntersuchung, denn seine Blässe gefiel ihr nicht.

Danach sah Anita René noch etliche Male wegen kleiner Beschwerden. Einmal wegen einer Augenentzündung, ein andermal wegen eines Ekzems. Dann hatte er eine Erkältung. Sie unterhielt sich zuweilen mit ihm. Sie sprachen über dieses und jenes. Was immer sie aber aus seinem Leben erfuhr, nie hatte es mit seinen Eltern zu tun. Seine Herkunft war ein Thema, das er mied, und Anita fragte ihn nicht danach. Aber er schien gerne zu ihr zu kommen, und auch sie freute sich stets, wenn sie ihn sah.

So verging ein Jahr und mehr.

Eines Tages war Anita im Dorf unterwegs und machte Hausbesuche. Gerade war sie aus dem Auto gestiegen, da hupte es hinter ihr.

Sie wandte sich um. Eine Wagentür schlug zu. Mit großen Schritten kam René auf sie zugestürmt.

Er war kaum wiederzuerkennen. Sein Gesicht strahlte, es war, als tanze sein Körper über die Straße. Er stürzte so stürmisch auf Anita zu, daß sie einen Augenblick glaubte, er wolle sie umarmen.

Ehe sie etwas sagen konnte, sprudelte er los:

»Ich habe meine Mutter gefunden!«

»Was Sie nicht sagen!« rief Anita.

»Sie ist in Amerika! In der Nähe von Philadelphia! Denken Sie nur, so weit fort! Darum hat sie mich auch nicht finden können!« Er hatte alles in einem Atemzug vorgebracht und hatte nun fast keine Luft mehr.

»Wie wundervoll, René! Ich kann Ihnen gar nicht sagen, wie sehr mich das freut!«

»Ja, das glaube ich Ihnen.« Er sagte es so, als wüßte er, wie lange sie schon seinen Kummer mit ihm trug. Doch hatte sie keine Zeit, sich darüber zu wundern, denn er fuhr gleich fort:

»Ich will ihr heute noch schreiben! So ein Brief braucht ja lange bis nach Amerika! Sicher eine Woche. Oder noch mehr?« Sie spürte die Spannung in seiner Frage.

»Sicher eine Woche, René. Und dann braucht die Antwort auch wieder so lange...«

»Und vielleicht hat sie nicht gleich Zeit zum Schreiben. Oder vielleicht ist sie auch verreist, wer weiß?« Da war es wieder, das sie einst an ihm nicht verstanden hatte, das ihr so rätselhaft erschienen war und das sie jetzt den Willen zur Demut nannte. Ich bewundere ihn, dachte sie, als sie weiterfuhr.

Es vergingen ein paar Wochen, da sah Anita ihn im Wartezimmer sitzen. Angst stieg in ihr hoch. Was würde sie hören? Sie forschte in seinem Gesicht, so oft sie die Tür öffnete. Aber sie konnte nichts erkennen. In all den Jahren hatte er wohl gelernt, sich zu beherrschen.

Als die Reihe an ihn kam, stand er ruhig von seinem Platz auf, trat durch die Tür und reichte Anita die Hand – sie zitterte. Und kaum war die Tür geschlossen, fing er auch schon an zu reden.

»Ich bin nicht krank, Frau Doktor, aber ich habe einen Brief bekommen, aus Amerika. In Englisch. Und da hat Tante Emma gemeint, Sie könnten ihn vielleicht übersetzen.« Er zog das Luftpostpapier aus der Tasche, und wieder zitterte die Hand, als er es ihr entgegenstreckte. Anita nahm den Brief. Ihr Gesicht war ernst.

Was wird sie lesen? Was wird sie ihm sagen müssen?

Unendlich langsam geht sie zum Schreibtisch. Der Junge hat sich schon auf seinen Stuhl gesetzt, er kennt sich hier aus. Seine Augen folgen ihr, wie sie sich in ihren Sessel setzt, das Schreiben aus dem Kuvert nimmt, es auseinanderfaltet und liest, langsam und genau, wie sie das Blatt noch einmal wendet, dann noch einmal und endlich zu sprechen beginnt:

»Der Brief ist nicht von Ihrer Mutter, René. Er ist vom Pfarrer des Dorfes, in dem Ihre Mutter lebt. Ihre Mutter hat Ihren Brief erhalten und ist damit zum Pfarrer gegangen. Der Herr Pfarrer schreibt, Ihre Mutter sei unsagbar glücklich, daß es Ihnen gut geht. Sie habe in all den Jahren sehr, sehr oft an Sie gedacht. Sie hat dort in Amerika geheiratet. Ihr Mann ist gut zu ihr, und sie haben drei Kinder. Ihr Glück wäre vollkommen gewesen, wenn nicht die Gedanken an Sie sie oft gequält hätten. Denn sie hat ihrem Mann nie gesagt, daß sie in Deutschland ein uneheliches Kind hat. Sie hat es nicht gewagt, aus Angst, er könne sie deshalb verstoßen. Und so wagt sie auch jetzt nicht, Ihnen selbst zu schreiben und hat sich in ihrer Not an den Pfarrer gewandt. Er soll Sie bitten, René, nicht schlecht von Ihrer Mutter zu denken. Aber er bittet Sie auch, nicht mehr zu schreiben, weil sonst möglicherweise eine ganze Familie zerbrechen könnte. Er schickt Ihnen seinen Segen und das Versprechen, daß Ihre Mutter und auch er selbst immer wieder für Sie beten wollen, um Ihnen damit Kraft zu geben, Ihr Geschick zu tragen. «

Als Anita geendet hatte, sah sie noch lange auf das Papier und schwieg. Es war ein Brief, zu dem Außenstehende nichts sagen können. Er, René, mußte allein damit fertig werden.

Sie wartete. Sie wartete auf ein Wort von ihm, einen Wutausbruch oder einen Tränenstrom oder auch auf ein völliges Zusammenbrechen. Erst wenn er sich für etwas entschieden hatte, konnte sie eingreifen, konnte mildern oder stärken oder trösten.

Aber es geschah nichts. Wortlos saßen sie sich gegenüber. Anita faltete das Blatt zusammen, nahm das Kuvert und schob langsam den Brief hinein. Zaghaft sah sie zu ihm hinüber.

Er schien sie vergessen zu haben. Sie und die ganze Umgebung. Er schien zu träumen. Sein Blick war einer Ferne verbunden, die sie zu erahnen glaubte.

Sie entschloß sich zu sprechen.

»Es ist ein bitterer Brief«, begann sie leise, »bitter für Sie. «

Er hatte es gehört. Es war, als erwache er und würde ihrer erst jetzt gewahr. Ihre Blicke begegneten sich.

Und da geschah das Unglaubliche: Er lächelte. Das Lächeln ging in ein stilles Leuchten über, und eine Wärme strahlte ihr entgegen, die sie verwirrte.

»Bitter?« hörte sie ihn sagen. »Nein. Ich bin so froh, daß es ihr gut geht. «

Für einen Augenblick glaubte sie in seinen Augen einen feuchten Schimmer zu sehen, aber sie war sich dessen nicht sicher. Dann erhob er sich.

»Vielen Dank auch, Frau Doktor«, sagte er noch, ehe er ging. Das ist Größe! dachte Anita. Wortlos nahm sie seine Hand zwischen ihre beiden Hände. Sie zitterte nicht mehr.

Geliebtes Peterle

Sie war schon weit über siebzig. In jedem anderen Beruf wäre sie längst ausgeschieden, aber geistliche Schwestern waren rar und wurden immer rarer. Das Häuflein der Nonnen, die der Oberin im Heim zum Einsatz zur Verfügung standen, war erschreckend zusammengeschmolzen. Die Berufung zum Nonnenleben wurde nur noch selten verspürt, sie war gewissermaßen aus der Mode gekommen. So tat denn Schwester Carmelita, wie viele andere ihres Alters, getreulich ihren Dienst, solange es irgend ging.

Sie arbeitete gerne. Seit mehr als vierzig Jahren war die Station im dritten Stock ihr Zuhause, und für manchen ihrer Buben war sie es ebenso lange. Als Kinder waren sie zu ihr gekommen mit ihren geistigen Schäden, ihrer Debilität, ihren epileptischen Anfällen, mit spastisch verkrampften Gliedmaßen und Sprachstörungen der verschiedensten Art. Sie kannten kein anderes Leben als das bei Schwester Carmelita im dritten Stock. Viele der allerersten allerdings hatten es nicht so lange ausgehalten. Sie waren früh gestorben, weil ihre Schäden zu schwer waren, um ein langes Leben zu ermöglichen. Bei anderen hatten die vielen epileptischen Anfälle das Gehirn vorzeitig zerstört, und einige waren der Willkür des Dritten Reiches zum Opfer gefallen. Sie waren nach unbegreiflichen Gesichtspunkten ausgewählt und abtransportiert worden, und man hatte sie nie mehr gesehen. Nach jedem Verlust aber waren wieder neue Gesichter erschienen, mit neuen Schäden und anderen Schwächen und hatten bei der Schwester ihr Zuhause gefunden.

Schwester Carmelita hatte ein weiches Herz. Es sehnte sich danach zu lieben. Nicht nur den Herrn Jesus droben im Himmel und drunten in der Kapelle, nein, auch Menschen wollte sie lieben, die so waren wie sie selbst, die glücklich waren, wenn sie Liebe empfingen und noch glücklicher, wenn sie sie geben konnten.

So geschah es zuweilen, daß einer der Buben ihrem Herzen näher stand als alle die übrigen, die auch zu lieben ihr der Vater im Himmel geboten, als er sie zu seiner Dienerin berufen hatte. Wenn dies geschehen war, kämpfte Schwester Carmelita einen harten Kampf. Sie betete um Kraft, viel mehr, als sie zu ihrer täglichen Arbeit brauchte. Sie betete um die Kraft, alle ihre Buben zu lieben, so wie der Herr Jesus alle Menschen geliebt hatte und um dessen Liebe willen sie einst in den Orden eingetreten war. Ihre Gebete waren stark, so stark wie ihr Glaube und ihr guter Wille, und so war es ihr in all den Jahren gelungen, den Buben eine gute Schwester zu sein, und der Vater im Himmel hatte sicher seine Freude an ihr.

Jetzt war Schwester Carmelita alt geworden. Ihre Sehnsucht zu lieben war geblieben, aber die Kraft hatte nachgelassen. Die Arbeit ging ihr schwer von den Händen, und das Denken war eine mühsame Sache geworden. Es reichte nicht mehr für alles und alle.

Und dann war eines Tages das Peterle in den dritten Stock gekommen. Er war der einzige Bub, der nicht einmal selbst gehen konnte. Schwer hirngeschädigt saß er in seinem Stuhl, ließ die Unterlippe hängen und den Speichel auf das umgebundene Handtuch tropfen. Mit blödem Lächeln spielte er ungeschickt mit seinen spastisch verkrampften Händen.

»Das Peterle!« war Schwester Carmelitas zweites Wort geworden. Rief sie Anita zu einem der Buben, weil er erkrankt war, so erzählte sie zuerst, wie es dem armen Peterle ging. Wenn Peterle etwas brauchte, mußte alles andere zurückgestellt werden. Anita beobachtete mit Sorge, wie mancher der Buben bei dem Namen »Peterle« böse Augen bekam, wie Gesichter, die sie eben noch freundlich begrüßt hatten, ihr Lächeln verloren, wie ihre Lippen sich schlossen in Trotz oder Schmerz.

Schnell versuchte Anita dann die Rede auf etwas anderes zu bringen, sprach ein paar Worte zu ihnen und zauberte das

Lächeln wieder hervor – bis Schwester Carmelita erneut vom Peterle redete. Sie hatte das andere gar nicht gehört.

»Aber Schwester«, sagte die Ärztin dann etwa, »Sie wollten mir doch die hübschen Matten zeigen, die Ihre Buben machen!«

»Natürlich, Frau Doktor! Geh, Fritz, hol die neuen Vorlagen, die letzten mit den bunten Farben! Ich muß nur noch rasch – Frau Doktor, meinen Sie nicht auch, wir sollten dem Peterle...«

»Nein, Schwester Carmelita, wir wollen jetzt erst die neuen Matten sehen. Ah, da bringt er sie ja! Zeig her, hast du die ganz alleine gemacht? Die sind aber wirklich wunderschön!«

»Frau Doktor, ich habe dem Fritz geholfen, und der Willi auch...«

»Und ich!« rief es aus der anderen Ecke. »Und ich!« von allen Seiten.

»Wenn nur das arme Peterle auch so etwas könnte! Meinen Sie nicht, Frau...«

»Ei, Schwester Carmelita, Sie haben wirklich unerhört tüchtige Buben! Das ist ja richtig künstlerisch! Jetzt möchte ich aber auch sehen, wo ihr das alles arbeitet!«

»Da!« zeigte ein Bubenfinger.

Und: »Dort hinten!«

»In dem Zimmer!« tönte es um Anita herum, und alles hopste, rannte und humpelte zum Ende des Ganges.

Schwester Carmelita war nahe am Verzweifeln.

»Ich meine halt, wenn das Peterle...«

»Später«, flüsterte Anita, »später, Schwester Carmelita.« Sie ging hinter den Buben drein.

Die öffneten die letzte Tür. Da lagen Berge von Stoffresten, alten Tüchern, Kleidern und Schürzen.

»Und daraus macht ihr die Matten?« staunte Anita. Sie sah von einem strahlenden Gesicht ins andere. »Sind das dort die angefangenen Matten? Ihr schneidet das Zeug wohl in Streifen?«

»Ja!« riefen mehr als zwanzig Männerstimmen im Tonfall von Kindern.

»Stellt ihr denn die Farben auch selbst zusammen?«

Ein Junge antwortete, aber seine Sprachstörung war so schwer, daß Anita ihn nicht verstand.

»Der Werner sucht die Farben aus!« half Schwester Carmelita.

»Und je bunter sie sind, desto mehr freut sich das Peterle dran.«

»Und alle anderen auch, nicht wahr?« lachte Anita fröhlich in die Runde und schaute in dankbare Bubenaugen.

Es war stets das gleiche. Immer mehr verlor Schwester Carmelita die Herrschaft über sich selbst und ihr Herz an das hilflose Peterle. Immer häufiger beobachtete Anita das Murren der Buben und, je nach Veranlagung, ihre Eifersucht oder ihren Schmerz.

Besonders der riesengroße Joachim, dessen körperliche Kraft noch nie voll ausgelastet worden war, geriet oftmals in einen Zustand innerer Erregung, der dem geschulten Auge nicht verborgen blieb, den die alte Schwester aber nicht mehr zu erkennen vermochte.

»Sie sollten sich manchmal des großen Joachim annehmen«, meinte Anita eines Tages. »Der Junge braucht ein bißchen Liebe.«

Schwester Carmelita schaute verständnislos.

»Der Joachim, der immer so frech zu mir ist?«

»Gerade der.«

»Aber Frau Doktor!«

»Er fühlt sich unverstanden und einsam und deshalb ist er so frech.«

»Der ist doch viel zu dumm für so etwas. Der ist so dumm, der weiß ja nicht einmal, was Liebe ist.«

»Aber fühlen kann er sie vielleicht. Wenn man sie ihm gibt, meine ich.«

»Dann soll er sich erst einmal besser betragen. Wie soll man einen so bösen Buben liebhaben?« Sie schüttelte energisch den Kopf. Dann verklärte sich ihr Gesicht.

»Das Peterle, sehen Sie, Frau Doktor, das Peterle fühlt, wenn man ihm Liebe gibt. Und das, obwohl er noch viel kränker ist.«

Anita versuchte es auf andere Weise.

»Sie sehen schlecht aus, Schwester Carmelita. Sie sind überlastet. Die viele Arbeit ist Ihnen einfach nicht mehr zuzumuten. Sie sollten allmählich daran denken aufzuhören.«

Aber damit war ihr schon gar nicht beizukommen.

»Aufhören? Ich? Aber nein! Nein und nochmals nein! Ich höre erst auf, wenn ich sterbe! Ich kann ja gar nicht aufhören, wer sollte denn das Peterle versorgen?«

Anita seufzte und schwieg.

Allmählich wurde die Lage bedrohlich. Mancher der Buben verweigerte der Schwester den Gehorsam. Da nützte kein Schimpfen mehr und kein Drohen. Sie war nicht mehr Herr der Lage.

Jetzt mußte Anita handeln. Schweren Herzens erbat sie ein Gespräch mit der Schwester Oberin in den nächsten Tagen. Doch ehe es dazu kam, geschah es bereits.

»Schnell, Frau Doktor, ins Heim! In den dritten Stock!«

Dort waren auf dem Flur drei Männer bemüht, den Joachim zu bändigen. Mit Augen, die einen das Fürchten lehren konnten, versuchte er immer wieder sich loszureißen. Sein Körper wand sich und zuckte, sein Mund stieß unartikulierte Laute aus, die nichts Menschliches mehr hatten. Etliche Leute umstanden die Szene, die Buben, die Oberin und andere, die nicht hierher gehörten.

Anita nahm sich nicht die Zeit, sie zu begrüßen. In Windeseile öffnete sie eine Ampulle, zögerte einen Moment und durchschnitt eine zweite. Dann gab sie dem Buben die doppelte Dosis des Beruhigungsmittels.

»Ein Weilchen dauert es«, sagte sie, »Sie müssen schon noch ein bißchen halten.« Die Männer nickten, und Anita wandte sich zur Oberin. Sie konnte nicht verhindern, daß ihre Stimme zitterte.

»Ich hätte Sie früher warnen sollen, ich habe es kommen sehen.«

»Ich auch.« Die Oberin flüsterte vor Erregung. »Ich auch.«

»Ich wollte in den nächsten Tagen mit Ihnen darüber sprechen. Jetzt mache ich mir Vorwürfe.«

»Ich auch«, antwortete die Oberin. »Ich hätte energischer sein sollen. Aber sie tat mir so leid.« Und nach einer kleinen Pause. »Wollen Sie bitte mit zu ihr kommen?«

Sie gingen ins Zimmer der Schwester.

Da lag die alte Frau und konnte nichts verstehen.

»Er hat mich angefallen – richtig angefallen – wie ein Tier – er hat mich gepackt – er wollte mich erwürgen – er wollte...« Ihr Blick wurde geisterhaft. »...Umbringen wollte er mich...« Sie faßte mit beiden Händen an ihren Hals, dann ließ sie die Arme wieder sinken und schloß die Augen. »Umbringen wollte er mich«, flüsterte sie. »Umbringen...«

Anita besah sich den Hals, der in der Tat Würgemale aufwies. »Es wird wieder gut werden«, sagte sie, bemüht, ihrer Stimme einen ruhigen Klang zu geben.

»Er wollte mich umbringen – er hätte mich umgebracht, wenn nicht gerade der Friseur gekommen wäre...«

»Es wird wieder gut werden, ganz bestimmt«, sagte Anita noch einmal. Und leise, mit einem Blick zur Oberin: »Die Würgemale, meine ich.«

Dann standen sie schweigend und schauten auf die schwer atmende Schwester. Nur die Würgemale würden gut werden, nur sie, das wußten beide. In ihr Schuldgefühl mischte sich Mitleid, weil sie jetzt einen Menschen für den Rest seines Lebens unglücklich machen mußten.

Wenige Tage später verließ Schwester Carmelita das Heim und kehrte in ihr klösterliches Mutterhaus zurück.

Der Abschied vom Peterle brach ihr fast das Herz.

Vertrauen

Das Fräulein Kaiser rief schon früh am Morgen an. Ihre Mutter habe hohes Fieber, und der Husten habe sie die ganze Nacht hindurch gequält.

Die beiden Frauen lebten allein in einem Häuschen am Rande des Dorfes. Das Schicksal hatte sie nicht auf Rosen gebettet. Nein, höchstens vielleicht auf Gänseblümchen. Und so lebten sie auch, still und unbemerkt, doch freundlich und hell für den, der ihrer gewahr wurde.

Die Mutter hatte im Ersten Weltkrieg den Mann verloren. Sie war arbeiten gegangen, um ihrem Kind eine gute Schule und ein Studium zu verdienen. So war die Tochter Lehrerin geworden und hatte sich eines Tages mit einem jungen Kollegen verlobt.

Das war kurz vor dem zweiten Krieg gewesen. Da hatte das Schicksal wieder zugeschlagen: Der Lehrer war gefallen. Nun trugen beide Frauen goldene Ringe, die eine an der rechten Hand, die andere an ihrer Linken.

Die Mutter hatte den Haushalt geführt, die Tochter war arbeiten gegangen. Bis jene schreckliche Krankheit kam, die den Wirbel zerfraß, so daß sie nicht mehr lange stehen konnte und allmählich bucklig wurde.

Seitdem lebten sie dahin, vielleicht nicht glücklich, aber Gott ergeben in der Überzeugung, daß auch das Leid im Sinne des Allmächtigen sei und irgendetwas Gutes in sich berge.

Als Anita ins Zimmer trat, lag da die Kranke mit fieberroten Wangen. Sie hielt die Augen geschlossen. Der Atem ging schwer.

»Wie alt ist Ihre Mutter?«

»Im nächsten Monat wird sie siebenundachtzig. «

Anita beugte sich über das Bett und untersuchte sie. Als sie sich wieder aufrichtete, war ihr Gesicht ernst. Sie faßte die Tochter am Arm und ging mit ihr aus dem Zimmer.

»Ihre Mutter hat auf der rechten Seite eine große Lungenentzündung...«

»Um Gottes willen!«

»Das ist nicht alles, auch die linke Lunge ist nicht sauber.
Wenn es zu einer doppelseitigen Lungenentzündung kommt,
wird sie es kaum überstehen.« Sie machte eine kleine Pause
und fuhr dann fort: »Ich muß Ihre Mutter ins Krankenhaus
bringen.«

»Nein, Frau Doktor! Nein, bitte! Tun Sie das nicht! Es wäre
ihr Tod!«

Traurig schüttelte Anita den Kopf.

»Es ist unmöglich, daß Sie die Pflege übernehmen. Und wir
haben keine Zeit zum Überlegen. Sobald es ein doppelseitiger
Prozeß wird, ist sie nicht mehr transportfähig.«

»Was können sie im Krankenhaus tun? Sie werden Spritzen
geben und nochmals Spritzen! Und sie wird sterben! Vor lauter Heimweh wird sie sterben! Und ich werde mir ein Leben
lang Vorwürfe machen!«

»Und wenn sie hier stirbt? Unter Ihren Händen? Werden Sie
sich dann keine Vorwürfe machen?«

Die Worte waren hart, man sah es am Gesicht der Tochter.
Doch sie fing sich rasch und traf tapfer die Entscheidung.

»Ich werde sie fragen. Wenn sie hier bleiben will, soll sie es,
wie immer es ausgehen mag.« Ohne eine Antwort abzuwarten, ging sie in ihr Zimmer zurück.

Anita folgte.

»Mutter? Mutter, hörst du?« Die Kranke öffnete die Augen
und schloß sie gleich wieder.

»Mutter, du bist sehr krank. Frau Doktor meint, es wäre besser, dich ins Krankenhaus zu bringen.«

Diesmal öffneten sich die Augen groß. Fiebrig glänzende Augen, die das Licht schmerzte.

»Krankenhaus?« Man hörte es kaum. Dann kamen die Worte
stoßweise, aber deutlich und fest: »Ich – gehe – nicht ins –

Krankenhaus –« Und als wäre alle noch vorhandene Energie in die fünf Worte geflossen, sank sie in ihren Halbschlaf zurück. Nur der Atem ging rascher als zuvor.

»Mutter«, begann die Lehrerin von neuem, »wir wollen nur dein Bestes. Im Krankenhaus können sie dich besser pflegen, als ich es hier kann.«

Langsam schüttelte die Alte den Kopf. Noch einmal sprach sie unter großen Mühen.

»Nein«, murmelte sie. »Laß mich hier bleiben. Laß mich hier sterben.«

Da erhob sich die Tochter vom Bettrand.

»Wir wollen sie hier lassen, Frau Doktor. Man kann das Schicksal nicht zwingen. Wenn es auch furchtbar wäre, ich ganz allein...« Das letzte war nur ein Flüstern.

Anita nickte. Sie spritzte Penizillin, schrieb ein Rezept, gab Anweisungen.

Am nächsten Tag war das Bild unverändert. Die Patientin erhielt wieder eine Spritze. Abends kam Anita ein zweites Mal. Das Fieber war hoch, die Frau kaum ansprechbar. Auf der Lunge brodelte es.

»Morgen früh sollte das Penizillin Wirkung zeigen, bis dahin müssen wir Geduld haben. Geben Sie weiter den Saft und reiben Sie ein.«

»Frau Doktor...«

»Ja?«

»Sagen Sie ehrlich: Kann man noch hoffen?«

»Wenn das Penizillin wirkt, wenn die Entzündung einseitig bleibt, ja. Sonst...« Eine vage Bewegung mit der Hand. Die Bucklige bricht in Tränen aus.

Am nächsten Tag ist das Fieber nicht gesunken. Und jetzt ist die Lungenentzündung beidseitig. Das Penizillin hat versagt.

»Gibt es nichts anderes?« fragt die Tochter. »Der Preis spielt keine Rolle.«

Anita zögert.

» Es gibt etwas. Es kostet kein Geld, aber Nerven. Werden Sie die haben? «

» Ja, Frau Doktor, ja . . . « Sie legt die Hände zusammen wie zum Gebet.

Noch zögert Anita. Dann sagt sie:

» Holen Sie ein Waschbecken mit kaltem Wasser und zwei Handtücher. «

Die Tochter eilt davon, kommt mit allem zurück.

» Kaltes Wasser? Nicht lieber etwas wärmer? «

» Nein, kaltes. Ganz kaltes. Das eben kostet die Nerven. « Sie zieht einen Stuhl ans Bett. » Stellen Sie das Becken hierhin und legen Sie eines der Tücher hinein. «

Sie selbst tritt von der anderen Seite zu der Kranken, faßt sie an beiden Händen und zieht sie hoch, dann nach vorne.

» Ziehen Sie Ihrer Mutter das Nachthemd hoch, so, bis zum Hals. Nicht ganz ausziehen, das ist nicht nötig. Und jetzt kommen Sie hierher an meine Stelle. Nehmen Sie ihre Hände und halten Sie ganz fest. Der Rücken soll etwas gekrümmt sein. «

Anita geht zum Becken, nimmt das Tuch heraus, wringt es leicht aus. Sie stellt sich ans Kopfende des Bettes, hebt das Tuch.

» Achtung! Gut festhalten! « Das Tuch klatscht auf den Rücken der Kranken nieder. Die Bucklige stößt einen Schrei aus. Die Alte zuckt zusammen, der hagere Körper versucht sich zu strecken, es gelingt ihm nicht. Das Schnaufen erfüllt den ganzen Raum. Anita kann ihr Gesicht nicht sehen, doch das Entsetzen in den Augen der Tochter ist wie ein Spiegelbild.

Ein zweites Mal schlägt Anita zu, ein drittes Mal. Sobald der Atem sich beruhigen will, wird er angefeuert durch die Kälte des nassen Tuches.

Nach etwa einer Minute ist die Behandlung beendet. Das trokkene Handtuch ribbelt den Rücken rot und heiß. Die Patientin wird zurückgelegt. Noch immer atmet sie laut und keuchend. Die Erschöpfung steht in ihrem Gesicht.

Die beiden Frauen vor ihrem Bett sehen sich an.

»Das – soll helfen?«

»Werden Sie es können?«

»Es ist furchtbar.«

»Ich weiß. Die meisten können es nicht.«

»Wie oft?«

»Alle zwei bis drei Stunden.«

»O Gott...«

»Ja.«

Die Bucklige schlägt die Hände vors Gesicht. Ein trockenes Schluchzen. Dann läßt sie die Hände wieder sinken.

»Ich werde es tun. Ich werde die Nachbarin bitten, mir zu helfen.« Anita drückt ihr wortlos die Hand.

Sie kam am Abend wieder. Am nächsten Tag kam sie dreimal. Am dritten Morgen war das Fieber gesunken.

Als Anita das Zimmer betrat, herrschte da eine eigenartige Stimmung, wie eine Art sanftschwebender Müdigkeit im Strahlenkranz. Man wagte nicht zu sprechen.

»Danke, Frau Doktor«, sagte schließlich die Tochter. Es klang feierlich.

»Danke«, sagte matt die Mutter. Die Röte war aus ihrem Gesicht geschwunden.

Jetzt sprach auch Anita, und ihre Stimme klang gepreßt:

»Ihrer Tochter müssen Sie danken, für ihre Tapferkeit. Und für ihr Vertrauen. Für ihr Vertrauen wohl am meisten.«

Sie verstanden nicht. Vertrauen?

»Wie viele Menschen, glauben Sie, hätten eine solche Anordnung befolgt? Wenige! Sehr wenige!« Und ohne die anderen weiter zu beachten, gewissermaßen im Selbstgespräch, fuhr sie fort: »Wie oft kämpfen wir nicht gegen die Krankheit allein, sondern vor allem gegen Unvernunft. Und das ist viel schwerer.«

Diagnose: Krebs

Er sah verlegen über den Schreibtisch zu Anita hinüber.

»Es ist so merkwürdig«, sagte er, »ich weiß nicht, wie ich mich ausdrücken soll. Weh tut mir nichts. Und doch stimmt etwas mit meinem Magen nicht. Wenn ich gegessen habe, drückt es irgendwie, und manchmal wird mir nachher übel.«

»Essen Sie gerne Fleisch?« fragte Anita.

»Sehr gerne sogar. Das heißt, früher. Jetzt reiße ich mich nicht mehr darum, manchmal ist es mir sogar zuwider.« Und während er sich auszog: »Ich meine überhaupt, ich könnte nicht mehr so reinhauen wie früher. Ich habe nie mehr so richtigen Hunger.«

Bei der Untersuchung konnte Anita nichts feststellen. Lediglich beim Druck auf die Magengrube zuckte der Mann zusammen und meinte, es täte ein bißchen weh.

»Aber nicht stark«, beteuerte er. Er war noch immer verlegen. »Wenn meine Frau nicht gewesen wäre, wäre ich gar nicht gekommen. Sie ist immer gleich so ängstlich.«

Während er sich anzog, fragte Anita, ob er an Gewicht abgenommen hätte.

»Nicht, daß ich wüßte«, erwiderte er und setzte sich ihr gegenüber auf den Stuhl.

Anita war sich nicht schlüssig. Sollte sie ihn gleich röntgen lassen? Der Befund war denkbar gering. Man muß nicht immer gleich ans Schlimmste denken. Immerhin waren da gewisse Verdachtsmomente.

»Hören Sie«, entschloß sie sich endlich zu sagen, »es scheint in der Tat, daß Ihr Magen nicht ganz in Ordnung ist. Genaues kann ich noch nicht sagen, vielleicht müssen wir Ihren Magen röntgen lassen. Zunächst versuchen wir es mit einem Medikament.« Sie schrieb ein Rezept aus. »Von diesen Tabletten nehmen Sie eine nach jeder Mahlzeit. Und in einer Woche kommen Sie wieder zu mir.«

Der Mann nickte und stand auf.

»In einer Woche«, sagte Anita noch einmal. »Ich kann mich auf Sie verlassen?«

»Bestimmt«, antwortete der Mann und ging.

Wie verabredet erschien er nach einer Woche. Er dünkte Anita noch verlegener. Dazu fand sie, er sehe schlecht aus.

»Nun, Herr Mildner?« Sie setzten sich beide.

»Es ist ja ein bißchen besser...« er wußte nicht recht weiter.

»Aber?« fragte Anita.

»Na ja, so ganz ist es doch nicht...«

Anita kannte die Rede. Patienten wandten sie an, wenn sie nicht den Mut hatten, einzugestehen, daß die Medizin nicht gewirkt hatte.

»Seien wir ehrlich«, ermutigte sie den Mann. »Sie haben keine Besserung bemerkt.«

»Nicht viel, nein.«

»Dann wollen wir Ihren Magen röntgen lassen.«

»Ist das wirklich nötig?«

»Ja«, sagte sie in einem Ton, der keinen Widerspruch erlaubte. Sie schrieb die Überweisung und reichte sie ihm über den Schreibtisch. »Morgen früh treten Sie um acht Uhr im Krankenhaus an, und zwar in der Röntgenabteilung. Sie müssen nüchtern sein, vergessen Sie das nicht! Machen Sie kein so unglückliches Gesicht! Röntgen tut nicht weh!« Sie lachte, und er lachte auch.

Zwei Tage später hielt Anita den Röntgenbericht in den Händen: Der Pylorusbereich war starr. Also handelte es sich fast mit Sicherheit um einen Magenkrebs.

Und dann kam der schlimme Augenblick, in dem er ihr wieder gegenübersaß.

»Ihr Magen ist in der Tat nicht in Ordnung, Herr Mildner...« Sie machte eine Pause, sprach dann weiter, langsam und deutlich, damit von vornherein keine Unklarheiten aufkamen.

»Es ist sogar mehr, als ich anfangs geglaubt habe – und Sie ja auch, wie Sie mir selbst betonten.« Sie flocht ein kleines Lächeln ein, wurde aber gleich wieder ernst. »Der Röntgenbefund ergibt, daß die Magenwand an einer Stelle starr ist. Wenn aber das der Fall ist, muß man damit rechnen, daß sich etwas Böses daraus entwickeln kann.«

Er sah sie an mit Augen, in denen das Unverstehen stand, vielleicht auch das Nicht-verstehen-Wollen.

»Etwas Böses?« fragte er.

»Etwas Böses.«

»Was soll das heißen?«

Das war der Augenblick, der dem Arzt so vieles abverlangt an Ruhe und Eindringlichkeit ohne Dramatik.

»Das heißt, Herr Mildner, daß man mit der Möglichkeit eines Tumors rechnen muß.«

Sie sah, wie seine Augen sich weiteten, wie sie sich gleich wieder zu einem schmalen Schlitz verengten. Sie spürte die Stille sich verdichten mit einem einzigen Wort, das nicht gesprochen war und dennoch da war, so groß, so mächtig, daß es die Menschen im Raum zu ersticken drohte.

»Sie meinen Krebs?« Da hatte er es ausgesprochen, laut, sehr laut. So laut, daß alles darin zu hören war: Schrecken, Unglaube, Angst, Unfähigkeit, es zu begreifen.

»Wir wollen nicht gleich so ein schreckliches Wort sagen«, versuchte Anita den Augenblick zu entschärfen. »Nur müssen wir eben mit allen Möglichkeiten rechnen und uns entsprechend verhalten.«

»Und das wäre?«

»Zunächst werden wir das Blut untersuchen.« Sie sagte es nicht aus Überzeugung, sondern um ihm ein wenig Zeit zu lassen.

»Und dann?« beharrte er.

»Es gibt da eine neue Art der Untersuchung. Man führt einen Schlauch in den Magen ein mit einer kleinen Lampe. Man kann damit den Magen von innen ansehen...«

»Schlauch schlucken? Pfui Teufel!« Er sagte es wohl mehr, um irgendetwas zu sagen, seine Stimme klang nicht überzeugend. Er war in diesem Augenblick wohl überhaupt nicht recht bei Sinnen.

Anita stand von ihrem Stuhl auf, ging um den Schreibtisch herum zu ihm hinüber und legte ihre Hand auf seine Schulter.

»Wir wollen nicht alles gleich so schwarz sehen, Herr Mildner. Kommen Sie zunächst einmal morgen früh zur Blutabnahme. Danach entscheiden wir weiter.«

Er erhob sich zögernd. Doch mitten im Aufstehen hielt er inne und fiel auf seinen Stuhl zurück. Eine Unruhe hatte sich seiner bemächtigt, sie stand in seinem Gesicht geschrieben, in den Bewegungen seiner Hände, überhaupt in seinem ganzen Körper.

Als er jetzt zu sprechen begann, war es ein hastiges Fragen, diktiert von Unsicherheit und Angst.

»Wenn es – wenn es wirklich etwas Böses ist, was muß man dann tun? Was kann man da tun? Weshalb sagen Sie es mir nicht? Kann man überhaupt noch etwas tun? Seien Sie ehrlich, Frau Doktor! Kann man überhaupt noch etwas tun? Ist es schon zu spät?«

»Nichts ist zu spät, Herr Mildner!« Sie faßte ihn wieder um die Schulter, diesmal mit beiden Händen. »Sie wissen doch, daß man den Magen sehr gut operieren kann...«

»Operieren? Eine Magenoperation?«

»Das soll Sie nicht erschrecken. Heutzutage ist eine Magenoperation keine große Sache mehr.«

»Ich danke!« Er fährt sich mit der Hand übers Gesicht. Anita läßt seine Schultern los.

»Das alles kommt ein bißchen plötzlich...«

»Bloß ein bißchen?«

»Ich verstehe, wie Ihnen zumute ist. Versuchen Sie sich zu beruhigen. Kommen Sie morgen zur Blutuntersuchung.«

Als er sie jetzt verließ, war er ein alter Mann geworden. Er sah durch sie hindurch und merkte nicht einmal, wie sie ihm die Hand reichte. Als der nächste Patient eingetreten war, brauchte Anita eine Zeitlang, bis sie sich ihm zuwenden konnte. Das Bild des anderen wollte nicht so schnell weichen.

Die Blutuntersuchung ergab mittlere Werte und machte somit keine zuverlässige Aussage.

Als er wieder in die Sprechstunde kam, begann er schon unter der Tür zu reden.

»Um es gleich zu sagen, Frau Doktor, operieren lasse ich mich nicht.«

Sie sah ihm ins Gesicht. Ihre Blicke begegneten sich. Hinter seiner Entschlossenheit stand qualvolle Angst.

Sie schloß zunächst die Sprechzimmertür.

»Aber Herr Mildner«, sagte sie dann ruhig, »wollen wir uns nicht erst setzen?«

Er starrte sie an, schüttelte dann den Oberkörper, als ob er sich wachrütteln müßte.

»Natürlich. Selbstverständlich. Ich wollte es Ihnen nur gleich im voraus sagen, Operation kommt nicht in Frage.«

»Ich habe das Ergebnis der Blutuntersuchung.«

»Ja, und?«

Sie setzte sich, bevor sie sprach, und wartete, bis auch er Platz genommen hatte.

»Es ist leider auch nicht ganz in Ordnung...«

»Also Krebs!«

»Das kann man nicht mit Sicherheit sagen.«

»Wann kann man es denn mit Sicherheit sagen?« Er schien an der Unvollkommenheit der Medizin schier zu verzweifeln.

»Wir lassen möglichst bald eine Gastroskopie machen. Das ist die neue Methode, von der ich Ihnen neulich sprach. Man schaut mit einem Licht in den Magen hinein.«

»Und dann?«

Jetzt blieb Anita nichts anderes mehr übrig, als klar und deutlich zu sagen, daß ein Magenkrebs, so es wirklich einer ist, nur durch Operation beseitigt werden kann.

Ihr energischer Ton überraschte ihn. Die Muskeln in seinem Gesicht strafften sich, die Augen wurden klarer. Er schien zum ersten Mal richtig wach zu sein. Er sprach nicht. Er sah Anita an und schien nachzudenken. Sie konnte erkennen, wie es in seinem Hirn arbeitete.

Auf einmal verlor das Gesicht seine Spannkraft. Es sank wieder in sich zusammen, und die Augen schauten wie verirrt.

»Ich habe doch keine großen Beschwerden«, murmelte er. »Wenn meine Frau nicht gewesen wäre, wäre ich nicht einmal gekommen.«

»Danken Sie Ihrer Frau, daß sie Sie rechtzeitig geschickt hat«, erwiderte Anita und gab ihrer Stimme einen hellen Klang.

»So rechtzeitig, daß man alles mit einer Operation beseitigen kann. Danach können Sie noch achtzig Jahre alt werden!«

»Wenn ich mich operieren lasse?« Er lachte auf mit Hohn in der Stimme. »Ich hatte einen Arbeitskollegen. Wetzler hieß er. Ein prima Kerl! Er ist am Magen operiert worden! Aber er wird keine achtzig mehr, weil er zwei Tage nach der Operation gestorben ist!« Wieder lachte er. Diesmal gequält. »Ich habe keine Lust, es ihm nachzumachen. Nein, Frau Doktor, ich will noch nicht in die Grube fahren! Operieren lasse ich mich nicht!«

»Und wenn es etwas Böses ist?«

Er wich ihrem Blick aus, sah auf die Schreibtischplatte. Sie schwiegen beide.

Als er wieder zu sprechen begann, verstand sie ihn kaum.

»Ich habe Angst«, flüsterte die Stimme. »Ich habe einfach Angst.« Er schloß die Augen, und sie sah, daß er mit seiner Beherrschung am Ende war.

Anita beugte sich mit dem Oberkörper über die Schreibtischplatte, weil sie das Bedürfnis hatte, ihm ein wenig näher zu sein.

»Es braucht ja nicht heute zu sein«, meinte sie ruhig, fast liebevoll. »Gehen Sie nach Hause und besprechen Sie alles in Ruhe mit Ihrer Frau.«

Sie schrieb ihm ein Beruhigungsmittel auf. Er nahm das Rezept dankbar an.

Sie erreichte auch, daß er noch in derselben Woche zur Gastroskopie ging. Die Untersuchung bestätigte das Vorhandensein eines Magenkrebses.

Am Tag danach erschien Frau Mildner in der Sprechstunde.

»Ist es wirklich wahr, Frau Doktor?«

»Ja, Frau Mildner, es ist wahr.«

»Gibt es nur die Operation?«

»Es gibt nur die Operation.«

Da saß sie auf ihrem Stuhl, ein Häuflein Elend, und das Weinen steckte ihr in der Kehle.

»Wenn ich ihn nur dazu bringen könnte!«

»Zur Operation?«

»Ja.« Sie nickte es mehr, als sie es sprach.

»Gibt es niemanden in der Familie, auf den er besonders hört?« fragte Anita. »Ich meine, der ihn überzeugen könnte? Der Sohn? Oder eine der Töchter?«

Die Frau zuckte mit den Schultern und schüttelte dann den Kopf.

»Am ehesten hört er auf mich.« Dann atmete sie tief. »Wenn nur das mit dem Wetzler nicht gewesen wäre! Das geht nicht aus seinem Kopf heraus.«

Nach einer Weile des Schweigens fragte sie:

»Wie lange haben wir noch Zeit?«

»Das kann niemand sagen«, erwiderte Anita. »Vielleicht ein paar Wochen, vielleicht länger. Mit jedem Tag wird die Aussicht auf Heilung geringer.«

Die Frau erhob sich.

»Ich muß es halt immer wieder versuchen.«

»Tun Sie das. Und schicken Sie ihn so oft wie möglich zu mir. Wir wollen es gemeinsam versuchen.«

Die Zeit verstrich. Er kam oftmals in die Sprechstunde, doch war nicht klar ersichtlich, was er eigentlich wollte. Er änderte seine Haltung nicht.

Anita wurde immer brutaler.

»Begreifen Sie endlich, Herr Mildner! Sie haben Krebs! Sie haben höchstens noch ein Jahr zu leben!«

»Das weiß niemand genau.«

»Wir wissen es ziemlich genau.«

»Ziemlich ist nicht ganz.«

»Natürlich nicht. In der Medizin gibt es kein »ganz genau«, denn der Mensch ist keine Rechenmaschine. Aber machen Sie sich doch nichts vor! Ihr Leben ist in höchster Gefahr, solange Sie nicht operiert sind!«

»Als ob eine Operation nicht gefährlich wäre!«

Anita verlor fast die Geduld.

»Sie wissen selbst, wie viele Menschen operiert werden. Am Magen oder sonstwo. Die wenigsten sterben daran!«

So und ähnlich verliefen ihre Gespräche. Das Ende war stets ein kategorisches Nein.

Eines Tages nahm Anita ein Blatt Papier und schrieb darauf: *Herr Leo Mildner lehnt es ab, sich einer Operation zu unterziehen, obwohl ihm deutlich mitgeteilt wurde, daß er an Magenkrebs leidet und nur durch die Operation Aussicht auf Heilung hat.*

Sie reichte ihm das Blatt. Er las es durch, langsam und aufmerksam. Dann blickte er auf. Er schien nicht zu verstehen. Vielleicht wollte er auch nicht verstehen, bewußt oder unbewußt.

»Sie müssen mir das unterschreiben, Herr Mildner«, sagte Anita. Sie sah ihm traurig in die Augen, während sie leiser hinzufügte: »Wenn Sie bei Ihrer Weigerung bleiben.«

»Was soll das?« Die Frage war hastig hingeworfen.

»Es soll mich schützen, falls nach Ihrem Tod irgendjemand auf den Gedanken kommt, mir einen Kunstfehler vorzuwerfen.«

Ungläubig sah er die Ärztin an. Dann schaute er wieder auf das Blatt in seinen Händen. Er las es noch einmal. Sein Gesicht spiegelte seine Unsicherheit wider und seine Qual.

Plötzlich stieß er ein Lachen aus und warf das Papier auf den Tisch.

»So ein Unsinn!«

Anita sah ihn traurig an.

»Kein Unsinn, Herr Mildner – leider.« Sie schob ihm das Blatt erneut zu.

Er stand abrupt auf.

»Nein.« Er schüttelte den Kopf und ging.

»Überlegen Sie es sich!« rief sie ihm nach.

Beim nächsten Mal unterschrieb er das Blatt. Seine Hand zitterte dabei.

Anita war verzweifelt. Die Familie desgleichen.

»Dieser Dickkopf!« schimpfte die Frau unter Tränen. »Dieser elende Dickkopf!«

Plötzlich blieb er fort. Wochenlang hörte Anita nichts von ihm. Bis eines Tages die Frau wegen einer Erkältung erschien.

Anfangs sagte sie kein Wort über ihren Mann, und auch Anita fragte nicht. Doch glaubte sie, in ihrem Wesen etwas wie Verlegenheit zu erkennen oder eine kleine Unsicherheit.

Erst als sie schon wieder gehen wollte, drehte sie sich plötzlich noch einmal um. Jetzt stand ihr die Verlegenheit deutlich im Gesicht.

»Ich soll es Ihnen ja nicht sagen«, begann sie ein bißchen geheimnisvoll, »er geht zu irgendeinem Naturheiler oder Heilpraktiker oder so etwas. Er verrät mir nicht, wer es ist, aber er bringt Fläschchen mit Tropfen oder Schachteln mit Pulver, davon nimmt er alle paar Stunden etwas.«

»Und wie geht es ihm dabei?« fragte Anita. Sie fragte es

freundlich, und da verlor die Frau ihre Unsicherheit. Sie wurde geradezu eifrig.

»Eigentlich nicht schlechter. Er arbeitet nach wie vor und klagt nicht. Ich meine sogar, er ißt wieder mehr. Glauben Sie nicht, daß es doch besser werden könnte?«

Anita zögerte mit der Antwort. In den Augen der Frau stand die Hoffnung oder die Bitte um hoffnungsvolle Worte oder sogar ein Betteln darum.

»Frau Mildner«, sagte sie endlich und kam sich vor wie ein Habicht, der sich auf einen armen gehetzten Hasen stürzt, »wir wissen doch alle, wie wenig Aussicht ein Krebskranker hat, wenn er nicht richtig behandelt wird.«

»Aber wer weiß – vielleicht ist es doch kein Krebs?«

Da konnte Anita nur erwidern:

»Ich würde es Ihnen von Herzen gönnen.« Sie sah, wie es in den Augen der Frau aufleuchtete, wie sie die Worte als das nahm, was sie gar nicht waren: Als berechtigten Glauben an eine wahrscheinliche Genesung. Sie sagte nichts weiter, sie ließ ihr diese Hoffnung und war sogar froh darüber. Ist Hoffnung nicht ein Geschenk Gottes an alle Geplagten?

Wieder verging eine Zeit. Unzählige Male dachte Anita an den Mann – da saß er eines Tages im Wartezimmer.

Sie hätte ihn fast nicht erkannt: Bleich, mit hohlen Wangen und flackernden Augen. Als er an die Reihe kam, war sein Gang schwankend. Seine Stimme zitterte wie vor Wochen die Hand, die das Papier unterschrieb.

»Ich werde wohl dran glauben müssen«, meinte er.

»Woran, Herr Mildner?«

»An die Operation. Es wird wohl sein müssen.«

Erschüttert sah Anita auf das Wrack von Mensch. Zu spät! dachte sie. Zu spät!

Laut sagte sie:

»Wir wollen zuerst mal untersuchen.«

Wortlos ging er zum Untersuchungsbett, legte sich darauf. Anita legte ihre Hand auf die Magengrube. Sie war ausgefüllt von einem harten, höckrigen Tumor.

Zu spät! dachte sie wieder. Es ist sinnlos, ihn jetzt noch zu operieren. Gleichzeitig wußte sie, daß sie ihn dennoch schicken würde. Die Angst vor dem Tod hat jene vor der Operation überflügelt. Es wäre brutal, ihn in seiner Qual allein zu lassen. Sie sagte:

»Ich bin froh über Ihren Entschluß. Es ist wahrhaftig höchste Zeit.« Sie sprach noch einiges, um ihm Mut zu machen, während sie die Papiere fürs Krankenhaus ausfüllte.

Drei Wochen später wurde sie in sein Haus gerufen. Er war nach überstandener Operation zurückgekehrt.

»Sehen Sie, wie gut alles ging?« fragte sie mit betonter Munterkeit.

Er sah sie an. Seine Augen waren müde und voller Glück.

Seine Frau aber nahm Anita zur Seite.

»Es besteht keine Hoffnung mehr, hat der Chirurg gesagt. Er hat geschimpft, weil wir ihn so spät gebracht haben.« Dann brach sie in Tränen aus.

Der Operationsbericht, der wenige Tage später bei Anita eintraf, sagte dasselbe.

Es folgten furchtbare Wochen.

Er verhungerte ganz langsam. Anfangs konnte er noch Brei essen, später nur noch Suppen. Dann traten die Schmerzen ein. Qualvolle Schmerzen. Anita gab frühzeitig Morphium. Unter den Spritzen döste er dem Tod entgegen.

Einmal, als er ein wenig aufwachte, sagte er:

»Es war zu spät.«

Die Frau, nur noch ein Schatten ihrer selbst, umsorgte ihn, ohne zu klagen. Ihre rotumränderten Augen sagten mehr als ihr Mund.

Als Anita die Nachricht von seinem Tod erhielt, fuhr sie hin, um die Sterbepapiere auszufüllen.

Da saß die Frau an seinem Bett, die Hand des Toten in der ihren.

»Alter Dickkopf«, murmelte sie.

Weinen konnte sie nicht mehr.

Das unnütze Leben

Da saß die alte Frau in ihrem Sessel, die von der Arthritis ver-krüppelten Finger krampften sich um die Armlehnen, und die Tränen liefen ihr übers Gesicht.

»Warum mußte das geschehen! Hätte ich nicht für sie sterben können? Sie waren so jung! Was ist daneben mein Leben? Sinn-los ist es! Nutzlos, ganz nutzlos! Ach, Frau Doktor, warum läßt mich der Herrgott meine Kinder überleben! Mein armer Junge! Mein armer, armer Junge!«

Anita ließ sie reden. Reden erleichtert. Zuweilen warf sie ein Wort ein, tröstend oder beruhigend, obgleich sie wußte, daß sie nicht helfen konnten. Der Schock war zu groß gewesen.

Die alte Frau war die einzige, die den schweren Autounfall überlebt hatte. Am Sonntagnachmittag war es geschehen. Sie hatten einen Ausflug gemacht, der Sohn und die Schwieger-tochter mit den beiden Enkelkindern, und sie hatten die Oma mitgenommen. Sie waren schon auf dem Heimweg gewesen, als ein Wagen, vollbesetzt mit jungen Leuten, beim Überholen ins Schleudern kam und sie mit voller Wucht erfaßte und über die Böschung in die Tiefe jagte. Die anderen waren auf der Stelle tot, nur ihr hatte es fast nichts gemacht. Als sie nach we-nigen Tagen das Krankenhaus verlassen konnte, nahmen Leute aus der Nachbarschaft sie auf.

Natürlich war das nur vorübergehend, denn die Familie lebte mit ihren drei Kindern schon eng genug.

»Sie wird in ein Altersheim gehen müssen«, sagte die junge Frau. In ihrer Stimme lag Bedauern.

»Ja«, erwiderte Anita, »und zwar bald. Wenn sie sich erst hier eingewöhnt, fällt es ihr nachher doppelt schwer.«

Und die junge Frau seufzte:

»Arme Frau. Sie ist so bescheiden.«

Anita wußte, daß die Altersheime überfüllt waren und es sehr schwer war, ein Bett zu bekommen. Aber es erwies sich als noch schwieriger, als sie gedacht hatte. Überall gab es lange Wartelisten von bereits angemeldeten Interessenten, sie wurden der Reihe nach abgerufen, sobald ein Bett frei wurde.

Anita rief Woche für Woche in allen Häusern an, doch überall erhielt sie die gleiche Absage.

Da wurde die Nachbarin krank. Der Mann blieb zu Hause und versorgte die drei Kinder. Doch von alten Frauen verstand er nichts.

Nun mußte es Hals über Kopf gehen.

Kurz entschlossen ging Anita in eines der Heime und ließ sich beim Direktor melden.

Der hörte sich die Sache an, sah auf seine Schreibtischplatte und dachte nach.

»Muß es unbedingt Pflegestation sein?« fragte er einmal kurz.

»Ja«, erwiderte Anita. »Sie kann sich nicht selbst versorgen.«

Wieder schwieg er, sah auf die Tischplatte und dann zum Fenster hinaus.

Ich hätte da wohl ein Bett«, begann er schließlich zögernd, »aber das hat einen Haken. Was sage ich«, er lachte ein bißchen, »natürlich nicht das Bett selbst. Es ist in einem Zweibettzimmer wie alle auf der Pflegestation und seit mehr als zwei Monaten unbesetzt, aber wir haben nicht den Mut, jemanden hineinzulegen.«

Er machte eine Pause, sah wieder auf seinen Schreibtisch, dann zu Anita in geradezu rührender Hilflosigkeit.

»Es ist wegen der anderen Frau. Wir werden nicht fertig mit ihr. Geben wir ihr eine Zimmergenossin, so führt sie sich spätestens nach drei Tagen auf wie toll. Sie streitet mit der anderen und mit uns, schreit, tobt und bringt uns die gesamte Station durcheinander. Sie wundern sich, ich sehe es an Ihrem Gesicht...«

»Allerdings«, sagte Antia, »man kann in solchen Fällen doch Beruhigungsmittel geben oder...«

»Haben wir versucht! Selbstverständlich! Der Arzt hat ihr unzählige Präparate aufgeschrieben, aber sie nimmt sie nicht. Sie wirft die Tabletten weg. Wir finden sie auf dem Boden, unterm Bett, im Gang und sogar im Garten unter ihrem Fenster. Dazu beschimpft sie uns als Giftmischer und dergleichen. Geben Sie einem Menschen eine Medizin, wenn er sie nicht nehmen will!«

Anita nickte.

»Es ist schwer, ich weiß. Wenn die Arteriosklerose schon so weit fortgeschritten ist, ist mit Vernunft nicht beizukommen. Vielleicht sollte man sie in eine Klinik tun. In die Psychiatrie zum Beispiel.«

»War sie schon. Nach drei Tagen hatten wir sie wieder. Sie ist ja nicht entmündigt, also kann sie den Aufenthalt in der Klinik verweigern.«

Wieder nickte Anita. Sie wußte, welche Probleme dergleichen Fälle oft aufwerfen.

Da saßen sie sich gegenüber und wußten keinen Ausweg. Anita sah die alte Frau vor sich, bescheiden und freundlich, ihr Schicksal tragend, deren einziger Kummer war, daß sie nichts mehr arbeiten konnte. Daß sie, wie sie sagte, so unnütz war. Und sie sah die enge Wohnung der Nachbarn, in der es jetzt keine Hausfrau gab, die sie hätte versorgen können.

»Wir müssen es versuchen, Herr Direktor. Uns bleibt keine Wahl.«

Sie schwiegen wieder beide. Das schlechte Gewissen schwebte wie ein Band zwischen ihnen. Dann griff der Direktor zum Haustelefon.

»Wir müssen wohl«, murmelte er und wählte eine Nummer.

Am kommenden Tag brachte der Krankenwagen die Frau ins Heim.

Die Bewohnerin von Zimmer vierhundertneun musterte stumm die Neue.

»Guten Tag«, sagte die freundlich.

»Guten Tag.« Das kam erst nach einer gewissen Zeit.

»Ich bin Frau Mainser.«

Keine Antwort.

»Ich bin Frau Mainser«, erklang es aufs neue. »Und wie heißen Sie?«

Wieder keine Antwort.

»Sie sollten mir schon Ihren Namen nennen, sonst kann ich ja gar nicht mit Ihnen reden.«

»Ich bin die Frau Schmidt.« Das klang nicht gerade freundlich, doch Frau Mainser störte sich nicht daran.

»Das freut mich, Frau Schmidt. Es freut mich besonders, daß Ihr Name so leicht zu merken ist. Ich bin nämlich sehr vergeßlich geworden.«

Frau Schmidt gab keine Antwort. Mißtrauisch schaute sie zu, wie die Schwestern Frau Mainsers verkrüppelte Füße auf den Stuhl betteten.

»Haben Sie Schmerzen?« fragte sie plötzlich.

»Die hatte ich früher. Jetzt gottlob nicht mehr. Ich kann nur nicht mehr gehen – leider.« Sie lächelte ein trauriges Lächeln.

Als die beiden Frauen allein war, herrschte eine Weile Stille.

»Schön ist der Blick aus dem Fenster«, sagte Frau Mainser dann und schaute in das Grün der alten Linde vor dem Haus.

»Aber die Straße ist oft laut«, brummte Frau Schmidt.

»Das mag schon sein. Wir sind eben in der Stadt, da gibt es nun einmal Straßenlärm. Um so schöner, daß wir wenigstens ein paar Bäume sehen. Können Sie noch ausgehen?«

»Meine Geschwister holen mich manchmal. Allein geht's nicht mehr.«

»Ja, ja, so ist es im Leben. Am Ende ist man ein nutzloses Objekt.« Jetzt war ihr Lächeln wieder traurig geworden. Die andere blickte mißtrauisch zu ihr hinüber. Sie hatte wohl nicht verstanden.

Der Tag ging zu Ende. Das Personal wartete mit Spannung auf den ersten Streit. Aber er blieb aus.

Am nächsten Tag wurde das Zimmer regelrecht belauert. Es geschah nichts.

Am Ende der ersten Woche sagte Frau Schmidt:

»Sie können mich Gretel nennen. So sagen meine Freunde auch.«

»Ach wirklich? Vielen Dank. Dann müssen Sie mich aber auch Maria nennen.«

Frau Schmidt zögerte.

»Das kann ich doch nicht.«

»Warum nicht?«

»Weil – ich kann's halt nicht.« Da fragte Frau Mainser nicht weiter. Aber sie nannte Frau Schmidt auch nicht Gretel.

Nach etwa einem Monat kam Anita, um Frau Mainser zu besuchen. Auf dem Gang begegnete sie dem Direktor. Der eilte ihr entgegen und nahm sie stürmisch in die Arme.

»Was soll ich Ihnen sagen: Es ist ein Wunder geschehen! Unsere Frau Schmidt ist friedfertig wie noch nie! Wir alle können es nicht fassen!«

»Das ist ja nicht zu glauben!« rief Anita.

»Sie ist sanft wie ein Lamm, ich übertreibe nicht! Wir stehen vor einem Rätsel! Die beiden Frauen sind das gegensätzlichste Paar, das wir je in einem Zimmer hatten – und sie kommen miteinander aus. Gut sogar! Sie machen sich keine Vorstellung, *wie* gut!«

»So werden Sie sie beisammen lassen?«

»Ich muß! Neulich hatten wir ein anderes Bett frei bekommen, da fragte ich Frau Mainser, ob wir sie umquartieren sollen. Sie lehnte ab, weil sie sich mit Frau Schmidt so gut verstehe. Und das ist nicht übertrieben, wir kennen unsre Frau Schmidt nicht wieder!«

»Gott, wie bin ich erleichtert!« lachte Anita. »Ich kann Ihnen sagen, mir lag die ganze Geschichte wie ein Stein auf dem Herzen. Und ausgerechnet diese Frau – ich meine Frau Mainser – war stets unglücklich darüber, daß sie so nutzlos geworden war!«

Auch der Direktor lachte. Er schüttelte den Kopf und sagte: »Das ist sie jetzt nicht mehr! Nicht für uns! Es gibt schon erstaunliche Dinge auf der Welt!«

Gemeinsam gingen sie zum Zimmer vierhundertneun.

Frau Schmidt war gerade beim Friseur, und so saß Frau Mainser allein in ihrem Stuhl. Ihre Hände zitterten, als sie sie der Ärztin entgegenstreckte.

»Daß Sie zu mir kommen! Ist das eine Freude!«

»Gut sehen Sie aus, Frau Mainser! Wie geht es denn? Haben Sie sich eingelebt?«

»O ja! Sie sind ja alle so nett zu mir! Wie's geht? Na ja, wie's eben geht, wenn man nichts mehr tun kann.«

»Sie haben in Ihrem Leben so viel getan, daß Sie jetzt ruhig damit aufhören können. Und ein schönes Buch können Sie immer noch lesen, dazu hatten Sie doch früher so wenig Zeit.«

»Schön, Frau Doktor. Ich will ja auch nicht klagen. Aber schade ist es doch, wenn man so unnütz wird.«

Da mischte sich der Direktor ein:

»Für uns sind Sie gar nicht unnütz, Frau Mainser, im Gegenteil! Sie sind uns sogar nützlich...«

»Aber, aber...«

»Doch, Frau Mainser, wenn Sie es auch nicht wissen. Sehen Sie, Frau Schmidt war früher gar nicht so glücklich bei uns. Wir hatten es oft schwer mit ihr und sie vielleicht auch mit uns. Und jetzt? Jetzt fühlt sie sich wohl, weil sie mit Ihnen so gut auskommt.«

»Hat sie darum gesagt, ich dürfe nicht vor ihr sterben?«

»Hat sie das gesagt? Nun, da haben wir den Beweis. Mit Ihnen ist sie hier glücklich und zufrieden. Und wir sind es auch, Frau

Mainser. Darum will ich nie mehr hören, Ihr Leben sei nutzlos. Sie nützen uns allen...«

»Nein, nein!« rief Frau Mainser mit zitternder Stimme, »jetzt übertreiben Sie maßlos!«

Doch ihre Augen leuchteten vor Glück.

*

Ich bin in Gedanken noch bei der alten Frau Mainser, als ich unten die Tür gehen höre. Dann höre ich Werners Schritte auf der Treppe zur Garage hinab.

Ja, die alte Frau Mainser! Sie hat noch etliche Jahre gelebt, aber dann ist sie doch vor Frau Schmidt gestorben. Ich habe den Direktor später einmal gefragt, wie es mit Frau Schmidt weiterging.

»Das ist ganz erstaunlich«, meinte er, »sie hat sich bei Frau Mainsers Nachfolgerin deren Führungsstil zu eigen gemacht. Ich habe so etwas noch gar nie erlebt. Man lernt eben nie aus. Jedenfalls ist sie friedfertig und bescheiden, und wir haben keinerlei Probleme mit ihr.«

Die Zimmertür öffnet sich, Werner kommt herein. Er sieht gut aus, ruhig, zufrieden. Er bringt Grüße von Horst, seinem Freund.

»Hast du gegessen?« frage ich.

»Schon. Aber ich werde mir eine Tasse Tee machen. Was hat deine Perle dir heute gebracht?«

»Bis jetzt noch nichts. Bitte nicht gleich schimpfen! Ich hätte stärker klopfen sollen, sie ist sicher eingeschlafen.«

»Zum Kuckuck nochmal, die Klingel! Jetzt muß sie endlich installiert werden! Wenn wir nur jemand anderes fänden...«

»Laß nur«, unterbreche ich ihn. »Jeder Mensch hat seine Schwächen. Wenn du Tee trinkst, so können wir ihn jetzt zusammen trinken. Ist das nicht auch schön?«

Sein Gesicht zeigt deutlich, daß sein Ärger noch nicht ganz verraucht ist, aber er versucht zu lächeln und küßt mich flüchtig auf die Stirn. Dann geht er und schließt die Tür hinter sich.

Er war schon morgens weggegangen, denn Horst hatte gemeint, es sei wundervoller Segelwind. Das Segeln macht ihn immer so ruhig. Manchmal segelt er ganz allein. Später erzählt er dann, und ich stelle mir vor, wie die kleinen Wellen hinter dem Boot durch das Wasser ziehen wie silbrige Streifen, weiter und immer weiter und so den See lebendig machen. Es ist wie ein friedfertiges Spiel, und wir hatten einst gemeinsam in das Spiel geträumt und geschwiegen.

Ob das Schweigen jetzt anders ist, so ohne mich? Einmal hat er mir angeboten, mich ins Boot zu tragen, damit wir wie einst zusammen sein könnten. Ich habe erschrocken abgelehnt. Er hat wohl zu früh gefragt, vielleicht werde ich mich später anders entscheiden. Es braucht eben alles seine Zeit.

Der Abend wird gemütlich, wir lachen bei unserem gemeinsamen Tee und erinnern uns alter Ereignisse aus unserem Leben und aus meiner Praxis.

Als Werner in sein Zimmer geht, weil er morgen früh aufstehen und verreisen muß, bin ich so wach, daß ich noch ein wenig schreibe. Nichts Aufregendes, nichts Problematisches, dafür habe ich jetzt keinen Sinn. Nein, über eine sonderbare Leichenschau und über das einzige Verhör, das ich in meinem Leben über mich ergehen lassen mußte.

Sonderbare Leichenschau

Der alte Bauer war gestorben. Endlich. Er war hart gewesen und ungerecht. Die Schwiegertochter hatte er jahrelang tyrannisiert. Der Sohn hatte folgen müssen wie ein unmündiger Junge, und die Enkelkinder hatten nie ein freundliches Wort gehört.

Dennoch waren alle bemüht, ihn mit dem nötigen Anstand unter die Erde zu bringen. Als Anita kam, um die Leichenschau zu halten, fand sie ihn in sauberem Hemd auf dem Bett liegend. Selbst der Tod hatte dem Gesicht die Schärfe nicht zu nehmen vermocht. Doch war zumindest die Ruhelosigkeit gewichen, die seine Umgebung so oft in Angst und Schrecken versetzt hatte. Die Schwiegertochter brachte sogar eine gelinde Rührung auf.

Der Tod war schnell festgestellt, die Formulare ausgefüllt.

»Nun holt die Dorfschwester«, sagte Anita, »sie wird euch helfen, ihn für den Sarg zu richten.«

»Danke schön, Frau Doktor, gelt, dafür, daß Sie immer gekommen sind all die Zeit.« Ein Händedruck, ein Lächeln, und alles schien erledigt.

Am nächsten Tag läutete bei Anita das Telefon. Der Bürgermeister rief an.

»Verzeihen Sie die Störung, aber im Dorf gehen Gerüchte um, der Bauer soll keines natürlichen Todes gestorben sein. Haben Sie bei der Leichenschau etwas Verdächtiges bemerkt?«

»Nicht das geringste! Es war alles in Ordnung.«

»Er soll in seinem Blut geschwommen sein.«

»Das ist Unsinn. Ich habe ihn kurz nach seinem Tod gesehen. Da war kein Tropfen Blut.«

»Ein Vetter aus der Nachbarschaft hat es von den Leuten des Beerdigungsinstitutes gehört.«

»Wie können die so etwas behaupten?«

»Das weiß ich nicht, Frau Doktor. Ich sage es Ihnen nur, denn ich möchte nicht, daß ein Gerede bleibt, wenn der Mann unter der Erde ist.«

»Und was, meinen Sie, soll ich tun?«

»Keine Ahnung, Frau Doktor. Das müssen Sie wissen. Ich dachte nur, es sei sicher auch in Ihrem Interesse, wenn...«

»Sie haben recht, Herr Bürgermeister, und ich danke Ihnen. Wo ist die Leiche jetzt?«

»Im Leichenhaus.«

»Gut. Ich will mir die Sache überlegen.«

Viel Zeit zum Überlegen blieb nicht. In einer Stunde wurden die Ämter geschlossen, und die Beerdigung sollte am nächsten Tag stattfinden.

Anita war noch nie mit dergleichen Problemen konfrontiert worden, sie hatte keine Ahnung, was zu tun war.

»Du mußt es melden«, sagte Werner. »Sonst kommst du in den Verdacht, etwas vertuscht zu haben. Du weißt, wie es mit Gerede ist.«

Anita nickte, seufzte und schlug das Telefonbuch auf.

Am nächsten Tag beim Mittagessen erschien die Störung in Gestalt des Totengräbers.

»Sie müssen auf den Friedhof kommen, Frau Doktor. Da sind zwei Herren von der Kripo oder so was ähnliches. Sie wollen die Leiche untersuchen und haben mich geschickt, Sie zu holen.«

»Kann ich nicht erst essen?«

»Wir dürfen doch den Bauern vorher nicht beerdigen. Es ist schon gleich zwei Uhr.«

Anita schaute auf ihre Uhr. Richtig, normale Menschen hatten um diese Zeit längst gegessen.

»Ich komme«, antwortete sie, und der Totengräber verschwand.

Sie holte ihren Wagen und fuhr zum Friedhof.

Dort standen zwei Herren. Sie grüßten höflich und voller Würde. Auch der Totengräber war wieder angelangt und stand mit seinem Gehilfen daneben. Im Hintergrund der Beauftragte des Beerdigungsinstitutes und die Dorfschwester. Sie war jung, lieb und ungeheuer fleißig. Anita mochte sie gern.

»Gehen wir?« fragte einer der Herren. Sie gingen.

Im Totenhaus stand der Sarg. Der Totengräber hob den Dekkel.

Da lag der Tote. Es gab nichts Besonderes zu sehen.

»Was soll nicht in Ordnung sein?« fragte einer der Beamten. Er erhielt keine Antwort. Er sah alle der Reihe nach an.

Schließlich sprach Anita:

»Als ich die Leichenschau hielt, war alles in Ordnung. Später hat man mich benachrichtigt, der Tote liege in seinem Blut. «

»Wer hat das gesagt?«

»Nach meiner Information der Herr des Beerdigungsinstitutes. «

»Wie bitte?« fuhr jener auf. »Was soll ich gesagt haben?«

»Daß er in seinem Blut schwimme. «

»Wann soll ich das gesagt haben?«

»Das weiß ich nicht. Ich weiß nur, Sie sollen es einem der Verwandten berichtet haben, und der hat es auf dem Rathaus gemeldet. «

»Ach so – jetzt erinnere ich mich! Da war eine Flüssigkeit in der Wanne... «

»War es Blut?« fragte der Beamte.

»Keine Ahnung. Es war ziemlich hell. Daß es Blut war, glaube ich weniger. «

»Was sonst sollte es gewesen sein?«

»Woher soll ich – vielleicht war es Blut mit Urin gemischt. «

»Haben Sie öfter Urin in der Wanne?«

Der Mann nickte.

»Das kommt schon mal vor. «

»Und Sie sagen, daß es diesmal auch so war?« fragte der Beamte hartnäckig.

»Hm, vielleicht. Kann schon sein. Nur – für Urin war es so rötlich. «

»Und wenn es weder Blut war noch Urin?«

»Dann... « der Mann wird immer verlegener, »ja, dann weiß ich auch nicht... «

Der Beamte sieht seinen Kollegen an. Der schweigt beharrlich.

»Wir müssen ihn untersuchen.« Und zum Totengräber gewandt: »Fangen Sie an.«

Der Totengräber begann die Binde am Kopf zu lösen. Er tat es umständlich. Der Raum war kalt. Man trat von einem Bein aufs andere.

Da! An der rechten Kopfseite liefen Streifen vom Kinn zum Ohr hinauf. Zwei, drei, sogar vier!

Alle beugten sich über den Sarg.

»Das sind Verletzungen.«

»Von welchem Instrument?«

»Sind ganz flach.«

»Müssen Messerschnitte sein.«

Der Beamte wandte sich zu Anita.

»Frau Doktor, haben Sie diese Schnitte bei der Leichenschau gesehen?«

»Nein.«

»Haben Sie sie nicht gesehen oder sind Sie sicher, daß sie nicht vorhanden waren?«

»Ich bin sicher, daß sie nicht vorhanden waren.«

»Das ist paradox. Wer macht einem Toten Messerschnitte an den Hals?«

»Woher soll ich das wissen?«

»Wenn jemand dergleichen vorhat, so tut er es am Lebenden, nicht am Toten.«

»Weshalb sollte er dergleichen tun, wenn der Mensch bereits im Sterben liegt?«

»Was also sollten die Schnitte bezwecken?«

»*Sie* sind der Kriminalist, nicht ich.«

»Die Schnitte müssen schon vorher gesetzt worden sein.«

»Sie wollen doch nicht behaupten, daß man mit solch oberflächlichen Schnitten einen Menschen töten kann?«

»Vielleicht ist das Messer abgerutscht.«

»Und das gleich mehrmals? Außerdem bin ich sicher, daß die Schnitte bei der Leichenschau nicht vorhanden waren.«

Pause. Alle starrten auf die Schnitte. Dann kam wieder die Stimme des Beamten. »Durch solche Verletzungen kann der Tod also nicht erfolgt sein?«

»Bestimmt nicht.«

Die Beamten sahen einander an.

»Irgendeine Absicht muß doch dahinter stecken«, ließ der andere zum ersten Mal seine Stimme ertönen. »Man muß die Angehörigen befragen.«

Plötzlich wandte er sich an den Mann des Beerdigungsinstitutes und fragte:

»Als der Tote für den Sarg gerichtet wurde – ich meine, als er gewaschen und rasiert wurde – waren Sie dabei?«

»Nein, das war alles schon geschehen.«

»Haben die Angehörigen es selbst getan?«

Da kam schüchtern die Stimme des Nönnleins:

»Ich habe es getan. Die Bäuerin hat mir zur Seite gestanden. Nur rasieren – das ging nicht. Ich hab's probiert, aber er hatte so harte Haut...«

In den Kreis kam Leben.

»Wo?« rief der Beamte, »wo haben Sie es probiert?«

»Da – da unten an der Seite. Aber so große Schnitte habe ich nicht gemacht! Ganz sicher nicht!«

»Natürlich nicht!« lachte Anita, »die Schnitte waren zunächst ganz schmal. Sie wurden erst breiter, als das Gewebe sich zurückzog!«

Jetzt konnte sich niemand des Lachens erwehren. Die Schwester stand da wie ein begossener Pudel.

Dann wurden die Beamten wieder sachlich. Mit einem Blick auf Anita fragten sie:

»Und die Flüssigkeit? Woher kam sie?«

Anita zögerte.

»Ich glaube nicht, daß diese Schnitte nennenswerte Mengen an Flüssigkeit abgesondert haben. Immerhin, mit Urin zusammen könnte eine so rötliche Sache entstehen.«

»Sie halten die Flüssigkeit also für eine Mischung aus Blut und Urin?«

»Ich halte das für wahrscheinlich. Mit absoluter Sicherheit kann ich es nicht behaupten.«

Wieder sahen die Beamten einander an, Unentschlossenheit in den Mienen, einen Seufzer auf den Lippen.

»Wir werden eben weiter untersuchen müssen.«

Der Totengräber begann den Toten auszuziehen. Es wurde wieder langweilig. Man spürte die Kälte.

»Woran ist der Mann eigentlich gestorben?« fragte plötzlich einer der Beamten.

»An Tuberkulose.«

»Tuberkulose?« Seine Augen wurden groß. »Sagten Sie Tuberkulose?«

»Ja, an einer schweren Tuberkulose.«

»Dann – dann ist jetzt noch eine Ansteckung möglich?«

»Natürlich ist sie möglich.«

Jetzt sind die Mienen voller Schrecken.

»Weshalb sagt man uns das nicht?«

»Haben Sie danach gefragt?«

»Aber wir bringen uns doch alle in Gefahr!«

Da konnte Anita ihre Heiterkeit nicht unterdrücken.

»Hat je ein Mensch gefragt, ob sich die Schwester ansteckt, die ihm täglich das Bett machte? Oder ich, die ich ihn jede Woche besuchte? Seine Verwandten, die stets um ihn herum waren, als er noch lebte und hustete und die Bazillen durch die Gegend schleuderte?«

Einen Augenblick stand der Beamte starr. Dann richtete er sich entschlossen auf.

»Ich glaube, wir brauchen hier nicht an einen unnatürlichen Tod zu denken. Lassen Sie ihn angekleidet. Wir beenden die Untersuchung.«

Eine Minute später hatten alle das Leichenhaus verlassen. Die Beamten verabschiedeten sich.

»Nie wieder versuche ich einen Toten zu rasieren«, jammerte die Nonne.

Schmunzelnd fuhr Anita heim.

Das Essen war kalt.

*

Ein paar Wochen sind vergangen, in denen ich nicht geschrieben habe. Ich hatte plötzlich Fieber bekommen, ohne irgendwelche Anzeichen dafür, wo ein Infekt sitzen könnte. Laien pflegen das eine Grippe zu nennen. Aber Fieber ohne einen Herd, der das Fieber verursacht, gibt es nicht. Ich habe das in einem der ersten klinischen Semester an der Universität gelernt. Wohl kann es geschehen, daß ein solcher Herd verborgen bleibt oder daß man ihn erst nach Tagen findet, wenn sich etwa der Husten einstellt oder der Durchfall oder der blutige Urin. Zuweilen findet man ihn gar nicht, das Fieber sinkt mit oder ohne Medikamente, und eben dann spricht der Laie von der Grippe, während der Arzt es schlicht einen fieberhaften Infekt nennt. Die echte Grippe ist wieder etwas für sich, doch will ich darauf nicht eingehen, denn meine Erinnerungen sollen nicht in einen Leitfaden für Medizin ausarten.

Bei mir war die Sache nach drei Tagen klar, denn ein quälender Husten stellte sich ein und nahm mir die Nachtruhe. Ich versuchte seiner mit Hilfe von Hustensaft Herr zu werden, doch verursachte der mir schon am zweiten Tag Magenschmerzen und Sodbrennen. Wohl oder übel mußte ich schließlich zu den von mir so wenig geliebten Kapseln greifen. Bei der Gelegenheit konnte ich wieder einmal mit Muße mich dem für mich immer wieder überraschenden Gedanken hingeben, daß man immer noch nicht weiß, was eigentlich Sodbrennen ist. Wie viele Theorien sind darüber schon aufgestellt worden! Zu viel Säure. Falsche Säure. Mangel an Säure. Zu viel Zucker. Reiz durch Alkohol. Reiz durch Nikotin. Reiz durch Koffein. Die Reihe ließe sich noch lange fortsetzen, wobei natürlich auch noch kompliziertere Vorgänge zur Sprache kämen. Es ist schon grotesk, wenn man bedenkt, daß es der Medizin gelungen ist, die Pocken, die Pest, Cholera in den Griff zu bekommen, die Kinderlähmung und den Tetanus durch Impfungen zu reduzieren – aber die Kleinigkeiten des täglichen Lebens, wie das Sodbrennen, der Schnupfen, das Kopfweh, die sind nicht geklärt und nur unzureichend zu behandeln.

Nun, mein Infekt wurde behandelt, mehr, als mir lieb war. Werner gab keine Ruhe, ehe nicht ein Kollege an meinem Bett stand, mich abhörte und mir verschrieb, was ich selbst gerne haben wollte.

Eine Überraschung erlebte ich in den Tagen meiner Krankheit: Unzählige meiner ehemaligen Patienten schickten mir Blumen oder Wein mit den besten Wünschen für meine Genesung. Manche kamen auch selbst. Viele von ihnen wußten, daß ich eine » Süße « bin und stellten mir Schachteln voller Pralinen auf den Tisch oder auch selbstgebackenen Kuchen.

Seit ich nicht mehr arbeiten kann, habe ich erkannt, wie wahr das Wort ist, daß man in der Not erst die wahren Freunde erkennt. Viele, denen ich es nicht zugetraut hätte, kamen oder kommen mich besuchen. Menschen, die mir nicht sympathisch waren oder die ich niemals eines Gedankens gewürdigt habe, erweisen sich jetzt als die Treuesten. Ich tue ihnen in Gedanken oftmals Abbitte. Umgekehrt sind da etliche, für die ich viel Zeit geopfert habe und noch mehr Gedanken und Sorgen, aber sie scheinen mich schnell vergessen zu haben. Zum Beispiel die Eltern der kleinen Lilli. Wie viele Stunden habe ich an ihrem Bettchen gesessen, wenn das Asthma nicht weichen wollte. Wie oft saß die Mutter in meinem Sprechzimmer und weinte, und draußen warteten die Patienten, manche geduldig, manche brummend. Ich wüßte gern, wie es dem Kind geht. Aber ich rufe nicht an. Eine gewisse Würde soll sich jeder Mensch bewahren.

Heute hat mich die kleine Italienerin wieder einmal überrascht.

Sie hat es schon oft getan. Sie brachte eine große metallene Schale mit Griffen aus Weinreben und einer großen Traube. Sie hat sie aus Italien für mich mitgebracht, und beide strahlten mich an, die Frau und die ein bißchen kitschig glänzende Schale – sie gefällt mir. Ich habe immer wieder festgestellt, daß ich südländischen Kitsch hübscher finde, ihn einfach besser ertrage als den im eigenen Land produzierten Edelkitsch. Das ist sicher ungerecht, aber ich kann es nicht ändern. Übrigens geniere ich mich nicht, zu gestehen, daß mir auch im eigenen Land mancher Kitsch ganz gut gefällt.

Ich habe mich über das Geschenk der Italienerin riesig gefreut. Ich mußte es tun. Meine Augen mußten ebenso strahlen wie die ihren, sonst wäre sie todtraurig gewesen. Dabei ist sie so arm, daß ich ihr lieber selbst etwas schenken möchte. Mögen sich viele Italiener schon gut in Deutschland eingelebt und an die Bevölkerung angeglichen haben, irgendwann und irgendwo kommt die andere Mentalität zum Vorschein, man muß nur genau hinschauen.

Der Gedanke an die Gastarbeiter hat meine Schreiblust angefacht. Wir haben hier hauptsächlich Italiener. Ich kenne sie mittlerweile und kam gut mit ihnen zurecht. Ein paar faule Köpfe waren auch darunter – wie bei den Deutschen übrigens auch. Ich habe sie meist weggeschickt, sollten sie sich ihre Krankmeldungen holen, wo sie wollten, nicht bei mir. Ich konnte mir das leisten, denn ich hatte ja keine Familie zu ernähren.

Ärztliche Schweigepflicht

Auf Anitas Klingeln öffnete eine zierliche Italienerin die Tür. »Bitte kommen Sie herein«, sagte sie in erstaunlich gutem Deutsch. Sie führte Anita ins Wohnzimmer. Es war spärlich eingerichtet: Ein Tisch, vier Stühle, eine Couch, das war schon alles.

Auf der Couch lag der Mann, ein Riese von Gestalt. Seine Füße ragten über das Couchende hinaus, und die Schultern füllten dessen ganze Breite.

»Er konnte nicht zur Arbeit gehen«, ergriff die Frau erneut das Wort, »er hat Schmerzen im Magen.« Während sie sprach, sah der Mann zu Anita auf mit einem Blick, den sie nicht recht deuten konnte. War es der Blick eines Kindes? Es ist häufig, daß so große Bären von wahrhaft kindlichem Gemüt sind. Vielleicht war er so einer?

Sie forderte ihn auf, den Leib frei zu machen und stellte dabei Fragen. Ob er die Schmerzen öfter habe, wann sie begonnen hätten, was er gegessen habe und was man in solchen Fällen eben fragt.

Seine Stimme war dunkel und voll und dennoch von einer seltenen Weichheit. Sie paßte nicht zu einem Mann und schon gar nicht zu einem von seiner Statur. Zu seinem Blick aber, ja, dazu paßte sie.

Die Magengrube war druckschmerzhaft, der Magenpförtner hart und verkrampft. Er lockerte sich erst nach ein paar knetenden Bewegungen, bei denen der Patient fast weinte. Wie ein Kind, dachte Anita wieder. Sie schrieb ein Rezept und eine Krankmeldung für drei Tage. Dann gab sie Anweisungen für sein Verhalten.

»Sollten Sie in drei Tagen nicht beschwerdefrei sein, so kommen Sie in meine Sprechstunde«, sagte sie und wandte sich zum Gehen. Die zierliche Frau geleitete sie bis zur Treppe.

Das war die erste Begegnung mit der Familie Girardi gewesen. Zu ihr gehörten außer dem ungleichen Paar noch zwei Buben von damals etwa sieben und neun Jahren. Der Mann arbeitete in einer Fabrik, die Frau im Heim für debile Kinder.

Der ersten Begegnung folgten viele weitere.

Zuerst erschien immer nur der Mann. Der Magen machte ihm oftmals zu schaffen. Einmal hatte er sogar ein kleines Zwölffingerdarmgeschwür. Immer wieder fragte Anita, ob er zu scharf esse, ob er starken Kaffee trinke oder Alkohol oder ob er ein starker Raucher sei. Er verneinte das alles mit seinen kindlich großen Augen und seiner Stimme voll leidender Sanftmut. Sein Atem war stets rein, kein Alkoholdunst machte sich im Raum breit, und seine Finger zeigten keine gelben Nikotinspuren. Und dann tapste er wie ein Bär aus dem Sprechzimmer mit der neuen Krankmeldung in der Tasche.

Eines Tages erschien die Frau bei Anita.

»Ich will Ihnen sagen, daß mein Mann trinkt. «

»Also doch! « sagte Anita. »Er riecht nie nach Alkohol. «

»Er putzt sich zweimal die Zähne, ehe er zu Ihnen kommt und ißt etwas, damit Sie es nicht merken. «

Anita schüttelte den Kopf.

»Ich habe seine Leber kontrolliert, sie ist nicht vergrößert. «

Die Frau verstand nicht.

»Sie ist bei Trinkern immer groß«, erklärte Anita.

»Er trinkt«, wiederholte die Frau mit einem Gesicht, als bedaure sie, widersprechen zu müssen.

»Seit wann? «

»Seit er zu Ihnen kommt. «

»Vorher nicht? «

»Vorher ein bißchen wie alle Menschen, mal Bier, mal Wein. Er war nie betrunken. Jetzt hat er Freunde, mit denen er trinkt. Er kommt oft nachts betrunken heim. «

»Dann hat er morgens Magenschmerzen, kommt zu mir und läßt sich krankschreiben. «

»Ja. «

Als er das nächste Mal in der Sprechstunde erschien, nahm Anita ihn ins Gebet. Er beteuerte hoch und heilig, niemals zu trinken. Er bettelte, sie möge ihm glauben. Es war wie ein Winseln, und sie erkannte, daß das Kindliche in seiner Art nicht kindlich war. Es war mehr, oder richtiger, es war weniger: Es war hündisch.

»Machen Sie sich frei. « Sie deutete auf das Untersuchungsbett und bemühte sich, freundlich zu bleiben. Dennoch schien er die Veränderung in ihrer Stimme zu hören. Sein Blick wurde noch hündischer. Er widerte sie an.

Aber er war Patient, sie mußte objektiv bleiben. Zum hundertsten Mal untersuchte sie seinen Leib. Sie übertrieb absichtlich, als sie sagte:

»Ihre Leber ist viel zu groß. Sie dürfen keinen Alkohol mehr trinken, weder Bier noch Wein noch Schnaps.«

Sie nannte absichtlich alle Kategorien einzeln, denn sie hatte die Erfahrung gemacht, daß viele Menschen nur Schnaps für Alkohol hielten oder vielleicht noch Wein, nicht aber Bier.

»Ich trinke nicht«, winselte er. Sie wandte sich ab, damit er ihr Gesicht nicht sah.

Später machte sie sich Vorwürfe. Er trank ja erst seit kurzem, verführt durch den Einfluß schlechter Freunde. Vielleicht war es eine vorübergehende Erscheinung? Ein so weicher Mensch setzt Verführungen keinen wirksamen Widerstand entgegen. So war er im Grunde gar kein Trinker, sondern ein armer Teufel.

Als er wiederkam, war sie sehr freundlich zu ihm. Er beteuerte erneut, daß er niemals trinke, und da sie das Geständnis der Frau nicht verraten durfte, konnte sie ihn nicht packen, wie sie wollte. So begann eine Zeit des Abtastens und Suchens, die über ein Jahr währte.

Sie dauerte so lange, bis die Polizei anrief.

Er war lange nach Mitternacht nach Hause gekommen und hatte randaliert. Die Nachbarn hatten kurzerhand die Polizei alarmiert.

Als Anita ankam, wurde sie von allen Seiten bestürmt.

»So kann das doch nicht weitergehen!«

»Jede zweite Nacht bringt er uns um den Schlaf!«

»Der gehört in eine Entziehungsanstalt!«

»Schickt ihn zurück nach Italien!«

Am nächsten Tag ging er nicht zur Arbeit.

Bevor Anita die Krankmeldung schrieb, führte sie ein langes

Gespräch mit ihm. Sie schlug ihm vor, sich freiwillig einer Entziehungskur zu unterziehen.

»Sie haben früher nicht getrunken. Ihre Brüder trinken nicht. In Ihrer ganzen Familie gibt es keine Trinker. Sie sind in einen Kreis geraten, der Sie schlecht beeinflußt hat. Das war Pech. Sie passen nicht zu ihnen, Sie sind ja gar kein Trinker!«

Doch er konnte sich nicht dazu entschließen.

Eines Tages erschien die Frau. Sie hatte ein blaues Auge.

»Hat er Sie geschlagen?«

Sie nickte. Es sei nicht das erste Mal.

»Ich sollte ihm Schnaps holen, aber ich weigerte mich.«

»Schnaps?« fragte Anita.

»Ja. Das andere ist nicht mehr stark genug.«

Bald schlug er nicht mehr nur die Frau, er schlug auch das Geschirr in Scherben. Bald trank er nicht nur am Abend, sondern auch morgens vor der Arbeit.

»Mit seinen Freunden macht er Glückspiele«, erzählte die Frau. »Er verliert dabei viel Geld.« Sie mußte jetzt die Familie allein ernähren, denn von seinem Lohn blieb nichts mehr übrig.

Als die Frau das nächste Mal kam, lag in ihren Augen ein Hoffnungsschimmer.

»Die Schwester im Heim hat gesagt, es gibt neue Tabletten, die müde machen. Man kann sie in den Kaffee tun, ohne daß man es schmeckt.« Sie sah Anita bittend an.

Anita zögerte. Nie hatte sie einem Menschen ohne sein Wissen Medizin gegeben. Heimlichkeiten waren nicht ihre Art. Dann sah sie auf die Frau, wie sie in ihrem Stuhl kauerte, fadendünn, mit vergrämtem Gesicht.

Sie schrieb das Rezept aus.

»Geben Sie ihm zunächst eine halbe Tablette, denn das Mittel ist stark. Er muß ja morgen wieder zur Arbeit.«

Die Medizin tat ihre Wirkung. Er wurde so müde, daß er abends nicht mehr ausgehen konnte. Porzellan zerschlug er auch nicht mehr.

Alle atmeten auf.

Aber der Alkohol war ihm schon zum Bedürfnis geworden. Morgens aß er nichts, er trank nur noch. Anfangs Bier, später Schnaps. Auf der Arbeitsstelle war es dann wieder Bier. Nach zwei Stunden war er bereits betrunken.

Dann kam der Tag, an dem er seinen Arbeitsplatz verlor. Neue Arbeit suchte er nicht. Er saß zu Hause und vertrank seine Arbeitslosenunterstützung.

Nach einem Jahr war er auf den Lohn seiner Frau angewiesen. Da begann die Prügelei von neuem. Als die Polizei zum wiederholten Mal gekommen war, verschwand er eines Tages nach Italien.

Wieder atmeten alle auf.

Aber er kam zurück. Seine Geschwister, entsetzt über seinen Zustand, hatten ihn kurzerhand hinausgeworfen.

Die Frau war nur noch Haut und Knochen. Man wartete täglich auf ihren Zusammenbruch. Die Sorge um die Kinder gab ihr die Kraft durchzuhalten.

»Mama«, fragte der ältere der Söhne, »wann kann der Papa endlich sterben?«

»Pst!« flüsterte die Mutter, nahm den Jungen in die Arme und weinte.

Doch eines Tages war es soweit. Die starken Getränke hatten die Magenwand zerstört. Der Magendurchbruch wurde noch operiert. Aber die Leber arbeitete nicht mehr, überhaupt war der ganze Organismus kraftlos und unbrauchbar geworden. Er starb kurz nach der Operation.

Monate später traf Anita die Frau auf der Straße. In ihrem schwarzen Kleid sah sie alt aus, uralt.

Ja, sie trug Trauerkleidung – trotz allem.

»Wo ist er beerdigt?« fragte Anita sie. »Hier in Deutschland?« Sie schüttelte den Kopf.

»Ich habe ihn nach Italien bringen lassen.«

»Das ist ja irrsinnig teuer!«

»Ja, sehr teuer.« Sie lächelte und kramte in ihrer Tasche. Dann zeigte sie Anita das Bild des Grabes.

Anita schaute auf das große Monument, fast einem Mausoleum gleich, und konnte es nicht fassen. Sie sah die Witwe an.

»Es war teuer, ja. Ich mußte viel Geld auf der Bank aufnehmen. Aber er war doch mein Mann. Früher, als er nicht trank, war er gut zu mir.« Und dann sehr leise: »Ich habe ihn doch geliebt.«

Ihren Mund umspielte ein wehes Lächeln, und ihre Augen baten um Verzeihung.

Ich habe die Frau noch öfter gesehen, sie war bis zuletzt meine Patientin. Die Trauerkleidung hat sie nicht mehr abgelegt. Sie trägt sie, wie man eine Narbe trägt, ergeben in ein Schicksal, das man nicht ändern kann.

Auch die Söhne kamen zu mir. Natürlich waren sie selten krank. Beide haben die Schule mittlerweile beendet und eine Lehre angetreten, der eine als Automechaniker, der andere in einer Malerwerkstatt. Sie sind tüchtig und fleißig wie ihre Mutter und wie auch ihr Vater war, ehe er trank.

Irgendwann in den letzten Monaten allerdings hielt mich die Frau auf der Straße an. Ihre Augen spiegelten Angst, und sie flüsterte ihre Worte, so daß ich Mühe hatte, sie zu verstehen.

»Mein Ältester trinkt in letzter Zeit so oft«, sagte sie. »Nicht, daß er sich betrinkt, nein, aber ich habe Angst, oh, so viel Angst.« Sie legte ihre freie Hand aufs Herz, in der anderen trug sie eine Tasche. Ich sah neben der Angst das Flehen in ihren Augen, das Flehen um Hilfe zur Abwendung eines Geschickes, das zu tragen sie vielleicht nicht mehr die Kraft hätte.

Aber was konnte ich ihr geben außer ein paar Worten des Trostes, der Hoffnung? Würde der Sohn wie der Vater, ich stünde ihm ebenso machtlos gegenüber. Wieder hätte er mir geschworen, daß er niemals trinke und wieder hätte ich die Mutter nicht verraten dürfen. Wie oft gibt es im Leben Situationen, in denen man schweigen muß, obgleich reden viel besser wäre. Das geht uns nicht anders bei der ärztlichen Schweigepflicht, deren Sinn zuweilen fraglich wird. Gewiß, sie dient oftmals dem Wohl des Patienten, aber immer? Nein, immer tut sie es nicht.

So wäre vielleicht die junge Frau gleich zu Beginn ihrer Trinkerei noch davon abzubringen gewesen, hätte ich ihren Mann einweihen dürfen, denn es kam bei ihr ja aus heiterem Himmel. Ich hatte es schon seit längerer Zeit vermutet, konnte es ihr aber nicht nachweisen. Sie war elegant und parfümiert, von Alkoholgeruch keine Spur. Die Pupillen aber und die anderen Reflexe führten mich auf die richtige Fährte. Oftmals sagte ich es ihr auf den Kopf zu, und sie leugnete es unzählige Male, bis sie es mir eines Tages gestand.

»Mein Mann darf es nie erfahren!« Sie sagte es beschwörend und ein bißchen drohend zugleich. Die Leute wissen ja um unsere Schweigepflicht, sie nutzen sie gelegentlich aus. Und immer wieder stand der Mann vor mir und beschwor mich, endlich das Taumeln und Stottern seiner Frau aufzuklären.

Ich schickte sie zum Neurologen in der Hoffnung, daß der Mann mitging und das Urteil an Ort und Stelle hörte. Doch er ging nicht mit. Vielleicht hatte sie es ihm vorher ausgeredet. Der Brief, den ich erhielt, bestätigte, daß sie eine Trinkerin sei, doch damit kam ich nicht weiter. Immer wieder war ich gezwungen, die Fragen ihres Mannes ausweichend zu beantworten.

Eines Tages wußte er es. Möglicherweise haben Hausgenossen oder Arbeitskollegen es ihm verraten. Auf die Dauer bleibt dergleichen in einem kleinen Ort nicht geheim.

Von da an sah ich sie nicht wieder. Die Familie wechselte den Arzt, weil ich »so blöde« war, nicht einmal eine Trinkerin zu erkennen. Die Frau mußte ja wissen, daß *ich* nicht »so blöde«

war, aber sie hatte wohl nicht den Mut, zu meinen Gunsten zu sprechen.

Ein einziges Mal in meinem Leben habe ich vielleicht die Grenzen der Schweigepflicht überschritten. Ich konnte nie darüber Sicherheit erlangen, denn kein Mensch, nicht einmal die Ärztekammer, gab mir konkrete Auskunft über die in diesem Fall zu ziehende Grenze.

Es handelte sich um einen Rauschgifthändler. Er war noch nicht zwanzig Jahre alt. Seine Eltern saßen bei mir und flehten um Hilfe, weil er süchtig sei. Er selbst war völlig uneinsichtig und lehnte jede Behandlung ab.

Dann geschah es eines Tages, daß eine andere Mutter weinend vor mir saß, weil ihre Tochter sich in diesen jungen Kerl verliebt hatte und nun fleißig mit ihm das Rauschgift vertrieb. Danach kamen andere Eltern von Jungen und Mädchen voller Verzweiflung, ihre Kinder würden von diesem einen verführt und richtiggehend angeworben.

Da entschloß ich mich zu handeln. Ich fragte nach dem zuständigen Herrn bei der Kriminalpolizei. Ich telefonierte nicht, ich ging persönlich zu ihm hin. Ich sagte nicht etwa, daß der junge Mann süchtig sei, denn das war Krankheit. Nein, ich berichtete von den Verführungen anderer Jugendlicher, die mir bedrohlich erschienen.

Die Polizei dankte es mir schlecht. Bei dem Jungen wurde eine Haussuchung durchgeführt, und seit dem Tag wußte die Familie, daß ich sie »verpfiffen« habe. Wer es ausgeplaudert hat, habe ich nie erfahren, vielleicht brauchten sie meine Aussage für die Erlaubnis zur Hausdurchsuchung. Ich kenne mich bei der Polizei nicht aus, doch finde ich, auch dort müßten dergleichen »heiße« Dinge einer Art von Schweigepflicht unterliegen, sonst ist irgendetwas falsch. In einer Gemeinschaft muß die Freiheit des Einzelnen irgendwo eine Grenze haben.

✳

Weihnachten ist vorüber. Das erste Weihnachtsfest, das ich nicht bis in die kleinsten Einzelheiten vorbereitete. Wohl gab ich Anweisungen, führte unzählige Telefongespräche, doch was ist das gegen meine frühere Aktivität?

Die Kinder hatten sich angemeldet. Zunächst alle vier. Ich glaube, sie hatten sich verabredet in der Hoffnung, der Trubel, den sieben Enkelkinder unweigerlich verursachen, würde mir das Denken unmöglich machen.

Das hätten sie zweifellos geschafft. Dennoch haben wir sie gebeten, davon Abstand zu nehmen. Wir lieben unsere Kinder; und Enkelkinder sind etwas Wunderschönes. Aber wie sagt der Volksmund? An Enkelkindern hat man zweimal Freude: Zuerst, wenn sie kommen, dann aber auch, wenn sie wieder gehen. Ja, wir fürchteten die Anstrengung. Werner vielleicht noch mehr als ich. Die Ereignisse des Jahres sind nicht spurlos an uns vorübergegangen. Wir sind müde geworden.

So kam nur Hans mit seiner Familie. Ruth, seine Frau, kennt meinen Haushalt, denn die beiden haben drei Jahre lang bei uns gewohnt. Ruth ist lieb und geschickt und überhaupt ein prima Kerl. Kaum angekommen, hat sie sich in die Arbeit gestürzt und Werner nichts mehr übriggelassen. Und außerdem hat sie mir die letzte Angst genommen.

Ich hatte Angst. Es ist nun einmal so geworden, daß die Angst mich befällt, sobald mich in meinem jetzigen Zustand etwas Neues erwartet. Eigentlich sollte sie sich in ein paar Jahren legen, wenn ich nämlich alle Situationen meines neuen Lebensstils durchgekostet haben werde. Ich wäre dankbar dafür. Auch die Kinder haben es mir leicht gemacht. Meine Rollstühle in den beiden Stockwerken waren ihnen als Spielzeug höchst willkommen. Flink wie die Wiesel erkletterten sie meinen Schoß oder eine der Armlehnen und los ging's, quer durchs Zimmer, über den Gang und wieder zurück. René – er ist schon fast sechs – erkannte bald meine Fahrtechnik und versuchte sich selbst in der Kunst. Von da an waren sie stets bereit, mich für müde zu erklären und auf mein Bett oder die Couch zu komplimentieren. Hatte ich ihnen den Gefallen getan und das Fahrzeug geräumt, stürmten sie es wie eine Burg und brausten dahin in atemberaubendem Tempo – natürlich war es *mein* Atem, der ausging, sooft sie eines meiner Möbelstücke rammten.

Mama und Papa wollten es ihnen verbieten. Aber wie das so ist mit Großelternherzen, ich rief sofort:

»Ach, laßt sie doch!« Und Werner beteuerte, es könne doch wirklich nichts dabei passieren. Nur als die kleine Christine lauthals verkündete, sie wünsche sich vom Christkind einen solchen Stuhl, gab es mir einen Stich und vielleicht auch den anderen.

Dann entdeckten sie den Aufzug am Treppengeländer. Der war noch viel toller, die Stühle gerieten darob ins Hintertreffen. Als Christine ihren Weihnachtswunsch entsprechend änderte, mußten wir alle lachen, und niemand schaute mehr betreten drein.

Weihnachten war fast wie immer. Was ich stets so gerne getan hatte, konnte ich auch von meinem Stuhl aus tun: Ich betrachtete aller Augen. Nicht nur die der Kinder, denn sie glänzten nicht allein. Auch die Erwachsenenaugen waren erfüllt von Leuchten, von einem Staunen, das ihr Wissen ihnen nicht nehmen konnte. Ich denke manchmal, wenn man mich fragte, was ich für das Schönste auf der Welt halte, müßte ich sagen: Die Augen der Menschen an Weihnachten.

Ja, es war wie immer. Zuerst feierlich, dann turbulent. Nachdem der Opa die Weihnachtsgeschichte vorgelesen hatte, sagte René sein Gedicht auf vom Christkind, dem Sohn Gottes, dem Erlöser der Welt. Er sollte dabei den Christbaum anschauen, doch seine Augen schweiften immer wieder ab, weil der Kindertisch im rechten Winkel zu ihm stand.

Auch Christine wartete mit dem auf, was die Tante im Kindergarten die Kinder gelehrt hatte. Ihr Gedicht war überraschend lang und handelte auch vom Christkind, dann aber fast mehr noch von Ochs und Esel und dem Stall. Als das Kindlein schlafen sollte, flüsterte sie so leise, daß man sie kaum verstand, und dabei wurde ihr Gesichtchen selbst zu einem Christkindelgesicht, das uns allen die Rührung ins Herz trieb.

Meine Gedanken gingen zurück in die Zeit, in der Christines Vater ebenso unter dem Baum stand, an der gleichen Stelle wie heute seine Kinder, wie er mit demselben Eifer seine Verse sagte, und ich fragte mich, ob es überall so ist, daß Kinder die Feste nach dem Vorbild des Elternhauses feiern. Auch ich habe Weihnachten gestaltet, wie meine Eltern es einst taten, und sie machten es wohl wie ihre Eltern. Wie viele Generationen wie vieler Familien feiern Weihnachten wohl schon so, wie wir alle heute es tun?

Meine Mutter hat sich einmal beklagt, ich zeige gar keine Dankbarkeit – wofür, das habe ich vergessen. Ich war erstaunt und sagte: »Die Eltern tun doch nur ihre Pflicht. Wenn eines Tages die Kinder den Eltern nacheifern, ist das nicht Anerkennung und Dank gleichermaßen?«

Jetzt war es an meiner Mutter, erstaunt zu sein.

»Meinst du?« fragte sie und sah mich zweifelnd an.

Natürlich entwickeln Kinder sich im Lauf der Jahre von den Eltern weg. Dennoch: In manchen Dingen werden sie in ihre Fußstapfen treten. Oftmals sind das nicht die nützlichen, sondern die schönen Dinge. Wie zum Beispiel Weihnachten. Allerdings muß ich zugeben, daß ein spontanes »Dankeschön!« etwas Wunderschönes ist. Heute tut mir leid, daß ich es damals nicht gesagt habe. Man macht so viele Fehler im Leben. Ich hoffe, meine Mutter wußte, daß ich ihr dankbar war, auch wenn ich es ihr an jenem Tag nicht lautstark verkündet habe.

Auch diesmal war das Christkind wieder viel zu üppig, eine Feststellung, die sich jährlich nach der Bescherung wiederholt.

Den Kindern fiel es schwer, sich für etwas zu entscheiden. Den Vogel schoß schließlich das Kasperletheater ab. Die kleinen Hände waren nie zahlreich genug, um all die Leute aus der Kasperlefamilie ins Bild zu bringen. Besonders die kleine Christine benötigte immer noch mehr. Dummerweise ging allen nur zu oft der Stoff aus. Da wurden dann die Erwachsenen zu Hilfe gerufen, und die strapazierten ihr Gehirn, um immer neue Geschichten zu erfinden oder alte Märchen aufzumöbeln, die dann für eine Weile nachgespielt wurden und dabei unzählige Variationen erfuhren.

Am Tag nach Weihnachten kamen auch die anderen »für einen Sprung« zu uns. Nur Felix blieb mit Frau und Kind zu Hause. Seine Frau ist hochschwanger, und es geht ihr nicht besonders. Er wollte ihr die lange Autofahrt nicht zumuten.

Inges Kinder stürzten sich gleich auf den Kaufladen. Er war nicht neu, das Christkind hatte ihn nur aufgefüllt. Ungeahnte Mengen von gelben Zuckererbsen, braunen Schokoladezigaretten und Marzipanmöhren verschwanden in Philipps Mund. Seine Schwester dagegen wollte verkaufen wie eine richtige Geschäftsfrau.

»Mama«, rief sie, »was mußt du zum Mittagessen einkaufen? Ich habe noch fast alles.«

Mama schaute in den Laden und dachte nach.

»Das Wichtigste«, meinte sie, »wären ein paar liebe Kinder. Kann ich die bei Ihnen kaufen?«

Jetzt war es an der Kaufmannsfrau zu überlegen.

»Leider«, erwiderte sie schließlich und legte bedauernd den Kopf zur Seite, »leider sind die gerade ausgegangen.«

So nacheinander, mäßig dosiert, empfanden wir die Besuche von Kindern und Enkelkindern als Freude und waren sehr glücklich miteinander. Doch eines Tages war es wieder still im Haus. Ich war gleichermaßen müde und zufrieden.

Ich saß am Fenster und schaute hinaus. Es hatte geschneit. Früher mochte ich den Schnee nicht sehr. Das Weiß erschien mir leer, ich vermißte das Leben, seine Farben, seine Buntheit. Jetzt ist es anders geworden. Nicht, daß ich die Farben missen möchte, aber das Weiß ist auch zur Farbe geworden. Das heißt, es ist nicht mehr kalt und tot, nein, jetzt breitet es Ruhe aus, einen Frieden, der in die Ferne schweifen läßt, ohne Sehnsucht, ohne Begierde, einfach wunschlos.

Werner läßt der Schnee in keiner Weise wunschlos, im Gegenteil. Kaum ist die erste Schneeflocke vom Himmel gefallen, verfolgt er emsig in der Zeitung die Zentimeterzahlen, die von den Bergen gemeldet werden. Gerade deshalb weiß ich, welches Opfer es für ihn bedeutet, als er mir in diesem Jahr kategorisch erklärt:

»Ich werde nicht Ski fahren.«

Zunächst bin ich sprachlos. Dann aber werde ich ebenso kategorisch.

»Natürlich wirst du fahren.«

Er sieht mich an, überrascht ob meines Tones, dann lächelt er, und ich kann nicht erkennen, was in dem Lächeln überwiegt, die Zärtlichkeit oder das Leid. Seine Hand streicht über mein Haar, er beugt sich über mich und küßt mich.

»Nächstes Jahr vielleicht.«

Ich weiß, daß ich ganz schnell widersprechen muß, damit es impulsiv und glaubwürdig klingt. Aber es ist gar nicht einfach, so in Windeseile eine treffende Antwort zu finden.

»Willst du, daß ich mich schuldig fühle?« Ich weiß, dies ist nicht der richtige Weg, aber es fällt mir nichts anderes ein. Glücklicherweise hat auch er nicht rasch eine hieb- und stichfeste Erklärung bereit.

»Wir haben ausgemacht, daß wir es gemeinsam tragen.«

Ich frohlocke, denn jetzt habe ich wieder Oberwasser.

»Meinst du nicht, es ist einerlei, ob du drunten an deinem Schreibtisch sitzt, während ich Radio höre oder fernsehe oder schreibe oder lese? Kommt dir gar nicht der Gedanke, ich hätte viel mehr Freude, wenn ich dich draußen wüßte, wenn ich mir vorstellen könnte, wie du tobst? Skilift hoch und dann bergab? Wie deine Wangen sich röten vom Wind und der Kälte und deiner inneren Hitze? Dann wirst du heimkommen und nach frischer Luft riechen! Und du wirst so jung aussehen, daß ich nicht glauben kann, daß du schon siebenfacher Großvater bist!«

Da trifft mich wieder ein maßlos überraschter Blick. Dann lacht er mit mir, legt den Kopf zuerst auf die eine, dann auf die andere Seite, doch sagen tut er nichts.

Eine Woche später geht er zum ersten Mal zum Skifahren.

Mittlerweile ist schon fast wieder Frühling, doch er eilt immer noch in jeder freien Minute hinauf in die Berge, besonders in den letzten zwei Wochen. Ich weiß gar nicht, was über ihn gekommen ist. Er hat eine Reise verschoben, er legt Arbeiten von zwei Tagen auf einen Tag zusammen, um einen fürs Skifahren frei zu bekommen. Es ist, als habe er plötzlich den festen Willen, den Gedanken, daß durch meinen Unfall das Leben zu Ende sei, zu widerlegen. Ja, ich glaube, er hat es geschafft, sich von mir als »Last« zu lösen. Ob er ahnt, welche Last er damit auch von meiner Seele genommen hat? Auch in mir keimt jetzt Hoffnung, daß das Leben für uns – für uns beide – wieder beginnt, anders als vorher, doch lebenswert.

Heute abend wird er spät nach Hause kommen. Er hat sich mit Freunden verabredet, und ich weiß, daß es nicht beim Skifahren bleibt. Sie werden anschließend miteinander essen, sie werden ein Glas Wein trinken oder auch zwei, die Zeit wird unbemerkt verrinnen. Mitternacht wird vorüber sein, wenn das Garagentor mit seinem leisen Metallgeräusch seine Heimkehr meldet, wenn er wenig später sachte meine Tür öffnet, um mich nicht zu wecken, falls ich bereits schlafe.

So habe ich Zeit, viel Zeit. Ich sitze am Fenster, wie so oft, schaue in das stille Weiß der Felder, in das Schneegeplänkel der sie umrahmenden Wälder und glaube, das Geglitzer der feinen Eisnadeln zu erspähen, die es bilden. Die Sonne ist schüchtern geworden, sie weiß, bald hat sie hier nichts mehr zu suchen. Matt und müde nimmt sie mit ein paar langen Streifen Abschied von der Seite der Erde, auf der ich sitze und ihr gute Nacht sage. In meinem Schoß liegt das Heft, in das ich so lange nicht mehr geschrieben habe. Ich will es wieder tun, von dieser Nacht an, und ich schließe die Augen, um die Bilder zu rufen. Ich lasse sie durch mein Erinnern ziehen, bis die Frau kommt, um mich für die Nacht zu richten.

Die Gesundheitsapostel

»Wir haben neue Nachbarn bekommen«, sagte Anita eines Tages zu ihrem Mann. »Schau! Sie scheinen fleißige Gärtner zu sein.«

Werner folgte ihren Augen und nickte.

»Ich habe es schon gestern bemerkt. Da waren sie beide mit Eifer dran.« Gemeinsam sahen sie der zarten Frau zu, wie sie, über ein Beet gebeugt, mit einer kurzen Hacke hantierte.

»Macht einen netten Eindruck«, fuhr Anita fort. Wieder nickte Werner.

»Und ist ziemlich jung.«

Im Lauf der kommenden Wochen zeigte sich, daß die Neuankömmlinge wirklich nett waren. Ihr Eifer im Garten ließ nicht nach. Er wurde zusehends freundlicher und gepflegter. Die Beete lagen kerzengerade, brachten Radieschen, Erbsen und Petersilie hervor, die Rabatte leuchteten in den fröhlichsten Farben, und über die Wiese surrte emsig der Rasenmäher.

Auch die Kinder waren nett. Sie hatten alle etwas Ätherisches, eine gewisse Zartheit, man konnte es nicht in Worte fassen. Das kleine Mädchen kam zuweilen herübergesprungen. Es hatte ein

Loch in der Hecke entdeckt und tauchte urplötzlich vor Anita auf.

»Oh, hast du mich aber erschreckt!« scherzte Anita wohl, dann blitzten die Augen auf, und die Grübchen in den Backen machten das Gesicht noch schelmischer.

Als der Sommer die Abende wärmer werden ließ, grüßte man sich durch die Büsche hindurch, und zuweilen kam es zu kleinen Gesprächen.

»Wir sind nicht oft krank«, sagte die junge Frau eines Tages, und es klang, als wolle sie um Verzeihung bitten, weil sie noch nie in der Sprechstunde waren. »Wir leben sehr gesund, verstehen Sie.« Und es stellte sich heraus, daß sie Mitglieder einer Religionsgemeinschaft waren, die das Fleisch verbot. Diesem Verbot zufolge lebten sie vegetarisch, suchten alle Heilmittel in der Natur und waren überzeugt, daß sich alles mit diesen Mitteln heilen lasse.

Eines Tages aber kam die junge Frau herüber und bat Anita um einen Hausbesuch. Der Sohn lag schon fast eine Woche im Bett mit hohem Fieber, und alle Naturmittel hatten es nicht zu senken vermocht.

Anita untersuchte ihn. Er hatte eine Lungenentzündung. Sie war nicht schlimm, wahrscheinlich ein Virusinfekt, aber gerade die sind ja oft sehr hartnäckig.

Als Anita sich anschickte, ein Rezept zu schreiben, sagte die Mutter:

»Bitte, Frau Doktor, nur etwas Natürliches. Ich erzählte Ihnen ja schon, wir halten nichts von chemischen Mitteln.« Sie sagte es schüchtern, fast, als wollte sie um Verzeihung bitten.

Anita war müde. Sie hatte schon viele Hausbesuche gemacht, denn es grassierte in der Gegend eine Sommergrippe. Sie wäre so gerne nach Hause gegangen. Aber es ist merkwürdig: Gerade wenn man müde ist, steht man so schwer auf. Man bleibt sitzen, man redet und wird immer müder. So ließ sich Anita auf einen kleinen Schwatz ein. Das heißt, eigentlich redete nur sie.

»Nun stellen Sie sich einmal vor, Frau Pillan, Sie gehen in den Wald und essen eine Handvoll Tollkirschen. Das ist reine Natur. Was geschieht? Sie sterben. «

»Aber wer tut schon so etwas! Tollkirschen essen!« Frau Pillan konnte es nicht fassen.

»Richtig«, erwiderte Anita. »Man ißt sie nicht. Dennoch kann der Stoff viele Menschen heilen – in ganz kleinen Dosen natürlich...«

»Es ist eben ein natürlicher Stoff«, meinte Frau Pillan, nun wieder mit der Welt zufrieden. Doch Anita fuhr fort:

»Es ist ein Stoff, den die Natur in der Tollkirsche herstellt, die chemische Fabrik aber in der Retorte. Die Substanz ist in beiden Fällen die gleiche, ihre Wirkung auch: Kleine Mengen heilen, große aber töten. Weshalb also die Fabrik verdammen? Noch deutlicher ist es beim Fingerhut. Er liefert eines unserer besten Herzmittel. Dieses Digitalis hat schon Millionen Menschen das Leben gerettet. Man benötigt riesige Mengen davon. Können wir deshalb die ganze Welt in ein Feld von Fingerhutpflanzen verwandeln? Nein, und deshalb stellt man das Digitalis in der Fabrik her. Es hilft genauso wie das pflanzliche, warum also sollte es schlecht sein?«

»Ich weiß nicht, Frau Doktor, ich kann es nicht recht glauben. «

»Und das Penizillin? Wie viele Kranke hat es schon geheilt? Wissen Sie, was es ist? Das Abfallprodukt eines Pilzes. Haben Sie etwas gegen Pilze? Nein, weil es Natur ist. Mittlerweile ist es aber gelungen, diesen Stoff und noch andere ähnliche, die weit stärker heilend wirken, in der Fabrik herzustellen. Die aber lehnen Sie ab, nur weil sie, wie Sie sagen, keine Natur mehr sind?«

Frau Pillan lächelte sanft und schwieg, nicht eben überzeugt. Das ärgerte Anita. Sie war müde und daher reizbarer als sonst.

»Weshalb haben Sie mich überhaupt geholt?« fragte sie.

»Wenn Sie Natur lieben, geben Sie dem Jungen Lindenblütentee und lassen Sie ihn schwitzen. Das Rezept lasse ich hier, falls Sie es sich überlegen. «

Der Junge wurde gesund. Ob mit Lindenblütentee oder dem verschriebenen Saft? Anita erfuhr es nie.

Eine Woche später aber wurde sie erneut gerufen. Die Mutter hatte sich wohl an dem Kleinen angesteckt.

Sie zog das Nachthemd aus, und Anita wollte gerade mit der Untersuchung beginnen, als Frau Pillan auf die Brust deutete und sagte:

»Schauen sie doch bitte mal, was ich da habe. Es muß jetzt erst gekommen sein, ich glaube nicht, daß ich es früher schon hatte. «

Anita tastete einen kleinen Knoten, kaum größer als eine Bohne.

»Tut er weh?« fragte sie.

»Gar nicht«, versicherte Frau Pillan. »Ich habe ihn ganz zufällig entdeckt. «

Anita schob ihn hin und her. Er ließ sich gut bewegen.

»Er sieht harmlos aus«, meinte sie dann. »Immerhin, man muß ihn untersuchen. Sobald Sie wieder gesund sind, schicke ich Sie zur Mammographie. «

»Mammo – was ist das?« fragte Frau Pillan.

Mein Gott, dachte Anita, sie weiß nicht einmal, was eine Mammographie ist! Daß es so etwas heutzutage noch gibt! Und sie erklärte es ihr. Frau Pillan versprach zu kommen.

Aber sie kam nicht. Erst nachdem Anita sie im Garten darauf angesprochen und ernstlich ermahnt hatte, erschien sie eines Tages und holte einen Überweisungsschein für den Facharzt. Doch auch dann ging sie nicht gleich. Sie ließ mehrere Wochen verstreichen, ehe sie den Weg in die Stadt antrat, wo der Arzt seine Praxis hatte.

Zwei Tage später hielt Anita den Bericht in der Hand: Es war ein Krebsknoten.

Anita erschrak. Die Frau war so jung. In ihrem Alter wächst ein Krebs noch rasant. Wie sollte sie es ihr sagen? Wie wird sie es aufnehmen, zart und sensibel, wie sie ist? Wäre es nicht besser, zuerst mit dem Ehemann zu reden? Er kennt seine Frau am besten, weiß, wie er sie behandeln muß. Überhaupt sollte wohl der Mann zunächst seinen Schrecken verarbeiten. Auch er war ja so weich, fast wie ein Mädchen.

Vielleicht treffe ich ihn auf der Straße, dachte Anita. Und sie paßte auf.

Doch sie sah ihn nie und nach ein paar Tagen konnte sie keine Zeit mehr verlieren. So entschloß sie sich, in den anderen Garten hinüberzurufen:

»Sie müssen unbedingt zu mir kommen, Frau Pillan! Wir müssen über den Bericht des Facharztes sprechen!«

Frau Pillan errötete ein wenig und lächelte.

»Ach Gott, ja! Seien Sie nicht böse, aber ich habe einfach die Zeit nicht gefunden. Es wird ja nichts Besonderes sein?«

»Es ist ernster, als Sie denken«, erwiderte Anita. »Wir müssen unbedingt darüber reden.« Sie konnte ihr doch nicht über den Zaun zurufen, sie habe Krebs.

Wieder dauerte es Tage, bis Frau Pillan kam.

Anita blieb nichts anderes übrig, als ihr das Ergebnis mitzuteilen. Auf Frau Pillans Gesicht breitete sich ungläubiges Staunen aus. Dann erschien wieder jenes sanfte Lächeln, das ihr Gesicht so liebenswert und ihr Gegenüber so machtlos machte.

»Das kann ich gar nicht glauben. O bitte, seien Sie nicht böse, ich will Sie wirklich nicht kränken. Aber denken Sie doch, bei unserer gesunden Lebensweise! Wir essen keine Tierprodukte, wir essen keine Chemie! Wie sollte sich da etwas Böses bilden?« Sie schüttelte, immer noch lächelnd, den Kopf.

Anita nahm sich viel Zeit. Sie bat, warnte, drohte. Aber alles, was sie erreichte, war, daß Frau Pillan die Sache mit ihrem Mann besprechen wollte.

»Schicken Sie Ihren Mann zu mir«, bat Anita. »Damit ich es ihm erklären kann.« Aber sie erhielt keine Zusage.

Es vergingen Tage und sogar Wochen. Anita hörte nichts von

ihr. Gerade nahm sie sich vor, hinüberzugehen, da sah sie Herrn Pillan im Garten, wie er über ein Beet gebeugt die schüchternen Versuche eines Pflänzchens begrüßte. Schnell eilte sie zu ihm hinüber.

Als er sie kommen sah, richtete er sich auf und kam ihr freundlich entgegen.

»Grüß Sie Gott, Herr Pillan! Ich muß zu Ihnen kommen, denn Ihre Frau kommt nicht zu mir. Hat sie überhaupt mit Ihnen gesprochen?«

»Wegen des Knotens in der Brust?«

»Ja.«

»Natürlich hat sie das getan. Aber so schlimm scheint es ja nicht zu sein.«

»Und ob es schlimm ist! Hat sie Ihnen nicht gesagt, was der Facharzt festgestellt hat?«

»Daß es Krebs ist? Ja, das hat sie gesagt. Aber das kriegen wir schon wieder hin. Der Knoten ist schon viel kleiner geworden. Wir haben gute Säfte gekauft, die trinkt sie jetzt täglich, außerdem macht sie eine Gelbe-Rüben-Kur. Wie gesagt, er ist schon viel kleiner geworden.«

Anita starrte den Mann an. Konnte ein Mensch wirklich so naiv sein?

»Aber das ist doch unmöglich!« Sie schrie es fast. Doch auch das brachte ihn nicht aus der Fassung.

»Weshalb wollen Sie mir nicht glauben?« Sein Lächeln war sanft wie das seiner Frau. Es ist schwer, ihn hart zu behandeln.

»Weil ein Krebs nicht mit Karottensaft zu heilen ist! Ich muß es Ihnen ganz deutlich sagen, Herr Pillan: Wenn Ihre Frau nicht operiert wird, muß sie sterben.«

Aber nicht einmal diese brutalen Worte konnten das Lächeln aus seinem Gesicht vertreiben.

»Machen Sie sich keine Sorgen, Frau Doktor. Wir werden es schon schaffen.«

War das nicht grotesk? Wie oft mußte sie die Patienten beruhigen, ihnen Mut zusprechen, und nun versuchte dieser Mann die Ärztin zu beruhigen!

Unverrichteter Dinge ging Anita von ihm fort.

Die Wochen gingen dahin. Sie begegneten sich auf der Straße, an der gemeinsamen Gartenhecke. Sie grüßten sich gut nachbarlich, doch über die Krankheit wurde nicht gesprochen.

Es war schon Herbst, als Frau Pillan eines Tages vor Anita stehenblieb und sie ansprach.

»Nun ist alles gut geworden, Frau Doktor. Der Knoten ist fast verschwunden.«

»Das wäre ein Wunder«, sagte Anita kopfschüttelnd. »Oder der Spezialist hat sich in der Diagnose geirrt.«

»Dann lieber das Wunder«, lächelte Frau Pillan. »Warum auch nicht? Wir haben den Krebs geheilt. Da staunen Sie, gelt? Wenn Sie nur glauben wollten, was die Natur alles vermag! Nur sie kann wahre Wunder vollbringen. Hätten Sie nicht einmal eine Stunde oder zwei Zeit? Ich möchte Sie und Ihren Mann so gerne einmal einladen und Ihnen zeigen, welch schöne und schmackhafte Gerichte man machen kann ohne Fleisch und Eier.« Und dabei immer das entwaffnende Lächeln.

»Sie scheinen schlanker geworden zu sein. Haben Sie an Gewicht abgenommen?«

»Vielleicht ein bißchen. Wissen Sie, ich habe so viel Arbeit. Die Kinder, der Haushalt und der Garten. Der Garten ist groß, mein Mann will alles schön ordentlich haben. Können Sie von Ihrem Fenster aus sehen, wie liebevoll er alles pflegt?«

Anita konnte sich nicht an dem schönen Garten weiden.

»Kommen Sie bitte in den nächsten Tagen zu mir. Lassen Sie mich Ihre Brust abtasten. Nur sicherheitshalber.«

»Aber Frau Doktor, ich lüge Sie doch nicht an!« Sie sagte es nicht etwa beleidigt, aber sie kam nicht.

Wieder gingen ein paar Wochen ins Land. Im Spätherbst machten Anita und ihr Mann nach vielen Jahren wieder einmal Urlaub ohne Kinder.

Als sie zurückkam, erhielt sie den Anruf eines Kollegen: »Ihre Patientin Frau Pillan mußte ich ins Krankenhaus stecken. Sie ist plötzlich kollabiert, war völlig anaemisch. Dazu ein großer Knoten in der Brust, Axillardrüsen verhärtet. Muß schon länger bestehen. Na ja, in diesem jugendlichen Alter wächst das Zeug ja wie verrückt. «

»Also doch!« murmelte Anita, nachdem sie den Hörer aufgelegt hatte. In den nächsten Tagen erzählten Patienten, sie sei operiert worden, es gehe ihr aber schlecht.

Am liebsten wäre sie hinübergeeilt und hätte dem Mann zugerufen: » Sehen Sie, jetzt ist es soweit! «

Aber sie tat es nicht. Er war genug bestraft und tat ihr bereits leid. Auch bemerkte sie, als sie ihm an einem der nächsten Abende auf der Straße begegnete, daß er es vermied, sie anzusehen, ja, er grüßte nicht einmal. Er konnte es wohl nicht, und sie nahm es ihm nicht übel.

Kurz vor Weihnachten stand die Nachricht von ihrem Tod in der Zeitung.

Lange Zeit trug sich Anita mit der Absicht, dem Mann zu schreiben. Daß er doch jetzt einsehen müsse, wie haltlos die Theorie von der allesvermögenden Natur sei, wie unsinnig es sei, einen Krebs mit Säften heilen zu wollen. Daß er seine Kinder vor einem ähnlichen Irrtum bewahren solle. Aber sie verschob es immer wieder. Hatte er seinen Glauben nicht teuer genug bezahlt? Mußte er seinen Fehler nicht einsehen? Und wenn nicht, was sollten dann ein paar beschwörende Worte von ihr?

So blieb der Brief ungeschrieben.

Es ist eine merkwürdige Sache um Glauben und Schicksal des Menschen. Auch die Vernunft stammt schließlich von Gott.

Die Millionärin

Bis heute kannte Anita sie nur vom Hörensagen. Aber jetzt sollte sie sie kennenlernen. Als soeben das Telefon läutete, verlangte der Sohn einen sofortigen Besuch.

»Sofort! Natürlich sofort!« Sie schleuderte Werner die Worte ins Gesicht, als sei er der Schuldige. »Millionäre werden sofort bedient! Sie erwarten das, es ist selbstverständlich! Und wir Idioten beeilen uns, diese Erwartung zu erfüllen!«

Möglichst langsam zog sie ihren Mantel an. Vielleicht meldete sich das Telefon noch einmal. Ausgeschlossen wäre es nicht, denn sie hatte Sonntagsdienst. Vielleicht wäre der neue Ruf dringender. »Tut mir leid«, könnte sie dann sagen, »der Herzanfall ging Ihren Millionen vor.«

Aber das Telefon blieb stumm und ihr blieb nichts anderes übrig, als ins Auto zu steigen und loszufahren. An der Tür mußte sie klingeln und dann eine ganze Weile warten. Hätten sie nicht vorher aufmachen können, wenn es schon so dringend war? Eine junge Frau öffnete. Vielleicht war es auch ein Mädchen.

»Sind Sie Frau Doktor?«

»Ja.«

»Entschuldigen Sie, daß ich Sie warten ließ.« Sie sagte es freundlich, gab aber keine weitere Erklärung. Von drinnen hörte man ein Schnaufen und dazwischen vereinzelt Stöhnen. Sie traten ins Zimmer.

Die Kranke war eine ältere Frau. Weißer als eine getünchte Wand lag sie da und jagte Unmengen Luft in mächtigen Stößen durch ihre Lungen. Ihr Körper zuckte und schüttelte, desgleichen die Arme mit verkrampften Händen.

»Hat sie das öfter?« fragte Anita die junge Frau. Die schüttelte den Kopf.

»Noch nie hat sie das gehabt.«

Es sah wie eine echte Tetanie aus. Aber in so fortgeschrittenem Alter zum ersten Mal? Das war unwahrscheinlich. Dennoch öffnete Anita eine Kalzium-Ampulle und richtete die Spritze. Bei der echten Tetanie ist es das Mittel der Wahl, bei einer Hyperventilationstetanie wirkt es meist auch beruhigend.

Langsam spritzte sie das Mittel in die Vene. Die junge Frau sah aufmerksam zu.

»Die Mutter hat oft Asthma«, sagte sie unvermittelt.

»Wer ist die Mutter?«

»Das ist sie doch!« Und sie lachte dabei.

»Das ist wessen Mutter?«

»Na meine natürlich!« Sie lachte wieder, ein freundliches, wenn nicht gar liebes Lachen.

»So«, erwiderte Anita, mehr nicht. Sie hatte sie für das Dienstmädchen gehalten.

Als sie mit dem Spritzen fertig war, richtete Anita sich auf.

»Das hier hat nichts mit Asthma zu tun«, erklärte sie der Tochter. Allmählich wurde die Atmung ruhiger. Die verkrampften Hände lösten sich und sanken auf die Bettdecke.

Plötzlich fängt die Frau an zu weinen. Sie hat wohl auch vorher schon geweint, denn ihre Augen sind ziemlich gerötet.

»Was ist eigentlich geschehen?« Anita hört selbst, wie barsch ihr Ton ist, aber so schnell kann sie ihn nicht ablegen. Alles sieht nach einem hysterischen Anfall aus, und sie wird dafür durch die Gegend gejagt!

»Sie hat sich furchtbar aufgeregt.« Da kommt es schon aus dem Mund der Tochter. Da haben wir's! Also hysterisch! Bei Millionären werden zu Aufregungen Doktoren bemüht.

Da beginnt die Patientin zu sprechen, langsam, ein wenig stockend:

»Es war gerade so, als krampfe sich mein ganzes Herz zusammen. Dann habe ich auf einmal keine Luft mehr bekommen.«

»Seien Sie beruhigt.« Unüberhörbar klingt der Spott aus Anitas Worten. »Ihr Herz tut noch lange. Und Luft hatten Sie mehr als genug. Sie hätten hören sollen, wie Sie sie reingejagt und wieder ausgepustet haben.«

217

»Aber ich bin herzkrank!« Auch der Ton der Patientin hat jetzt eine gewisse Schärfe. Sie vergißt das Weinen. »Geh, Veronika, hole meine Medikamente.«

Die Tochter geht und kehrt gleich darauf mit einer Unmenge Schachteln zurück.

»Was?« ruft Anita. »Diese Sachen nehmen Sie alle? Sie sind ja nicht bei Trost! Wenn Sie *das* nicht mehr lange aushalten, kann ich es verstehen!«

»Wie können Sie so etwas sagen? Sie kennen mich ja gar nicht!«

»Ich habe Sie heute kennengelernt, aber das reicht. Kaufen Sie sich ruhig Medikamente, am besten die allerteuersten! Das Geld wird Ihnen nicht ausgehen, aber eines Tages die Puste!«

»Ich kaufe mir keine Medikamente, ich lasse sie mir verschreiben.« Sie spricht die Worte langsam und betont, und jedes ist ein deutlicher Verweis gegen Anitas Gebaren. Zähneknirschend muß sie zugeben, daß die Frau eine gewisse Würde bewahrt. »Dieses zum Beispiel, fürs Herz, habe ich von Herrn Professor Liebel. Das da auch. Und dieses hier hat mir Herr Professor Heller gegen mein Asthma verordnet. Und das...«

So nimmt sie jede Schachtel und hält sie Anita vors Gesicht. Sie mögen einander nicht, sie spüren es beide und machen keinen Hehl daraus.

Als sie mit dem Aufzählen fertig ist, lacht Anita auf.

»Haben Sie nicht noch ein paar Professoren vergessen? Aber ich habe anderes zu tun, als mit Ihnen über Professoren zu diskutieren. Sie sind für heute kuriert, ich kann also gehen. Morgen wenden Sie sich dann wieder an Ihre Koryphäen.«

Draußen an der Tür sagte sie zur Tochter:

»Die Hauptkrankheit Ihrer Mutter ist wohl ihr Geld.«

Die Tochter gab keine Antwort.

Der Sonntagsdienst war anstrengend. Sie mußte viele Besuche machen, denn wieder mal gab es eine Grippe. Erst spät am

Abend kam sie dazu, eine Tasse Tee zu trinken. Sie tat es schweigend.

»Müde?« fragte Werner. Sie brummte Unverständliches.

»Was ist?«

»Ich ärgere mich.«

»Ärgerst *du* dich, oder hat *dich* jemand geärgert?«

»Wenn ich sage, ich ärgere mich, dann hat niemand *mich* geärgert, sondern *ich* ärgere *mich*.«

»Entschuldige.« Er verschwindet hinter der Zeitung. Nach einer Weile sagte sie:

»Ich muß mich entschuldigen. Ich bin nervös.«

Er blieb ruhig.

»Verständlich nach diesem Tag.« Mehr sagte er nicht.

»Es ist nicht die Anstrengung. Ich habe mich dumm benommen.«

»Das kommt vor. Erzähle, dann bist du's los.«

»Heute morgen riefen sie mich zu der alten Frau Zelters. Du weißt, diese Millionärsleute.«

»Ja. Und?«

»Ich habe sie angeschnauzt wie ein Pferdekutscher, dem man sein Bier nimmt.«

»Vergleiche hast du!« sagte er und lachte. »Wie kommst du auf Pferdekutscher?«

»Ist doch egal. Jedenfalls haben sie gerufen, ich soll sofort kommen. Sofort, weißt du! Als ob es selbstverständlich wäre, daß Zelters sofort zu bedienen sind.«

»War es denn so dringend?«

»Ja und nein. Sie hatte eine Hyperventilationstetanie.«

»Phantastisches Wort! Wie viele Buchstaben hat es?«

»Spötter! Sie hatte sich aufgeregt, deshalb geschnauft wie ein Roß und dadurch Krämpfe gekriegt.«

»Und alle sind erschrocken und haben ›schnell‹ gerufen.«

»Genau.«

»Hätten andere Patienten das nicht getan?«

»Das ist es ja: Natürlich hätten sie es getan! So ein Anfall sieht immer zum Fürchten aus. «

»Und jetzt ärgerst du dich. «

»Eben. «

Sie schwiegen eine Weile. Anita starrte auf ihre Teetasse und Werner auf Anita. Dann schreckte er sie mit seiner Frage aus ihren Gedanken auf:

»Warum hast du dich so benommen? «

Sie starrte einen Augenblick ihren Mann an, dann stieß sie ein Lachen aus.

»Eigentlich ist Frau Lorcher schuld. «

»Was hat denn die damit zu tun? «

»Nichts, außer daß sie vorgestern im Metzgerladen erschien. Wir standen alle brav in einer Reihe, fünf oder sechs Frauen, und warteten, bis wir drankamen. Da schneite Frau Lorcher herein, stolzierte wie ein Pfau zur Theke, suchte Fleisch aus, verlangte dies und das, und wir anderen mußten warten, bis die Gnädige ihre Wahl getroffen hatte. Die Metzgersfrau kroch ihr vor Freundlichkeit in den Popo. Erst als sie verschwunden war, wurden wir überhaupt wieder existent. «

»Aber die Lorcher ist doch bekannt für ihre Exaltiertheit und ihre Einbildung auf das Geld ihres Mannes. «

»Das weiß ich. Aber daß alle es sich gefallen lassen! «

»Hast du es dir nicht gef... «

»Das ist es ja! Ich ärgere mich über mich selbst. Und als jetzt noch die Zelters anriefen, ich solle sofort kommen, da... «

»Hast du deine Wut an ihnen ausgelassen. «

»Genau. «

Werner lachte.

»So etwas nennt man Sippenhaft. «

»Eher Standeshaft. Aber es ist gleichermaßen idiotisch. «

»Leider muß ich gestehen, daß du recht hast. «

Eine Weile herrschte Schweigen. Werner fing als erster wieder zu reden an.

» Sie werden es überleben «, meinte er lakonisch.

Seine Worte ärgerten Anita erneut.

» Natürlich werden sie das. Aber ich habe mich ins Unrecht gesetzt, und das – das ärgert mich maßlos. «

Nach ein paar Minuten:

» Ob ich mich bei ihr entschuldige? «

» Würde ich nicht tun, sie hielten es nur für Speichelleckerei. «

» Aber ich bin im Unrecht. Du weißt, das ertrage ich nicht. «

» Mach dir nicht so viele Sorgen, Liebes. Die haben das morgen längst vergessen. Die denken schon heute nicht mehr an dich. «

Aber das war ein Irrtum.

» Diese Doktorin hat mir gegenüber einen Ton angeschlagen, der war nicht nur frech, der war schon unverschämt «, sagte Frau Zelters zu ihrem Mann.

» Warum hast du ihr's nicht auch gegeben? Du bist doch sonst nicht auf den Mund gefallen. «

» Wie sollte ich? Als sie hier war, war ich zu nichts fähig. «

» Weshalb warst du auch so aus dem Häuschen? Bloß wegen der bösen Luise. «

» Sie ist immerhin meine Schwester. Aber ich möchte ihr so gerne eines auswischen. Der Doktorin, meine ich. Ich möchte ihr einen Denkzettel verpassen, daß man so mit mir nicht umgeht. «

» Rufe sie wieder einmal, sei charmant und beschäme sie. «

» Gute Idee. Aber es muß mir schlecht gehen. Ohne Aufregung natürlich. Sie soll mich nicht für hysterisch halten. Wenn ich nur wüßte, wie... «

» Es wird dir schon etwas einfallen «, sagte der Mann und gähnte.

Ihr fiel etwas ein.

Einige Tage später läutete bei Anita das Telefon: Frau Doktor möchte bitte zu Frau Zelters kommen.

Sie fuhr hin. Mit Herzklopfen. Würde sie den richtigen Ton

finden? Nicht devot, aber freundlich? Und unbefangen! Ganz
unbefangen!

Frau Zelters lag wieder im Bett. Mit müdem Lächeln begrüßte
sie die Ärztin.

»Gottlob kein Anfall wie neulich. Nein, aber das Herz macht
mir zu schaffen. Mir fehlt die Luft...«

In der Tat, ihr Atem war kurz, ihre Lippen violett, und am Hals
pumpte unregelmäßig die Arterie.

»Veronika«, wandte sie sich an die Tochter, »geh und bring
den Bericht von Professor Liebel. Frau Doktor soll ihn durch-
lesen. Das letzte EKG liegt meines Wissens auch dabei.«

In dem Bericht war die Rede von einem schweren kombinier-
ten Herzfehler mit Vergrößerung des Herzens, Stauungen in
der Lunge, in der Leber und den Nieren. Das EKG lag dabei.
Anita erschrak, als sie es betrachtete. Sie sah von dem Blatt zu
der Frau, die ruhig lag, zu ihr aufblickte und wartete.

Sie ist schwer krank, dachte sie, wirklich schwer krank. Und
ich hielt sie für hysterisch! Sie legte die Papiere zur Seite, beugte
sich über die Frau und hörte das Herz ab. Starke Geräusche
bestätigten den Herzfehler im fortgeschrittenen Stadium. Dazu
waren die Töne unregelmäßig. Es klang wie ein Bigeminus.
Sie richtete sich auf, betrachtete erneut das EKG. Nein, dort
war von einem Bigeminus nichts zu sehen, dort war der Puls
regelmäßig.

»Kann ich noch einmal die Tabletten sehen, die Sie mir neulich
zeigten?« Sie sagte es zur Tochter, und die eilte auch gleich und
kam mit dem Berg Schachteln zurück. Mit einem Griff holte
Anita die Herzmittel heraus.

»Wie viele nehmen Sie von diesen hier?«

»Normalerweise zwei«, antwortete Frau Zelters. »Aber in den
letzten Tagen habe ich mehr genommen, weil ich so viele Aufregungen hatte.«

»Da haben wir's.« Anita verbiß sich einen Tadel. »Das war
zuviel. Sie haben Vergiftungserscheinungen durch die zu hohe

Digitalismenge. Diese Tabletten werden ab sofort nicht mehr genommen. Haben Sie gehört? Sie sind streng verboten. Vorläufig zumindest. « Den letzten Satz fügte sie hinzu, weil sie sah, daß Frau Zelters ein » Aber « auf den Lippen hatte.

Während sie die Schachtel der Tochter zurückgab, fiel ihr etwas ein.

» Wer ist eigentlich Ihr Hausarzt? «

» Ich habe keinen Hausarzt. «

Ungläubig blickte Anita auf sie nieder.

» Mit diesen Krankheiten keinen Hausarzt? «

» Ich sagte Ihnen schon, Herr Professor Liebel hat mir die Medikamente verschrieben. «

» Aber Sie brauchen doch regelmäßige Kontrollen! Diese Tabletten sind keine Bonbons! «

» Deshalb habe ich Sie heute gerufen. Könnten Sie eine gewisse Kontrolle übernehmen? Dann bräuchte ich nicht immer in die Stadt zu fahren. «

Wieder sah Anita sie mißtrauisch an, die Millionärin, die heute weder hysterische noch Millionärsallüren zeigte. Sollte sie wirklich keinen Hausarzt haben? Wollte sie sich in der Tat ihr an Stelle der diversen Professoren anvertrauen? Warum plötzlich diese Wende? Das Herz mußte auf jeden Fall beobachtet werden, allein schon, um den Zeitpunkt festzustellen, an dem das Medikament wieder einzusetzen war.

» Ich werde also morgen wieder nach Ihnen sehen – oder vielmehr nach Ihrem Herzen. « Das letztere sagte sie mit einem kleinen Lächeln, das von der Patientin erwidert wurde.

Am Abend sagte sie mit einiger Zufriedenheit zu Werner:

» Nun bin ich mein schlechtes Gewissen wieder los. Übrigens, so eingebildet ist die Frau gar nicht. Jedenfalls kein Vergleich mit der Lorcher. «

Frau Zelters aber sagte ihrerseits:

» Ich habe die Doktorin ziemlich auf den Boden gekriegt. Übrigens, so übel ist sie gar nicht. «

Ein Jahr später hätte niemand sagen können, wie es gekommen war, aber es war einfach so geworden, daß Frau Zelters am Freitag gegen Abend – wo immer sie gerade sein mochte – sagte:

»Ich muß jetzt nach Hause, meine Ärztin wird bald kommen.«

Und Anita hätte kein ruhiges Wochenende gehabt, wenn sie nicht bei Frau Zelters rasch »nach dem Rechten« geschaut hätte.

»Sie ist eine prächtige Frau«, konnte sie zu ihrem Mann sagen, »keine Spur von Snobismus, keine Einbildung auf die Millionen.«

Frau Zelters aber sagte: »So etwas Liebes, nein, so etwas Liebes wie diese Frau Doktor!«

Als ein weiteres Jahr vergangen war, duzten sie sich.

»Weißt du noch, wie du mich zum ersten Mal besucht hast?«

»Und ob ich das weiß!«

»Du warst ganz schön grob zu mir.«

»Und du hysterisch.«

»Hast du mittlerweile erkannt, daß ich nicht hysterisch bin?«

»Und du weißt hoffentlich, daß ich kein Grobian bin.«

Und noch ein bißchen später:

»Ich möchte dich etwas fragen.«

»Was ist? Mach's nicht so spannend!«

»Darf ich dich meine Freundin nennen?«

»Unter einer Bedingung.«

»Ja?«

»Daß du auch die meine bist.«

Dann überkam sie das weitgehend weibliche Bedürfnis, sich innig zu umarmen.

Ja, die gute Trude Zelters. Sie ist es auch, die sich jetzt am häufigsten um mich kümmert. Sie setzt sich neben mich, berichtet über alles, was sich in der Gegend so tut und füttert mich mit Süßigkeiten, von denen sie weiß, daß ich sie für mein Leben gern esse. Nachher darf ich dann nichts mehr zu Abend essen, denn in meiner Lage wäre das Dickwerden das allerschlimmste. Sie hat auch schon ihren Chauffeur angeschleppt, der mußte mich in den Wagen heben, und wir fuhren ins Grüne, an den See oder ans Hungerbrünnlein, das sie so liebt und das auch in nicht hungrigen Jahren mit seinem Wasser nicht geizt. Zuweilen liest sie mir aus ihrem neuesten Büchlein vor. Sie macht bezaubernde Gedichte, über die Natur, über die Familie und oft über den Tod oder die Schwere des Lebens. Aber sie tut es nicht schwer, sondern mit einer anmutigen Selbstverständlichkeit, wie es nur Menschen vermögen, die dem Tod schon oft ins Auge geschaut haben. Mindestens einmal jährlich wird sie mit Blaulicht ins Krankenhaus gefahren, aber sie erholt sich stets so rasch, daß alle darüber staunen. Alles an ihr ist Energie, das ist wohl der Grund für ihre unverwüstliche Lebenskraft. Ihre Schulkameradinnen nannten sie »Loki«, und die Loki ist sie ihr Leben lang geblieben, eine starke Lokomotive, die jeden Bahnhof erreicht, den sie anvisiert. Sie heiratete auf den Tag an ihrem achtzehnten Geburtstag. Vater und Mutter waren alles andere als begeistert, doch was sollte das schon heißen? Loki hatte den Tag bestimmt, also fand die Hochzeit statt. Aus diesem Ehebahnhof brach sie bis zum heutigen Tag nicht aus, und niemand zweifelt daran, daß es so auch bleiben wird, denn sie ist mittlerweile sechzig Jahre alt. Nicht, daß der Mann, den sie auserwählt hatte, reich gewesen wäre oder schön! Nein, er war beides nicht. Aber gleich ihr beseelte ihn eine unbändige Unternehmungslust. Er war das, was man einen Bastler nennt, oder auch einen »Tüftler«. Oft baute er tagelang an einem kleinen Ding, einer Maschine oder irgendso einer eigenen Erfindung. Anfangs funktionierte das Ding nie, dann geriet er in Wut und warf den ganzen Kram zum Fenster hinaus. Jetzt aber zeigte sich seine beste Eigenschaft: Kurze Zeit später ging er hinab auf die Straße, sammelte alles fein säuberlich zusammen, trug es in sein Zimmer zurück und begann von neuem. Und siehe, eines Tages gelang der große Treffer. Er entwickelte eine Maschine, die über die ganze Welt ging. Jetzt wuchs eine Fabrik nach der anderen aus dem Boden, und mit ihnen kam der Reichtum, und der Name Zelters wurde ein Begriff. Immer aber betonte er, daß er das alles nur leisten konnte, weil seine Trude ihm zur Seite stand, ihn anfeuerte und bewunderte, ihn tröstete und ermunterte, wie der Augenblick es erforderte. Sie hatte eben immer das rechte »Gespür«! Bald war sie weniger die Loki, man nannte sie den »Chef«. Sogar ihr Mann nannte sie so, und sie lachte und war's zufrieden. Nun sind sie beide alt, die Kinder haben das Werk des Vaters – nein, der Eltern – übernommen und auch sie haben das Streben im Blut. Der Hochmut aber, die Eitelkeit der Überheblichen, die sind ihnen fremd geblieben.

» Wir müssen so dankbar sein, denn es ist uns niemals schlecht gegangen«, sagt der alte Mann am Ende jeder seiner Erinnerungsgeschichten, und seine Augen strahlen dabei.

Ich schreibe das alles nicht, um mich mit meiner Freundschaft zu diesen Menschen zu brüsten, sondern um ihnen Abbitte zu tun. Nie zuvor hatte ich mit derart reichen Menschen zu tun gehabt. Ich muß gestehen, daß meine Vorstellung von ihnen mehr zu dem Gebaren der Frau Lorcher gepaßt hat. (Manchmal überlege ich mir, wie Frau Lorcher sich wohl heute benimmt, denn die Fabrik ihres Mannes ist bankrott!)

✳

Heute hält Werner es lange bei seinen Freunden aus. Mitternacht ist schon vorüber, längst hat die Uhr auf meinem Schreibtisch ihre zwölf hellen Töne durch das Zimmer geschwungen und ist wieder zu einem und zweien zurückgekehrt. Ich habe ein wenig geträumt und mich dabei ausgeruht, was zur Folge hat, daß ich in keiner Weise mehr müde bin. Ich möchte noch ein wenig schreiben, zum Beispiel die Geschichte mit dem jungen Pfarrer, die mich anfangs so erschreckte und die sich nachher so friedlich und sogar beglückend gelöst hat. Oder die Sache mit dem ungleichen Schwesternpaar – ich will sie nicht mit den ungleichen Schwestern im Märchen vergleichen, denn keine von ihnen war wirklich schlecht. Auch ein paar Erlebnisse, die mich heute noch bewegen, die zu verarbeiten mir noch immer nicht gelingen will. Doch der Abend war mild, die Nacht ist weich, ich glaube sie flüstern zu hören oder raunen, sie liegt so leicht auf meinem Körper, sie schaukelt ihn sacht in lächelndem Rhythmus, und ich lächle mit, mit dem Rhythmus, mit der Nacht, mit der Lieblichkeit, die sie mir schenkt. Ein Buch öffnet sich freundlich in meiner Erinnerung, ein Buch meiner Kindheit. »Das Sonntagskind« hieß der Titel, und Mutter und Vater mußten es mir immer wieder vorlesen. »Weißt du, was ein Sonntagskind ist? Bist du vielleicht selber eins?« Das waren die ersten beiden Sätze. Weiter weiß ich nichts mehr, nicht ein einziges Wort. Doch kenne ich noch die Bilder. Sie stehen vor meinen Augen, als hätte ich sie vor wenigen Minuten gesehen. Das Sonntagskind sah Engel im Himmel und kleine putzige Zwerge auf der Erde und überhaupt lauter Dinge, die anderen Kindern verborgen blieben. Am schönsten aber war das Bild der Elfen! Sie tanzten und schwebten geheimnisvoll durch Büsche mit goldenen Blättern, auch ihre Gewänder wallten und schwebten golden, und man mußte genau schauen, daß man sie erkannte in all dem Traum von Zartheit und Gold. Und so, wie einst das Bild die Kinderseele füllte mit Staunen und Glück, so erfüllt es heute meine lange Nacht mit Frieden und Dankbarkeit für so vieles Schöne, das das Leben mir gegeben hat, das ich bewahren will wie ein köstliches Gut, solange ich lebe. Und jetzt weiß ich auch, was ich schreiben will.

Ein Opfer der Wissenschaft

Die Frau rief am späten Abend an, ihr Mann habe hohes Fieber. »Es könnte doch eine Lungenentzündung sein«, sagte sie gleichsam entschuldigend. »Drum möchte ich nicht bis morgen warten. «

Hohes Fieber und gleich eine Lungenentzündung? dachte Anita, fuhr aber doch zu der angegebenen Adresse.

Der Mann mochte siebzig Jahre alt sein. Er lag mit blaßblauem Gesicht im Bett und atmete schwer.

Die Frau kann recht haben, war Anitas erster Gedanke, als sie das Beben der Nasenflügel sah, doch sagte sie es nicht. Sie holte das Stethoskop aus der Tasche und begann mit der Untersuchung.

Sie hatte das Stethoskop auf wenige Punkte des Rückens gesetzt, als sie schon innehielt.

»Hatten Sie früher schon einmal eine Erkrankung der Lunge?« fragte sie.

»O ja!« rief die Frau, während der Mann nickte. »Er hatte eine schwere Tuberkulose!«

»Deshalb...« murmelte Anita, dann fuhr sie in der Untersuchung fort.

»Ist es eine Lungenentzündung?« rief die Frau wieder, als Anita fertig war und kam so ihrer Erklärung und der Frage des Mannes zuvor. Daß die Frauen immer rascher sind als ihre Männer! dachte Anita. Dann sagte sie:

»Die Lunge ist stark verschwartet durch die Tuberkulose. Man kann das Atemgeräusch durch eine Schwarte nicht hören. Möglicherweise handelt es sich wirklich um eine Lungenentzündung, doch kann man sie nicht feststellen. Nicht einmal durch eine Röntgenaufnahme wäre die Diagnose zu sichern. Es bleibt uns daher nichts anderes übrig...« sie wandte sich kurz zur Frau um, dann wieder an den Patienten selbst, »... als Sie so zu behandeln, als hätten Sie in der Tat eine Lungenentzündung. Auf diese Weise versäumen wir nichts, und sollte es keine sein, schadet das Penizillin auch nicht. «

Wieder nickte der Mann, und die Frau rief ein eifriges » Aber ja doch!«

Anita nahm aus ihrer Tasche eine Spritze und gab dem Patienten eine hohe Dosis Penizillin. An den beiden folgenden Tagen erhielt er die gleiche Menge. Da war das Fieber schon gefallen, der Mann fühlte sich sichtlich wohler.

»Ich hatte schon Angst, es bricht wieder auf!« sagte die Frau und bat mit einem kleinen Lächeln um Verständnis.

»Man hat halt immer ein bißchen Angst«, murmelte er.

»Wann hatten Sie Ihre Tuberkulose?« fragte Anita.

»Das ist schon lange her. « Und dann lächelt er wieder, diesmal ein wenig stolz. »Ich bin gewissermaßen ein Opfer der Wissenschaft. «

»Ein Opfer der Wissenschaft?« wunderte sich Anita, und er begann zu erzählen:

»Als ich siebzehn Jahre alt war, bekam ich einen Lungenspitzenkatarrh. So nannten die Ärzte es damals. Das war schlimm für mich, weil ich kurz vor dem Abitur stand. Vielleicht sollte ich vorausschicken, daß meine Eltern nicht reich waren. Mein Vater war Pfarrer, und den Pfarrern ging es damals bei weitem nicht so gut wie heute. Wir waren elf Kinder, und fast täglich klopften Bettler an unsere Tür oder sonstwie Bedürftige, die wurden dann stets zu Tisch gebeten. Meine Mutter hatte ihre liebe Not mit dem Haushaltsgeld. Ich erinnere mich gut, wie oft ich die frisch gesohlten Schuhe vom Schuster holen mußte, ohne ihm das nötige Geld dafür zu bringen, wie der Schuster dann die Summe in sein Buch schrieb zu den anderen, die auch noch nicht bezahlt waren. Solange ich in meinem Elternhaus lebte, teilte ich das Bett mit meinem älteren Bruder. Das war vielleicht die Ursache dafür, daß wir eines Tages beide diesen Lungenspitzenkatarrh bekamen, die leichteste Form der Tuberkulose, wie die Ärzte meinen Eltern versicherten. Leicht oder nicht, für mich war es, wie schon gesagt, schlimm, da ich kurz vor dem Abitur stand. Möglicherweise war das der Grund für die gute Idee, die einer der Ärzte hatte, mit der er mir helfen wollte, möglichst schnell gesund zu werden.

›Es gibt ein neues Mittel‹, sagte er zu meinem Vater. ›Es heißt Tuberkulin. Wir werden es bei Ihren Söhnen versuchen.‹ Was er nicht sagte, war die Tatsache, daß das Mittel in seiner Wirkung noch nicht völlig erforscht war. Doch vielleicht war gerade das der Grund, weshalb sie es bei uns versuchten. Man stelle sich vor: Zwei fast gleichaltrige Menschen aus dem gleichen häuslichen Milieu mit völlig gleicher Lokalisation der Erkrankung – wo sonst hätte man ein Medikament besser prüfen können? Ein wissenschaftlich denkender Arzt konnte dieser Verlockung kaum widerstehen. Dazu hatte er sicher die ehrliche Absicht, uns zu helfen. So geschah es denn, daß mein Bruder eine ganz kleine Menge dieses Tuberkulin erhielt, ich aber die zehnfach höhere Dosis. Dann wartete man mit Spannung auf die Wirkung.

Man brauchte nicht lange zu warten. Bei meinem Bruder tat sich überhaupt nichts. Ich aber bekam wenige Tage danach hohes Fieber. Neununddreißig Grad, vierzig Grad! Die Aufregung war groß. Ich wurde ins Krankenhaus verlegt. Man fühlte mir den Puls, behorchte meine Lunge, gab mir Pülverchen und Tropfen, was man eben damals so hatte. Dann stieg das Fieber auf einundvierzig Grad und dabei blieb es. Man war außer sich und ratlos. Niemand wagte, meinen Eltern noch irgendwelche Hoffnungen zu machen. Ich war ärztlicherseits aufgegeben.

Ich weiß nicht, ob es Tage waren oder Wochen, die ich in diesem fiebrigen Nebel lag. Ich fühle aber heute noch den Zustand der Erschöpfung, der mich umfing, als das Fieber schließlich sank. Die folgende Untersuchung ergab ein erschreckendes Bild: Die gesamte rechte Lunge war von der Krankheit befallen. Es hatten sich drei große Kavernen in ihr gebildet. Das bedeutete in der damaligen Zeit monatelanges Siechtum bis zum Tod, oder im günstigsten Fall eine Krankheitsdauer von vielen Jahren mit einer Genesung, deren man nie sicher sein konnte.

Ich selbst wußte von alledem wenig, aber es war hart für meine Eltern. Ich glaube, auch den Ärzten war nicht wohl in ihrer Haut, konnten sie sich doch von einer gewissen Schuld an meinem Zustand nicht freisprechen, wenn auch alles in bester Absicht geschehen war. Niemand weiß, was sie untereinander besprochen haben. Doch eines Tages eröffneten sie meinen Eltern, sie hätten in einem guten Schweizer Sanatorium eine Freistelle für mich reservieren lassen. Dankbar nahm mein Vater das Angebot an, und so reiste ich eines Tages, als mein Zustand es erlaubte, in die Schweiz. Dort habe ich dann fünf Jahre verbracht. «

»Fünf Jahre?« unterbrach ihn Anita.

Er lächelte wieder und nickte.

»Fünf lange Jahre inmitten vieler, die wie ich auf Genesung hofften und den Tod ständig vor Augen hatten. Anfangs war es gräßlich. Wie oft brach plötzlich einer, mit dem man gerade Karten spielte, unter einem Blutsturz zusammen, wurde von den Wärtern hinausgetragen und kehrte nie mehr zurück. Stets dachte ich, ich würde der nächste sein, und viele dachten so wie ich. Ein solcher Tag verlief dann still und in gedrückter Stimmung. Nun, allmählich gewöhnt man sich an dergleichen, und auch ich fand es später nicht mehr so schlimm.

Ich war einer der schwersten Fälle, aber ich wurde wieder gesund. Nach fünf Jahren konnte ich, zwar schonungsbedürftig, doch geheilt entlassen werden. Es war wie ein Wunder. «

Der Mann schwieg. Anita vermeinte auch jetzt noch die Freude in seinen Augen zu sehen und den Dank an ein gütiges Geschick.

»Und später?« fragte sie. »Haben Sie später noch Rückfälle gehabt?«

»Nie!« Es kam voller Stolz. »Kein einziges Mal! Wie schnell, denken Sie, hätte mein Körper den ersten Lungenspitzenkatarrh überwunden, hätten die Ärzte nicht ihr Mittel an mir erprobt!«

»Aber...« fiel ihm die Frau ins Wort »... du mußt doch auch dazusagen, daß du zwar beinahe das Opfer der Wissenschaft geworden wärst, daß die Wissenschaft dir dadurch aber auch zweimal vielleicht das Leben gerettet hat! Zum ersten Mal, als du im ersten großen Krieg wegen deiner Krankheit ja gar nicht Soldat werden konntest! Und das zweite Mal bei den Nazis im Dritten Reich! Sie müssen wissen, Frau Doktor, er wollte Richter werden. Das konnte er dann nicht, weil er ja kein Abitur hatte. Nun stellen Sie sich meinen Mann vor, erfüllt von Gerechtigkeitssinn – und das war er immer – ein solcher Mensch als Richter im Dritten Reich! Die hätten ihn schon nach einem Jahr – was sage ich, im ersten Monat ins Konzentrationslager gesteckt! Nein, nein, wir wollen zufrieden sein und sind es auch immer gewesen. Das Schicksal hat es immer gut mit uns gemeint.«

»Schon, schon«, sagte der alte Mann versonnen. Dann breitete sich ein verschmitztes Lächeln über sein Gesicht, und er fuhr fort, als verriete er ein wunderbares Geheimnis: »Ich glaube, es mußte immer alles so kommen, weil ich eben ein Sonntagskind bin.«

Da sahen die drei einander an und dann lachten sie fröhlich miteinander.

*

Zum ersten Mal hat Werner mir nicht gute Nacht gesagt. Er konnte es gar nicht, denn er kam erst heute morgen nach Hause.

Als heute nacht meine kleine Geschichte auf dem Papier stand, war es schon fast drei Uhr. Ich bemerkte es erst, als ich den Bleistift aus der Hand legte und auf die Uhr sah. Sogleich begann ich mir Sorgen zu machen. Die Männer werden doch nicht zuviel getrunken haben, fragte ich mich, und irgendwo verunglückt sein? Der Gedanke an ein Unglück kommt mir jetzt so leicht.

Ich lag mit geschlossenen Augen und lauschte. Es knackte in der Schrankecke, dann in der Gegend der Tür. Von draußen drang das Gezeter der Katzen durch den geöffneten Fensterspalt. Ein leichter Windzug bewegte den Vorhang, ich spürte es mehr, als ich es hörte. Ein Auto fuhr vorbei, noch eines und ein Motorrad. Dann eine Weile Stille. Einmal glaubte ich Schritte zu hören, aber ich bin nicht sicher, ob sie nicht meiner Phantasie entsprangen.

Meine Müdigkeit und das leise Glucksen in der Heizung ließen mich ab und zu einnicken. Als ich es bemerkte, dachte ich, vielleicht ist er längst zu Hause, und ich habe das Schließen des Garagentors überhört.

Dann aber vernahm ich es doch: Am Morgen um halb acht. Ich war beruhigt. Gleichzeitig amüsiert. Die drei haben lange ausgehalten, dachte ich. Was ist schließlich dabei, wenn ein Mann mit seinen Freunden eine Nacht durchmacht? Ich bin dergleichen von meinem Mann nicht gewöhnt, aber ich kann mir nicht oft genug selber sagen, daß sich mit meinem Unfall alles – zumindest so gut wie alles – in unserem Leben geändert hat.

Was mich dann aber maßlos verblüffte, war, daß er gleich darauf in mein Zimmer trat, *wie* er es tat und *wie* er mich begrüßte.

»Nun Liebes? Du hast aber fest geschlafen heute nacht! Ich bin allerdings auch spät nach Hause gekommen und habe mich ganz leise wieder aus deinem Zimmer geschlichen.« Er lächelte, während er sich über mich beugte. Er war frisch rasiert, roch nach einem Rasierwasser, das ich nicht kannte und schien ausgeruht und gut gelaunt.

Im ersten Augenblick wußte ich nicht, was ich sagen sollte. Dann lachte ich.

»Feigling!« rief ich. Er verstand mich nicht.

»Feigling? Weshalb?«

»Hast du nicht einmal den Mut, es mir zu sagen, wenn du eine Nacht verbummelst?«

Er erschrak, richtete sich auf. Sein Gesicht überzog sich mit purpurner Röte. Das reizte mich noch mehr zum Lachen. Ich kann mich nicht erinnern, ihn je so rot, so »errötet« gesehen zu haben. Nein, es war zu komisch, wie er da stand wie ein begossener Pudel. Ich mußte ihm doch wahrhaftig zu Hilfe kommen.

»Ist es denn so schlimm? Übrigens, zur Untreue wärst du nicht geeignet. Du dürftest zumindest deinen Wagen nicht so lautstark in die Garage stellen. Weißt du nicht, daß ich das Tor hier oben höre?« Ich lachte noch immer, aber es half nichts, er blieb verlegen, linkisch wie ein grüner Junge. Meine Betreuerin war seine Rettung. Sie kam, um mich zu waschen und anzuziehen. Geradezu übereifrig räumte er ihr das Feld. Ich lachte noch immer. Aber es war mehr ein psychologisches Lachen.

»Sie sind heute morgen so fröhlich, Frau Doktor?« wunderte die Frau sich.

»Wir sollten viel öfter fröhlich sein, Emma. Immer, wenn wir eine Sorge, die uns drückt, losgeworden sind. Finden Sie nicht auch?«

Emma schien zu zweifeln.

»Man hat doch immer mehrere Sorgen. Oder eine löst die andere ab. Da kommt man doch gar nicht erst zum Lachen.«

»Vielleicht sollte man trotzdem lachen. Dann werden die Sorgen leichter. Manche lösen sich vielleicht ganz auf.« Aber Emma hatte ihren trüben Tag. Es ist hart, wenn ein Mensch so von Launen geplagt wird. Ihm wird selbst der strahlendste Sonnentag zur grellen Qual.

Meine Gedanken gingen zu Werner zurück. Ich muß ihn endlich von der Vorstellung abbringen, daß er sein Privatleben voll und ganz an mich ketten muß. Das kleine Ereignis hat mir gezeigt, daß er noch immer keine Linie in seiner Rolle gefunden hat, daß er noch immer nicht begreift, in welchem Maß sich alles geändert hat in unserem gemeinsamen Leben, unserem Tagesablauf, unseren Verpflichtungen gegeneinander. Ich muß ihn noch öfter fortschicken, mal hierhin, mal dorthin, zu diesem Fest und zu jener Veranstaltung. Ich *will* doch nicht, daß er durch meinen Zustand beengt ist. Mein Leiden *darf* ihm nicht das Leben stehlen! Es wäre für mich das größte Unglück, ihn unglücklich zu wissen, ja, es wäre schlimmer für mich als meine Lähmung.

Vielleicht habe ich es ihm nicht genügend gesagt? Es nicht deutlich genug gemacht? Doch, deutlich genug mache ich es wohl. Was kann ich mehr tun, als ihn schicken, ihm die Möglichkeiten nennen, die er, von Arbeit überhäuft, gar nicht gewahr wird? (Seit meiner Erkrankung lese ich alle Zeitungen viel gründlicher als er.)

Aber eines kann ich mehr tun: Ich kann es *sagen!* Deutlicher und öfter, wieder und immer wieder, daß sein Unglücklichsein für mich das größte Unglück wäre! Solange muß ich es wiederholen, bis er es glaubt! Das ist der Punkt: Er muß mir *glauben!* Das tut er nämlich nicht – bis jetzt nicht! Und das wird anders werden! Ich schwöre es!

Als Emma mich zum Frühstückstisch fährt, ist Werner schon da. Er liest in der Zeitung oder tut wenigstens so. Als ich komme, schaut er auf. Ich kann sehen, daß er sein inneres Gleichgewicht noch immer nicht gefunden hat. Das finde ich nun ein bißchen übertrieben wegen einer durchzechten Nacht. Aber ich sage nichts. Ich muß das alles selbst noch überdenken. Es gibt nichts Empfindlicheres als das menschliche Gemüt.

Verstohlen prüfe ich sein Gesicht. Es erinnert mich an jemanden, sehr stark sogar, nur weiß ich nicht, an wen. Erst nach dem Frühstück fällt mir ein, daß es der Italiener ist, der früher so oft vor mir saß. Die Erkenntnis erschreckt mich. Er brauchte nicht meine ärztliche Hilfe, nur Freude hätte sein Leiden heilen können, und gerade diese habe ich ihm versagt.

Meine Kraft hatte nicht ausgereicht. Oder mein Wille. Beschämt muß ich gestehen, daß ich zu feige war.

Unterlassungssünde

Er saß im Wartezimmer in sich geduckt, als wollte er sich verstecken. Die Schultern hatte er nach vorne gezogen, und das ließ den ohnehin breiten Rücken noch mächtiger erscheinen, es machte das Verstecken schlechthin unmöglich. Auch heute nahm er keines der illustrierten Blätter, deren bunte Titelseiten den Leser in ihre Welt zu locken suchen. Selten nur änderte er seine Haltung während der zwei Stunden des Wartens, die er schon so gut kannte, daß sie fast zu einem Teil seines Lebens geworden waren.

Schließlich kam die Reihe an ihn. Er erhob sich bedächtig, ein wenig mühsam. Mit schweren Schritten durchmaß er den Raum, gefolgt von den interesselos-neugierigen Augen der später Gekommenen, und verschwand durch die Sprechzimmertür, die sich geräuschlos hinter ihm schloß.

Dann stand er vor Anita, fast so groß wie sie, und sah sie aus rotgeränderten Augen an.

»Bon giorno, dottoressa.«

Sie nannte ihn beim Namen, gab ihm die Hand und wies ihn auf den Stuhl vor dem Schreibtisch. Auch das war nichts Neues. Unzählige Male hatte sich die Szene abgespielt, in der letzten Woche, der vorletzten, vor einem Jahr, vor fünf Jahren, denn so lange war er schon in Deutschland. Er arbeitete in der Fabrik, immer am gleichen Posten und tat dort immer dieselbe Arbeit. Wieder saßen sie sich gegenüber, und Anita fragte nach seinen Beschwerden.

»Lo stomaco«, antwortete er und deutete auf die Magengrube. »Da Schmerz, viel Schmerz.«

Die Hand, die auf dem Magen lag, hatte gelbe Finger. Fast

braun waren sie, besonders Zeigefinger und Daumen, vom Nikotin unzähliger Zigaretten der billigsten Sorte.

Mit freundlicher Geste wies Anita auf das Untersuchungsbett und bedeutete ihm, sich auszuziehen. Bekümmert überflog sie die Karteikarte, die sie schon so gut kannte. Der neunzehnte Mai 1934 war sein Geburtsdatum. Welche Diskrepanz zwischen dem Datum und dem Aussehen des Patienten!

Was soll ich mit ihm tun? fragte sie sich. Er ist ein alter Mann. Vorzeitig gealtert. Wie hatte er vor fünf Jahren ausgesehen, als er nach Deutschland gekommen war? Ein wenig schwer war er schon damals, breit in den Schultern und im Gesicht. Aber das Welken hatte er nicht mitgebracht, nicht in diesem Maße. Das Altern hatte ihn hier überkommen.

Ihre Augen schweiften über die Eintragungen, die sie in all den Jahren gemacht hatte. Da war zuerst die Bronchitis – kein Wunder in unserem Klima, daran mußte sich ein sizilianischer Körper erst gewöhnen. Auch ein Stirnhöhlenkatarrh hatte ihn lange gequält. Krankschreiben ließ er sich nicht, es sei so langweilig zu Hause.

Zu Hause, das war eine kleine Kammer mit schlechtem Bett, einem Stuhl und einem alten Schrank. Das kleine Fenster gab kaum Licht, und heizbar war der Raum auch nicht. Da fühlte man sich wohler in der Fabrik, man hatte warm, bekam sein Essen in der Kantine und hatte Kameraden, mit denen man ein Wort wechseln konnte.

Als die Erkältungen vorüber waren, kamen dann Schmerzen in den Beinen, später im Rücken, schließlich am Herzen. Auch die Arme taten einmal weh, und der Schwindel kam ganz plötzlich und wollte nicht mehr weichen.

»Haben Sie Kummer?« hatte sie ihn eines Tages gefragt.

Kummer? Nein. Weshalb auch?

Weil man so viele organische Krankheiten gar nicht haben kann. Nur die Nerven oder die Seele können an so vielen Ecken plagen. Aber sie hatte es nicht laut gesagt.

Laut fragte sie:

»Haben Sie Familie?«

Da leuchteten seine Augen auf. Er griff in seine Jackentasche, zog die Brieftasche daraus hervor und öffnete sie bedächtig. Geradezu liebevoll nahm er ein paar Fotos heraus und legte sie vor Anita auf den Schreibtisch.

»Das Frau.« Sein grober Zeigefinger deutete auf jede einzelne Person. »Das Sohn, das andere Sohn, das Tochter.«

»Sehr schön! Sind sie alle in Sizilien?«

»Frau Sicilia. Kleine Sohn auch. Große Sohn Napoli. Studieren!« Seine Gestalt streckte sich in väterlichem Stolz. »Tochter in Internat. Viel lernen. Wenn groß, auch studieren.«

»Was Sie nicht sagen! Haben Sie so kluge Kinder?«

»Kinder viel lernen in Schule. Alle studieren. Papa arbeiten für Kinder.«

»Und deshalb sind Sie ganz allein in Deutschland?«

Er sammelte die Fotos ein, legte sie behutsam in die Brieftasche zurück. Dann blickte er auf, sah Anita an mit Augen, in denen die Wärme stehenblieb, während das Leuchten erlosch.

»Allein, ja.« Und noch einmal, leiser: »Allein.«

»Wie oft fahren Sie nach Sizilien?«

»Urlaub Sicilia in Sommer.«

»Also nur einmal im Jahr?«

»Einmal im Jahr.«

Erneut war ein kleines Lächeln in seine Augen gekommen, aber es verschwand schnell wieder. Er senkte ein wenig den Kopf und betrachtete schweigend die Schreibtischplatte.

Auch Anita schwieg, ehe sie die nächste Frage wagte. Aber sie mußte fragen, obgleich sie die Antwort ahnte und fürchtete.

»Was tun Sie hier immer allein?«

Er sah wieder auf. In seinem Gesicht breitete sich Verwunderung aus.

»Hier arbeiten«, antwortete er, »nur arbeiten.«

»Und abends? Und sonntags?«

»Abend Bett. Sonntag? Weiß nicht – Sonntag viel Bett, viel schlafen – viel Arbeit – Geld schicken Frau Sicilia.« Und er lächelte wieder.

Sein Lächeln schnitt Anita ins Herz. Sie selbst lächelte nicht mehr. Lange sah sie in das müde, viel zu alte Gesicht, auf die gelben Finger. Das Rauchen schien sein einziger Luxus zu sein. Ich werde es ihm nicht verbieten, dachte sie, ich kann es nicht. Die Herzbeschwerden, kommen sicher nicht daher. Weder die Herzbeschwerden noch all die anderen Leiden. Es ist die Einsamkeit, die ihn quält! Das Alleinsein, schier unerträglich für einen so vitalen Mann. Sie manifestiert sich in Schmerzen hier und Stechen dort.

Und ich soll ihm helfen! Soll die Umstände beseitigen, die ihn plagen! Ich kann doch sein Leben nicht ändern! Niemand kann das außer ihm selbst. Aber er wird es nicht tun. Er tut alles für seine Kinder. Er lebt eigentlich nur für sie.

Eines Tages kam ihr eine Idee.

»Sie sollten spazieren gehen!« Sie sagte es betont munter. »Abends nach der Arbeit! Eine Stunde oder sogar mehr. In Sizilien lebt man auch meist im Freien. Sie brauchen die Luft, Sie sind es gewöhnt. Und auch sonntags sollten Sie wandern, richtig durch die Wälder und Felder und Dörfer! In unseren Wäldern gibt es so schöne Wege, auf denen keine Autos fahren, und die Luft ist dort frisch wie selbst im heißen Sizilien nicht.«

Er sah sie an, schwieg ein Weilchen, als dächte er nach. Dann fragte er:

»Du, dottoressa, gehen spazieren?«

Anita wurde immer eifriger.

»Natürlich! Ich wandere oft mit meiner Familie! Wir kennen alle Wege der Umgebung. Die Luft ist herrlich, und die Bewegung tut einem gut. Wandern auch Sie, und Sie werden sehen, dann werden Sie sich wohler fühlen und nicht mehr so oft krank sein.« Sie sah ihn strahlend an und glaubte, auch in seinem Gesicht einen Funken aufflackern zu sehen.

Als er das nächste Mal erschien, fragte sie ihn gleich, ob er schon einiges von der Umgebung kenne.

Traurig lächelnd schüttelte er den Kopf. Sie konnte nur schwer ihre Enttäuschung verbergen.

Nach der Untersuchung seiner neuen Beschwerden sagte er plötzlich:

»Spazieren in Wald allein nix gut, nix lustig.« Dann aber richtete er seine Augen auf Anita und fragte schlicht: »Du, dottoressa, mit mir spazieren in Wald? Ja? Dann lustig? Dann nix allein?«

Der Schreck fuhr ihr in die Glieder. Sie stotterte irgendetwas von Verpflichtungen, Familie und ähnlichem. Er verstand wohl kaum alle Worte, doch nickte er still. Er hatte in ihrem Blick das Nein bereits gelesen.

Später sprach Anita mit ihrem Mann darüber.

»Um Gottes willen!« sagte der, »stell dir vor: Die Frau Doktor mit einem Gastarbeiter allein im Wald. Ich höre förmlich das Geschwätz der Leute! Das ist ja völlig undenkbar! Du tatest recht daran, sogleich entschieden abzulehnen.«

»Natürlich«, antwortete sie und sah bekümmert drein.

»Du weißt ja selbst, daß es unmöglich ist.«

»Natürlich«, sagte sie wieder.

»Vielleicht – wenn du meinst – könnte man ihn ja einmal einladen, obgleich selbst das...« aber sie schüttelte den Kopf.

»Eine Einladung rettet ihn nicht vor der Einsamkeit. Was er braucht, ist die Nähe eines Menschen.«

»Aber der Mensch kannst doch *du* nicht sein! Nicht so!«

»Ich weiß.«

So blieb denn alles beim Alten. Er kam mit seinen Leiden, sie konnte ihm wenig helfen. Doch etwas hatte sich geändert, nicht für ihn, wohl aber für Anita: Jedes Mal, wenn er jetzt von ihr ging, war ihr ganz elend zumute, denn sie fühlte sich schuldig.

Sizilianische Hochzeit

Die Familie Sanfelice machte ihrem Namen alle Ehre, zumindest dessen zweiten Teil. Wie es mit der Heiligkeit stand, war nicht eindeutig zu klären. Daß sie miteinander glücklich waren, sah man auf den ersten Blick.

Über die Zahl der Familienmitgleider schwankten die Angaben. Es ist fraglich, ob das Einwohnermeldeamt eine präzise Aufstellung darüber besitzt. Man hatte ihnen vernünftigerweise ein altes Haus überlassen, und darin wimmelte es von Brüdern und Schwestern, Vettern und Basen, Schwägern und Schwägerinnen. Die Zahl ihrer Kinder war überwältigend.

Nur zwei Personen konnten sich der Einmaligkeit rühmen: Das waren die alte Nonna und ihr Nonno.

Die hagere Frau mit dem zerfurchten Gesicht, dem Hängebusen und den zu breiten Hüften wirkte alt in ihrem schwarzen Kleid, solange sie schwieg. Sobald sie jedoch zu reden begann, war es, als habe das Leben sie neu entdeckt. Ihre südländisch angerauhte Stimme war nicht durchdringend, doch wer hätte je gewagt, sie zu überhören! Selbst der Nonno mit seinem pfleglich gezwirbelten Schnurrbart und seinem oft ungezügelten Temperament ordnete sich widerspruchslos unter, sobald sie ihre Entscheidung getroffen hatte. Das war für Außenstehende eine ans Wunderbare grenzende Leistung, wenn man bedenkt, daß es keinem in der Familie je gelang, für volle zwei Minuten zu schweigen. Auch Anita staunte stets aufs neue.

Einmal rief man sie, weil Maria krank war. Zunächst hatte sie keine Ahnung, wer das war, denn Marien gab es unzählige. Die Nonna hieß Maria, und ihr zu Ehren alle erstgeborenen Enkelinnen. Damit jedoch die später Gekommenen die Segnungen des edlen Namens nicht entbehren mußten, erhielten sie Maria als Numero zwei an ihren Rufnamen angehängt, der Rufname aber war Antonina, die weibliche Form des großväterlichen Namens.

Der Nonno namens Antonio vererbte seinerseits den Vornamen an alle männlichen Nachkommen, so daß es auch an Antonios nicht mangelte. Der Zufall wollte es, daß noch zwei Schwiegertöchter Maria hießen und ein Schwiegersohn Antonio. Es war ganz einfach: Merkte man sich diese beiden Namen, so kannte man fast die ganze Familie. Das heißt, wohl doch nur einen Teil, denn die Zahl der Enkel war, wie schon gesagt, unermeßlich.

Wie ihre Verständigung untereinander funktionierte, war für Außenstehende unbegreiflich. Aber sie funktionierte.

Als Anita zu jener Maria gerufen wurde, handelte es sich um ein Kind, das eine Mittelohrentzündung hatte. Das Trommelfell, stark gerötet und vorgewölbt, konnte jeden Augenblick platzen. Sie wußte gleich, sie mußte es zum Facharzt schicken, damit er das Trommelfell öffnete, denn nur so konnte das Platzen in unberechenbare Ausdehnung verhindert werden.

Anita erklärte es der Familie.

Erschreckte Gebärden ringsum, wildes Diskutieren, ohrenbetäubender Lärm. Plötzlich einige Sekunden Stille. Die Nonna nickte.

»Va bene«, sagte sie.

»Haben Sie ein Auto, um das Kind hinzubringen?« fragte Anita. Augenblicklich erinnerte sich die Familie ihres üblichen Temperamentes, bis die Nonna wieder nickte und auf einen der Antonios deutete: »Er wird fahren. «

Anita wurde häufig frequentiert. Man behandelte sie fast schon als Teil der Familie. Sie wurde sich dessen erst bewußt, als sie eines Tages zur Hochzeit einer neunzehnjährigen Maria geladen wurde. Schon am Tag vorher mußte sie das Brautkleid bewundern, ein Hauch aus Spitzen und Tüll, sowie die langen Handschuhe aus weißem Glacé, die bis zu den Ellbogen gingen und einer Prinzessin zur Ehre gereicht hätten.

Sie erschien verspätet zur Trauung. Welcher Arzt kommt jemals pünktlich? Es reichte gerade noch zum Foto vor der Kirchentür.

»Avanti, dottoressa!« schrie der Nonno, als er ihrer ansichtig wurde, hob beide Arme und lud sie mit fürstlicher Gebärde ein, den Ehrenplatz an seiner Seite einzunehmen.

Sie arbeitete sich durch die Menge. Der Bräutigam lächelte gewinnend und holdselig die Braut, der Nonno zwirbelte seinen heute besonders schwarzen Bart, in den Augen der Frauen schimmerte es verdächtig. Selbst die Kinder schienen den Ernst der lächelnden Sekunden zu begreifen, sie hielten im Prügeln inne, und kein Fußball flog an irgendeinen Kopf.

So standen sie denn, ein Großteil Siziliens und eine deutsche Ärztin, malerisch posiert, und strahlten tapfer in den schwarzen Kasten.

Der Fotograf waltete seines Amtes. Er wollte gleich noch ein zweites Bild machen.

Das aber war zuviel verlangt. Zu lange schon hatte die Bändigung sizilianischer Lebensfreude gewährt. Er vermochte sich nicht einmal mehr Gehör zu verschaffen. Achselzuckend packte er seine Instrumente zusammen und verließ den Platz.

Einer Sturmflut gleich strömte alles dem Gasthof zu. Der Saal war groß und hoch, doch die sizilianischen Stimmen vermochten ihn zu füllen. Um die Sitzplätze wurde gefeilscht, gestritten und gerungen. Erstaunlicherweise waren alle untergebracht, als die Pasta kam.

Das Essen war eine italodeutsche Mischung, was nicht weiter verwunderte, denn der italienische Wirt hatte eine deutsche Frau. So schmeckte die pasta echt italienisch, der Braten hingegen war deutsch gewürzt und wurde mit deutscher Soße serviert. Den italienischen Wein genoß hauptsächlich die deutsche Ärztin, während die Italiener weitgehend dem deutschen Bier zusprachen.

Neben Anita saß ein junger Mann, den sie zu ihrer Verwunderung noch nie gesehen hatte. Er entpuppte sich als der Pfarrer.

Wenn er sprach, konnte im Saal für Sekunden Ruhe herr-
schen. Doch schien er stets nur Komisches von sich zu geben,
denn kaum hatte er geendet, brachen alle in tosendes Gelächter aus. Später stand er auf und hielt eine richtige Rede. Nach
jedem Satz mußte er über seine eigenen Worte lachen, und alle
teilten bereitwillig seine Freude. Anita verstand zwar nur wenig, doch fragte sie sich im stillen, wie die Gesellschaft es ausgehalten hatte, in der Kirche eine volle Stunde ernst zu bleiben.

Am Ende des Mahles wurden › Bonbonniere mit Confetti ‹ ver-
teilt, kleine himmelblaue Körbchen, die unter himmelblauen
Schleiern die gleichfalls himmelblauen Zuckermandeln bar-
gen, ein Hochzeitsattribut, ohne das ein Italiener nicht heiraten
kann. Damit war der offizielle Teil zu Ende, und Anita konnte
sich verabschieden.

Eine Woche später wurde sie dringend zur Familie Sanfelice
gerufen. Der Nonno! Ganz schnell! Mehr war nicht zu erfahren.

Anita eilte. Am Ende war es ein Schlaganfall? Oder ein Herzin-
fakt? Bei ihm mußte man an dergleichen denken.

Schon vor der Haustür hörte sie den Lärm, der aus der Stube
drang. Als sie eintrat, verstummte er augenblicklich. Das war
ein schlechtes Zeichen.

Aller Augen waren auf sie gerichtet. Wie von selbst öffnete sich
ein Weg vor ihr bis zur Schlafzimmertür, die offenstand und
den Blick auf ein zerwühltes Bett freigab. Auf ihm lag der
Nonno, den Kopf zur Seite gewandt, schwer atmend.

» Was ist geschehen? « Sie trat zu ihm, sah fragend auf ihn hinunter. Sie erhielt keine Antwort. Noch immer waren alle Augen auf sie gerichtet, hilflos, bittend, verzweifelt. Sachte trat
die Nonna herzu und legte ein nasses Tuch auf seine Stirn. Er
stöhnte, wandte den Kopf zur anderen Seite, das Tuch fiel auf
das Bettlaken.

Das ist sicher ein Fall fürs Krankenhaus, dachte Anita. Sie öffnete ihre Tasche, holte Stethoskop und Blutdruckapparat heraus.

Der Blutdruck war erhöht, aber das hatte der Nonno ja stets. Das Herz schlug rasch, doch regelmäßig.

Ein EKG ist in jedem Fall nötig, um einen Infarkt auszuschließen, dachte sie weiter. Sie sagte es nicht, sondern fragte noch einmal, wie denn alles gekommen sei.

Diesmal begannen alle wild durcheinander zu schreien, und sie wußte sofort, daß die Chance, irgendetwas zu verstehen, gleich null war. So setzte sie sich an den Bettrand und rief dem Kranken ins Ohr:

»Schmerzen? Wo?«

Er hob den Kopf, sah kurz zu ihr herüber. Dann wälzte er sich mit unvorstellbarer Mühe auf den Rücken, hob die Arme, ließ sie wieder sinken, legte eine Hand auf die Stirn und versuchte zu sprechen. Er vermochte es nicht. Alles, was er hervorbrachte, war ein neuerliches Stöhnen.

Jetzt setzte Anita das Stethoskop auf seine Brust, direkt auf die Herzspitze. Es ergab sich kein neuer Gesichtspunkt. Dann holte sie den Reflexhammer und die Lampe aus ihrer Tasche, denn es konnte immer noch ein Schlaganfall sein.

Sie begann gerade die Reflexe zu prüfen, als plötzlich die Nonna neben ihr stand. In der Hand hatte sie eine Fotografie, die hielt sie der Ärztin hin. Es war das Bild der Hochzeitsgesellschaft vom letzten Samstag.

Verständnislos sah Anita zu ihr auf. Was sollte das Bild in einem solchen Augenblick? Die Nonna redete unentwegt auf sie ein und mit ihr alle anderen. Logischerweise verstand sie kein Wort.

Jetzt aber kam Bewegung in den Nonno. Mit äußerster Willenskraft hob er den Oberkörper aus den Kissen, reckte die Arme gen Himmel und trompetete mit tremolierender Stimme:

»I guanti! I guanti!« Dann sank er zurück aufs Bett, einer Ohnmacht nahe.

Anita wurde es unheimlich. Was wollte er mit Handschuhen? Hatte er den Verstand verloren?

Da ergriff die Nonna ihren Arm, hielt ihr erneut das Foto unter die Augen und wiederholte die Worte ihres Mannes:

»I guanti!«

Anita sah das Bild genauer an. Da standen sie alle, lächelnd, wie die Sitte es befahl, in der Mitte das Brautpaar.

Doch halt! Die Braut hatte nackte Arme! Wo waren die langen, weißen Handschuhe aus edlem Glacé? Fragend sah Anita zur Nonna empor.

»Hanno dimenticato i guanti!« Sie hatten die Handschuhe vergessen! Die langen, weißen Brauthandschuhe, Garanten einer standesgemäßen Hochzeit! Das war furchtbar! Niemals konnte die Familie in ihrem sizilianischen Dorf die Hochzeit preisen, nie das Bild auf den Tisch legen und selbstbewußt sagen: Seht, das sind wir! Unsere stolze sizilianische Familie, getreu unserer Tradition! Wer kann uns jemals übertreffen?

Als Anita, endlich begreifend, um sich blickte, war plötzlich aller Lärm verstummt. Der Nonno aber war in lautes Schluchzen ausgebrochen. Er hatte sich auf den Bauch zurückgedreht, und alles, was er immer wieder hervorbrachte, waren die Worte: »I guanti! I guanti!«

Da ging sie zu ihrer Tasche und holte eine Spritze hervor. Sie gab ihm ein Beruhigungsmittel. Ein vorwitziges Lächeln schluckte sie tapfer hinunter.

Lange noch schüttelte den Nonno der Schmerz, bis er schließlich vor dem Einschlafen in leises Weinen überging.

Er weinte um seine unwiederbringlich verlorengegangene Ehre.

Unvollkommenheit

»Ist es wieder der Magen?« fragte Anita die junge Frau. Sie sah schlecht aus, blaß, mit hohlen Wangen. Anita musterte sie besorgt.

»Diesmal nicht«, schüttelte sie den Kopf. »Der Schmerz sitzt weiter unten«, sie zeigte ganz unten rechts, in die Gegend der Eierstöcke. »Er kommt und geht, mal stärker, mal schwächer. Zuerst habe ich ihn nicht weiter beachtet, aber allmählich quält er mich. «

»Wie lange besteht er denn schon?«

Die junge Frau dachte einen Augenblick nach.

»Ach Gott, wenn ich das wüßte! Ein paar Wochen geht das mindestens schon. Anfangs war er ja auch nicht stark. Doch jetzt kann ich manchmal nachts nicht einschlafen. Oder er weckt mich mitten in der Nacht auf. «

»Fing er plötzlich an?« fragte Anita weiter, doch auch das wußte die Patientin nicht mehr.

Anita fragte nach der Menses. Die war normal, dennoch lag der Verdacht einer Bauchschwangerschaft nahe.

»Ich schicke Sie zum Frauenarzt. Nur zur Sicherheit, verstehen Sie! Damit wir nicht eine Bauchschwangerschaft übersehen. «

Die junge Frau erschrak, aber sie ging.

Der Gynäkologe fand keine Schwangerschaft. Aber nach seiner Ansicht bestand eine Adnexitis.

»Was ist das?« fragte die junge Frau Anita.

»Das ist eine Eierstockentzündung. « Und sie verschrieb entzündungshemmende Tabletten.

Nach ein paar Tagen kam die Patientin wieder. Es ging ihr nicht besser, im Gegenteil, jetzt tat auch manchmal wieder der Magen weh.

»Dann müssen wir auf die Tabletten verzichten«, sagte Anita. Sie untersuchte erneut den Bauch. Oberhalb des Nabels war er leicht gespannt, und die Frau gab einen Schmerz an. »Aber nicht schlimm!« beteuerte sie. Der übrige Oberbauch war frei. Auch die Blinddarmgegend war weich und schmerzfrei.

»Wenn ich nur den kleinsten Anhalt für eine Blinddarmentzündung hätte, würde ich Sie sicherheitshalber operieren lassen.«

»Aber nein, wir wollen doch in Urlaub fahren!« Die Aussicht auf einen verpatzten Urlaub erschreckte die Patientin. Anita beruhigte sie.

»Es *ist* ja kein Anhalt dafür da«, lächelte sie. »Aber ich schicke Sie doch zum Röntgen. Wir wollen den Bauch kontrollieren lassen. Außerdem will ich Ihnen Blut abnehmen.«

Es wurde alles gemacht. Das Blutbild war normal, das sprach gegen den Blinddarm. Die Senkung war stark erhöht. Das sprach für eine Entzündung. Also doch der Eierstock.

»Sie sollten noch einmal zum Gynäkologen gehen.«

Vorher aber wurde der Bauch geröntgt. Das Ergebnis war: Alles normal. Magen, Zwölffingerdarm, Dünndarm bis zur Blinddarmgegend völlig ohne Befund.

Der Gynäkologe wollte die Frau stationär aufnehmen, aber sie weigerte sich.

»Wir wollen doch in Urlaub fahren!«

»Wann wollen Sie fahren?« fragte Anita.

»Ende nächster Woche.«

»Das ist noch lange. Vielleicht geht es Ihnen bis dahin wieder gut.«

»Aber wenn nicht?«

»Sie sollten nicht leichtsinnig sein. Wird eine solche Entzündung chronisch, so kann sie später eine Bauchschwangerschaft verursachen, und die ist lebensgefährlich!«

Die Frau sprach mit ihrem Mann. Er konnte den Urlaub um zwei Wochen verschieben. So hatte sie genügend Zeit für die Behandlung im Krankenhaus.

Aber das Krankenhaus brachte keine Besserung. Der Frauenarzt sprach schließlich von Operation. Die Patientin erschrak und flüchtete.

248

Wenige Tage später saß sie wieder bei der Ärztin.

»Was soll ich tun? Mein Mann will in Urlaub fahren.«

Anita untersuchte aufs neue. Der Befund war der gleiche, auch der Blutbefund und der Urin.

»Wohin wollen Sie fahren? Ich meine, in welches Land?«

»Nach Österreich.«

»So fahren Sie in Gottes Namen«, sagte Anita schweren Herzens. »Vielleicht tut Ihnen die Erholung gut. Aber Sie müssen mir versprechen, daß Sie zurückkommen oder dort einen Arzt aufsuchen, wenn sich irgendetwas ändern oder verschlechtern sollte.« Und dann murmelte sie noch einmal: »Wenn nur das geringste Zeichen für einen Blinddarm vorhanden wäre, so...«

Anita dachte in den folgenden Wochen oft an die junge Frau. Jeden Tag war sie darauf gefaßt, sie vorzeitig zurückgekehrt zu sehen. Sie überlegte auch, was sie hätte tun können, um das Bild besser abzuklären. Zugegeben, die Eierstöcke können solche Erscheinungen hervorrufen. Trotzdem befriedigte sie die ganze Sache nicht.

Drei Wochen später saß die Patientin im Wartezimmer. Blaß, mit eingefallenen Wangen, sah sie krank aus, richtiggehend krank.

Als sie ins Sprechzimmer kam, blieb Anita vor ihr stehen, schaute sie prüfend an und sagte dann:

»Es hilft nichts, Sie müssen wieder zum Gynäkologen gehen. Möglicherweise ist die Operation die einzige Lösung.«

So wurde denn eines Tages doch operiert.

Die Operation ergab eine Sensation: Der Eierstock war völlig in Ordnung. Dicht daneben aber lag ein Konglomerat verklebter Darmteile und in deren Mitte ein geplatzer Blinddarm. Den starken Verklebungen war es zu verdanken, daß der Eiter sich nicht über den gesamten Bauchraum verteilen konnte. Dadurch war die Bauchfellentzündung und vielleicht der Tod der

Frau verhindert worden, aber gleichzeitig auch die richtige Diagnose.

Als Anita den Brief gelesen hatte, ließ sie die Hand sinken, die ihn hielt. Sie starrte auf den Schreibtisch, an die Wand, ins Leere. Da war er wieder, der heimtückische Blinddarm! Er hatte sie alle zum Narren gehalten! Sie, den Gynäkologen, die Chirurgen!

Sie dachte zurück an ihre Studienzeit. Wie war man damals vorgegangen? Jeder, der einen Schmerz im rechten Bauch angab, landete auf dem Operationstisch. Aufmachen, hineinschauen! So lautete die Parole. War der Blinddarm entzündet, nahm man ihn heraus. War er es nicht – so wurde er auch entfernt, denn schließlich wollte man nicht riskieren, daß in ein paar Jahren die gleiche Operation aus dem gleichen Grund vorgenommen werden mußte.

In den letzten Jahrzehnten war man zurückhaltender geworden.

»Operation ist Operation!«, so sagte man jetzt und schnitt nur noch in sicheren Fällen. Oder in fast sicheren, denn was heißt in der Medizin schon sicher? Was heißt überhaupt Sicherheit in der Welt? War nicht eine Operation im Zweifelsfall sicherer? Fälle wie dieser kamen dann nicht vor, auch auf die Gefahr hin, daß viele Menschen unnötig aufgeschnitten wurden.

Die Patientin wurde langsam gesund. Die lange Krankheitsdauer hatte an ihren Kräften gezehrt. Aber auch Anitas Kräfte wurden strapaziert, zumindest, seitdem sie die richtige Diagnose kannte. War es eine Entschuldigung für sie, daß auch die Fachärzte sich getäuscht hatten? Daß nicht nur der Befund, sondern auch das Urteil der Fachärzte sie, Anita, irregeführt hatten! Und die Patientin selbst? War sie nicht auch getäuscht worden? Von uns allen? War das nicht zum Verzweifeln?

Nein, es war nicht zum Verzweifeln. Aber alle – Anita, die Fachärzte, die Patientin – mußten erkennen, daß es keine Sicherheit in der Welt gibt. Wir alle stoßen immer wieder an die

Grenze dessen, was der Mensch an Sicherheit erreichen kann. Es ist dies eine Erkenntnis, die wir akzeptieren müssen, ohne die das Leben nicht gelebt werden kann.

Offensichtlich gelingt es nur wenigen Menschen, sich zu dieser Erkenntnis durchzuringen. Wir Ärzte erleben es immer wieder. Ich erinnere mich an die Zeit nach dem Krieg. Es gab wenige Wohnungen, man war verpflichtet, ein, zwei Zimmer, je nach Größe der Wohnung, zu vermieten. Meine Mutter mußte einen Raum abgeben. Sie nahm stets junge Mädchen oder Frauen auf. Nach einiger Zeit sagte sie mir lachend:

»Wenn du Ärztin sein wirst, wirst du alles falsch machen.«

»Wieso?« fragte ich erstaunt.

»Weil ich alle meine Damen gefragt habe, woran ihre Eltern gestorben sind. Wenn sie nicht gerade gefallen sind, wurden sie vom Arzt falsch behandelt oder er hat die falsche Diagnose gestellt oder die Krankheit zu spät erkannt.«

Das ist dann *unser* Blinddarm, nur ist er leider nicht operabel. Wie hat es Wilhelm Raabe in seiner bezaubernden kleinen Geschichte ›Else von der Tanne‹ formuliert?

»Es gibt in der Welt keine Rettung vor der Welt.«

Müssen wir nicht alle tagtäglich erfahren, wie nah er der Wahrheit ist?

Die Geschichte vom verlorenen Vater

Sie waren wahrhaftig ein ungleiches Schwesternpaar. Die Ältere, nicht hübsch, nicht häßlich, konnte man ohne weiteres übersehen. Schon in der Schule war sie niemals aufgefallen, weder durch überragende Leistungen noch durch klägliches Versagen. Zu Hause war sie der Mutter eine verläßliche Hilfe. Groß und kräftig gebaut griff sie zu, wo immer es nötig war, schrubbte Fußböden, klopfte Teppiche oder rubbelte Wäsche, bevor dies eines Tages von der Waschmaschine übernommen wurde. Auch als sie in die Lehre kam, trug sie weiter zum Funktionieren des Familienlebens bei. Die Eltern hatten sich angewöhnt, mit allem zu ihr zu kommen. »Was meinst du, Klara, sollen wir den alten Teppich hinauswerfen?« Oder: »Glaubst du, Klara, wir schaffen es, wenn wir noch eine Glucke setzen?« Oder auch: »Geh, Klara, geh zur Beerdigung des alten Gehlsen-Xaver. Er war schließlich ein Vetter von Onkel Gustav. Schnell, zieh dich um, es läutet schon!« Und Klara nickte und ging. Klara ging immer.

Claudia war um etliche Jahre jünger, klein, schmal, kapriziös. »Es ist gar nichts an ihr!« jammerte die Mutter. »So eine kleine Handvoll!« Und der Vater fragte bekümmert: »Wie soll ein so mickriges Menschlein durchs Leben kommen?«

Während Klara Haushalt und Lehre meisterte, waren die Eltern bemüht, von Claudia alles fernzuhalten, was nach Arbeit aussah. So kam es, daß Claudia sich früh daran gewöhnte, ihr junges Leben zu genießen, stets ihren Willen durchzusetzen und endlich das ganze Haus zu tyrannisieren.

Als Claudia die Schule beendet hatte, zeigte sie keine Lust, zur Arbeit zu gehen. Sie erklärte kurzerhand, sie habe sich entschlossen, noch eine Fachschule zu besuchen. Das kam für die Eltern überraschend, aber sie widersprachen nicht. Also wechselte Claudia die Schule, und alle waren es zufrieden.

Eines Tages hatte Klara einen Freund. Er war ein guter und solider Mensch, einige Jahre älter als sie, und wünschte sich, nach der Verlobung möglichst bald zu heiraten.

»Aber wir brauchen dich doch!« jammerte die Mutter, die sich nicht vorstellen konnte, wie es ohne Klara gehen sollte.

Da hatte der Vater eine Idee:

»Wenn wir das obere Stockwerk ausbauen, können die beiden bei uns wohnen.« Er sagte es nach dem Abendessen, als sie alle beisammensaßen. Die Mutter war hell begeistert, und auch die beiden Schwestern machten keine Einwände. Am nächsten Tag aber meldete Claudia Bedenken an.

»Wie soll ich für die Schule lernen, wenn so viele Menschen im Haus sind?«

»So viele Menschen?« fragte der Vater überrascht. »Es kommt doch nur Hermann, sonst niemand!«

»Jetzt schon. Aber dann kriegen sie Kinder. Die schreien und später rennen sie herum, dann ist es aus mit der Ruhe im Haus.«

»Du lieber Gott! Was trägst du schon Sorge für Jahre voraus!« Aber Claudia ließ nicht locker. Jeden Tag murrte sie ein bißchen und stets ein bißchen mehr. Unmerklich schwenkte der Vater auf ihre Linie ein. Die Mutter gab seufzend nach, und eines Tages wurde der Entschluß umgeworfen.

Klara war maßlos enttäuscht. Sie heiratete ihren Hermann, und die beiden suchten sich eine Wohnung in der Nähe. Tagsüber ging sie arbeiten, abends machte sie ihren kleinen Haushalt. Das Elternhaus mied sie, soweit es ging. Die Mutter kam manchmal herübergesprungen, holte sich Rat in einer Sache oder jammerte ein bißchen über die viele Arbeit oder das zarte ›Claudia-Kind‹. Dann preßten sich Klaras Lippen wohl zusammen, doch die Mutter hörte keine Vorwürfe.

Ein Jahr später bekam Klara ein Kind. Jetzt gab sie die Arbeit auf und blieb zu Hause. Sie war glücklich, sehr glücklich sogar. Mit dem Glück schwand auch der Ärger über das Elternhaus, man kam wieder öfter zusammen. Auch half Klara wieder der Mutter, und allmählich wurde es so, daß sie zwei Haushalte bewältigte, den der Eltern und den eigenen.

Klaras Mann war fleißig wie sie selbst. Als ein paar Jahre vergangen waren, kauften sie ein Stückchen Land. Dann taten sie sich mit Freunden zusammen und bauten ein Haus. Groß war es nicht, gerade Platz genug für sie selber, aber es war ihr Eigentum, mit einem kleinen Gemüsegarten und einem Sandkasten für Kinder.

Mittlerweile war auch Claudia eine junge Dame geworden, nicht hübsch, aber graziös und charmant. Verehrer umschwirrten sie, und eines Tages hatte sie sich entschieden. Im Haus Gassert bereitete man wieder eine Verlobung vor.

Klara half mit Rat und Tat und freute sich für die Schwester. Von vornherein war es eine Selbstverständlichkeit, daß das Paar den oberen Stock ausbaute und heiratete, sobald die Wohnung beziehbar war.

Durch einen Zufall erfuhr Klara eines Tages, daß die Eltern ein neues Testament gemacht hatten.

»Warum habt ihr mir nichts davon gesagt?« fragte sie, nicht böse, nur überrascht.

»Weil wir keinen Streit haben wollten.«

»Das hätten wir auch nicht zu bekommen brauchen.« Weiter sagte Klara nichts, aber am Abend sprach sie lange mit ihrem Mann. Dann ging sie zu ihren Eltern hinüber. Sie tat es schweren Herzens.

»Ich muß mit euch reden«, begann sie.

»Ja?« Die Mutter wurde unruhig, der Vater sagte gar nichts.

»Wie habt ihr es mit eurem Testament gehalten – ich meine – wie ist es mit dem Haus?« Die Worte fielen ihr unsagbar schwer.

»Nun«, begann der Vater ein bißchen zögernd, »du weißt, Claudia wird in dem Haus wohnen. Wir dachten, es sei am besten, wenn wir es ihr vermachen. Du und Hermann, ihr seid doch so tüchtig...«

»Schon gut«, erwiderte Klara. »Es ist nur, weil wir auf unserem Haus noch so viele Schulden haben...«

»So viele sind es doch gar nicht, ihr habt ja das meiste selbst gebaut.«

»Das schon.« Die Worte fielen Klara immer schwerer. »Nur dachten wir, wir haben ja das Material gebraucht, und das mit dem Elektrischen hat Hermann ja auch nicht gekonnt – da dachten wir, wenn Vater uns etwas von seinem Ersparten ge-

ben könnte, damit wir von den hohen Zinsen herunterkämen.«
Sie schämte sich unsagbar.

Die Eltern sahen einander an, dann zu Boden. Eine Weile
herrschte Schweigen.

»Weißt du«, fing der Vater schließlich wieder an, »wir haben
gedacht, wo ihr beide doch so tüchtig seid, während Claudia –
du siehst doch selbst, wie zart sie ist...«

Jetzt wurde Klara ärgerlich.

»Was sehe ich! Ich sehe seit Jahr und Tag, wie Claudia verwöhnt wird, daß sie nichts tut und alles von euch bekommt,
was sie will...«

»Bitte Klara! Bitte nicht streiten! Sie ist doch so schwach...«

»Ach was schwach! Außerdem will ich gar nichts von ihr.
Doch immerhin bin auch ich eure Tochter. Und ich weiß, daß
Vater so viel Geld auf dem Sparbuch hat. Und wenn ich euch
bitte, uns ein paar tausend Mark davon zu geben zur Tilgung
unserer Schulden – oder wenigstens eines Teils davon, so ist das
doch nicht unverschämt, oder?«

»Nein, Klara, natürlich nicht. Nur...« Das Reden fiel dem Vater immer schwerer, »schau, wir müssen doch oben ausbauen.
Und so, wie Claudia es sich vorstellt, wird es wunderschön
werden, wirklich wunderschön! Aber dazu werden wir das
Geld wohl brauchen...«

»Alles Geld, das du gespart hast in deinem halben Leben? Alles
bekommt Claudia?«

»Doch nicht Claudia! Wir verwenden es für den Ausbau!«

»Für den Ausbau! Und das Haus gehört Claudia! Sag mal, Vater, was erbe eigentlich ich?«

Jetzt wußte der Vater nicht mehr aus noch ein.

»Es ist doch nur, weil Claudia...« Aber Klara war schon aufgestanden. Sie atmete schwer.

»Das heißt also – das heißt, daß ich zugunsten meiner Schwester enterbt bin.«

»Bitte, Klara, es ist doch nur...«

255

»Weil Claudia so zart ist, ich weiß.« Müde strich sie eine Haar-
strähne aus dem Gesicht. Dann ging sie langsam davon. Die
Eltern sahen ihr nach und schwiegen.

Ein Jahr später war der Ausbau beendet, und Claudia heiratete
mit dem gebührenden Pomp. Klara und ihre Familie befanden
sich nicht unter den Hochzeitsgästen.
So war es denn gekommen wie in vielen Familien, daß der
Streit um das Erbe sie entzweit hatte.
Klara und ihr Mann waren fleißig und sparsam, und es gelang
ihnen nach nicht sehr langer Zeit, ihr Anwesen schuldenfrei zu
bekommen.
Claudia hatte von vornherein keine Schulden, denn der Vater
hatte alles bezahlt. Sie ging zur Arbeit, ihr Mann desgleichen.
Kinder bekamen sie keine, das war von Anfang an beschlossene
Sache. Die Mutter kochte für sie und wusch die Wäsche, so daß
die jungen Leute sorglos leben konnten. Das taten sie denn
auch mehr als genug. Die Abende verbrachten sie mit Freunden, die Wochenenden ebenfalls. Man freute sich des Lebens,
man hatte alles, was man wollte.
Da begann eines Tages die Mutter zu kränkeln. Zunächst sah es
nicht schlimm aus, sie wurde nur etwas müde.
»Es ist das Alter«, wehrte sie ab, wenn man sie zum Doktor
schicken wollte.
Aber es wurde immer schlimmer. Als sie sich endlich überreden ließ und zu Anita kam, war es zu spät. Wohl wurde sie noch
operiert, die Gebärmutter wurde entfernt, aber der Krebs hatte
schon zu weit um sich gegriffen. Auch die Bestrahlungen nutzten nicht mehr, als daß sie noch ein knappes Jahr mehr schlecht
als recht zu leben hatte.
Anita kam in den letzten Wochen oft ins Haus. Die Gasserts
waren seit vielen Jahren ihre Patienten, sie hatte alle Ereignisse
beobachtet und miterlebt. Sie war nie um einen Rat gefragt
worden und hatte auch keinen gegeben. Als jetzt aber die Frau

noch immer nur Gedanken an Claudia verschwendete, konnte sie sich nicht beherrschen.

»Denken Sie gar nicht an Ihren Mann? Claudia ist jung und kräftiger, als Sie denken. Aber Ihr Mann? Wie soll er alles bewältigen?«

»Claudia kräftig?« Sie hatte nur das eine gehört. »Aber Frau Doktor! Sie kann doch nicht putzen und waschen und kochen! Dieses halbe Portiönchen!«

»Und Ihr Mann?« beharrte Anita.

»Der?« antwortete Frau Gassert. »Ach, der kommt schon zurecht. Der ist ja kräftig. Und er kann alles, er hat mir ja immer geholfen, seit Klara nicht mehr kommt. Nein, um den brauchen Sie sich keine Sorgen zu machen!«

Zwei Monate später war sie tot.

Eine Weile hörte Anita nichts von der Familie.

Als eines Tages Klara mit zwei hustenden Kindern in die Sprechstunde kam, fragte Anita:

»Wie geht es Ihrem Vater?«

»Ich weiß es nicht.« Das war alles, was sie antwortete.

Viel später erst kam der Vater.

»Wie geht es?« fragte Anita.

»Mit dem Magen stimmt etwas nicht.«

»Nein«, sagte Anita, »das meine ich nicht. Ich meine, wie es Ihnen jetzt geht – so ohne Ihre Frau.«

Der Mann schwieg eine Weile und sah zu Boden. Dann zuckte er die Achseln.

»Es geht.«

»Wer kocht Ihnen?«

»Das tue ich selbst.«

»Und alles übrige?«

»Ich schaffe es schon.«

Der Magen wurde untersucht und behandelt. Die Beschwerden wurden besser, dann wieder schlechter. Sie wechselten ohne ersichtlichen Grund.

Später machte das Herz Dummheiten. Mal jagte es ganz schnell, mal hopste es und machte danach lange Pausen, dabei wurde ihm oft schwarz vor den Augen.

»Was macht Claudia?« fragte Anita endlich gerade heraus.

Da entstand eine lange Pause. Er sah sie nicht an. Sie glaubte einen Augenblick, er sei dem Weinen nahe. Vielleicht war er es auch. Dann aber kam seine Stimme hart und rauh:

»Sie freut sich des Lebens.«

Wieder schwiegen sie, bis Anita fragte:

»Kümmert sie sich um Sie?«

»Die sich um jemanden kümmern?« Den Worten folgte ein lautloses Lachen.

Da spürte Anita, daß der Augenblick gekommen war, in dem sie mit ihm reden mußte. Sie begann vorsichtig:

»Claudia muß doch sehen, wie einsam Sie sind. Bemerkt sie das nicht?«

Da brach es aus ihm hervor, wie falsch er alles gemacht habe, wie er sie verwöhnt habe, zur Egoistin erzogen, oberflächlich und leer, für die es nichts gebe außer ihrem eigenen Ich.

»Und Klara?« Anita warf es leise dazwischen.

»Klara? Ja, die wäre anders! Die ist ein Mensch mit Herz! Wenn sie im Haus wohnte, dann – oh, sie wäre ganz anders.«

»Sie wohnt nicht in Ihrem Haus«, sagte Anita, »aber nur ein paar Straßen weit von Ihnen entfernt. Könnten Sie nicht einmal zu ihr hinübergehen?«

Wieder senkte der Mann den Kopf. Und jetzt sah Anita, wie zwei Tränen langsam an den Unterlidern wuchsen, wie sie immer größer wurden, über die Lidränder auf die Wangen kippten und herunterliefen, langsam erst, dann schneller, bis sie schließlich absprangen und zu Boden fielen.

»Klara ist noch immer Ihre Tochter«, sagte Anita leise.

»Ich aber war so lange nicht ihr Vater.« Die Stimme war kaum zu hören.

»Sie sind es. Sie hatten es nur vergessen.«

»Wenn ich mich jetzt daran erinnere, weshalb sollte sie mir verzeihen? Einfach so?«

»Nicht einfach so, sondern weil sie Ihre Tochter ist.«

Er schwieg wieder, sah auf die Schreibtischplatte durch seine Tränen hindurch.

»Vielleicht hat sie das auch vergessen«, meinte er dann und sah zu Anita auf.

Anita schüttelte den Kopf.

»Das glaube ich nicht. Und selbst wenn es so wäre, könnte man sie daran erinnern.«

Da blickte er wieder auf den Schreibtisch und er sah aus wie ein uralter Mann. Jetzt war er es, der den Kopf schüttelte.

»Ich kann es nicht«, murmelte er. »Ich schäme mich so.«

Als Anita am nächsten Tag an Klaras Haus vorbeifuhr, hielt sie an. Sie stieg nicht gleich aus. Es war plötzlich schwerer, als sie gedacht hatte. Sie musterte die sauber geputzten Fenster, die weißen Gardinen und fand zu keinem Entschluß.

Da öffnete sich die Tür, und Klara trat heraus. Sie sah die Ärztin und war überrascht. Jetzt stieg Anita aus.

»Ich muß mit Ihnen reden«, begann sie. Klara führte sie in die Stube.

»Ihr Vater ist einsam.«

»Das glaube ich.« Es sollte hart klingen, aber es tat es nicht.

»Sie kennen Ihre Schwester.«

»Ja«

»Sie ist nicht das Richtige für ihn.«

»Das glaube ich auch.«

»*Sie* wären richtig.«

»Ich bin immer richtig, wenn man mich braucht.« Es klang wieder nicht so hart, wie es sollte.

»Das weiß Ihr Vater auch und deshalb schämt er sich.«

»Die Reue kommt spät.«

»Zu spät?« Es gab eine Pause. Dann sagte Klara leise:

»Ja, zu spät.«

»Nicht zu spät, solange ihr beide lebt«, sagte Anita. Und als Klara keine Antwort gab, fuhr sie fort: »Es gibt da eine Geschichte. Sie kennen sie sicher. Sie steht zufällig in der Bibel oder vielleicht auch nicht zufällig, aber das spielt hier keine Rolle. Es ist die Geschichte vom verlorenen Sohn. Als es ihm schlecht ging, bat er den Vater um Verzeihung. Der Vater verzieh. Mit Freuden sogar.«

»Das war der Sohn, der zum Vater kam.«

»Kann es nicht einmal umgekehrt sein? Daß der Vater zum Sohn kommt? Oder zur Tochter?«

Klara antwortete nicht.

»Überlegen Sie es sich«, sagte Anita, dann ging sie zu ihrem Wagen.

Eine Woche später war Klara am Telefon.

»Ich habe es mir überlegt. Wenn er kommt, werde ich ihn nicht fortschicken.«

»Sie sind ein guter Mensch, Klara«, freute sich Anita. Dann, ein wenig zögernd: »Wenn er aber den Mut nicht aufbringt? Wenn er sich zu sehr schämt?«

»Dann – ja, dann kann ich ihm nicht helfen.«

»Ist es zuviel verlangt, wenn ich Sie bitte, ihn einmal einzuladen?«

»Ich soll zu ihm hingehen?«

»Wenn Sie es nicht können, tue ich es für Sie.«

Klara antwortete lange nicht.

»Sie verlangen viel von mir.« Es kam leise, ein bitterer Ton schwang mit.

»Ich weiß, Klara, aber bedenken Sie: In der Geschichte vom verlorenen Sohn ist nicht etwa der Sohn der Held. Der Vater ist es!«

Als im nächsten Frühjahr der alte Gassert eine Grippe bekam, wurde Anita nicht in Claudias Haus gerufen, sondern zu Klara. Sieh an, sagte sie sich, der verlorene Vater ist heimgekehrt. So herum ist die Geschichte auch sehr schön.

✳

Der Frühling ist bei uns eingekehrt. Der Magnolienbaum hat seinen Blütentraum schon ausgeträumt. Die blaßrosa Blätter, an den Rändern schon vom braunen Tod gezeichnet, liegen im weiten Rund auf dem Rasen verstreut und senden sterbend ein wehmütiges Ade in unsere Herzen. Doch lange hält die Wehmut nicht an. Überall an den Rabatten strecken bunte Primeln vorwitzig ihre Nasen aus dem Dunkel hervor in Licht und Sonnenschein und melden, daß das Leben erst begonnen hat.
Die Pflanzenwelt braucht keinen Arzt. Sie lebt und gedeiht dort am üppigsten, wo die Menschen sie dabei nicht stören. So ganz stimmt das letzte nicht immer. Wohl wuchert die Natur in Tropenwäldern und milden Gegenden. Wer aber sieht, wie viele zarte Pflänzchen sterben unter dem Druck der stärkeren? Wieviel Leben verkümmert aus Mangel an Freiheit und Pflege? Die Freiheit aber und die Pflege, die gibt der Mensch in seinen Gärten. Doch leider geht auch das nicht ohne den Tod unzähliger Pflanzen, die entfernt und als Unkraut vernichtet werden. Haben jene nicht recht, die sagen, der Mensch sei grausam? Und die anderen, die da meinen, die Natur sei es? Haben sie weniger recht? Wir müssen gerecht sein, alle sind grausam, die Pflanzen, die Tiere, die Menschen. Es gibt nur einen Unterschied: Der Mensch besitzt Vernunft. Er ist damit einzig in der Natur. Er kann die Grausamkeit dosieren, nach vernünftigen Maßen. Tut er das immer?

Fast dreißig Jahre lang habe ich versucht, Menschenleben zu erhalten oder zu pflegen, Krankheiten zu heilen oder zu verhüten. Das Wort »Gott« ist mir dabei nicht oft über die Lippen gegangen, doch habe ich es oftmals gedacht. Nicht immer! Nein, es gab Zeiten, da hatte ich Gott verloren oder hatte mich von ihm abgewandt. Immer aber, wenn ich wieder zu ihm fand, war es kein Zufall, sondern ein »bitte« oder ein »danke«. Ja, auch der Dank hat mich zu Gott geführt, ich habe es mir aus der Kinderzeit bewahrt. Und immer, bis heute, da ich über fünfzig bin, ist das Bild Gottes in mir gleichgeblieben. Mochten wir diskutiert und philosophiert haben über Gott als Gedanke oder als Geist oder als Kraft – der Gott, den ich bitte oder dem ich danke, ist der gleiche geblieben: Der alte Mann mit dem weißen Haar und den lieben Augen.

Ich habe einmal den Fehler gemacht, es zu sagen. Das war im Kreis von Freunden. Man hat mich zwei Sekunden angesehen, dann hat man schallend gelacht. Nicht böse, nein, sogar freundlich, als sei das Ganze eine reizende Geschichte. Da habe ich erkannt, daß es Dinge gibt, die man nicht sagen kann. Dennoch schreibe ich es. Vielleicht lest ihr, meine Kinder, eines Tages die Blätter, ihr oder sonst wer. Wenn ihr lacht, höre ich es nicht. Ob es aber einen unter euch gibt, dem es mit dem Bild Gottes ebenso ergeht wie mir?

Seit ich nicht mehr arbeite, denke ich oft an Gott. Ich möchte sein Bild nicht missen. Ich freue mich, wenn es kommt, es macht mich zufrieden und manchmal glücklich. Vielleicht auch gut. Ich hoffe es.

Ob die kleine Lilli in ihren Asthmaanfällen zuweilen an Gott denkt?

Das Sterben

»Hast du jetzt Zeit?« Inge hielt der Mutter das geöffnete Wörterheft entgegen. Sie mußte zweimal fragen, ehe sie Antwort bekam.

»Wie bitte? – Ach so, ja – ja, Kind, gleich…« Anita sah an ihr
vorbei.

»Ich muß doch nachher noch Erdkunde lernen. Und dann warten die drüben auf mich.« Die drüben, das waren Kinder in der
Nachbarschaft. Sie waren schier unzertrennlich. »Nimm doch
dein Bett mit hinüber!« hatte Anita einmal zu ihrer Tochter
gesagt. Heute aber war ihr nicht zum Scherzen zumute. Wie
konnte ich so etwas tun? hämmerte es in ihrem Kopf. Laut
sagte sie: »Du könntest doch erst Erdkunde lernen. Ich höre
dich die Wörter dann später ab.«

»Warum nicht jetzt, dann habe ich's doch hinter mir.«

»Jetzt oder später – ist das nicht einerlei?«

Inge ist anderer Meinung.

»Später habe ich die Hälfte wieder vergessen. Jetzt kann ich sie
noch so gut.«

»Du sollst sie doch für ein ganzes Leben können.« Das müde
Lächeln währte nicht einmal eine Sekunde. Maulend zog das
Mädchen ab.

Anita stieg die Treppe hinauf. Ihr Schritt war schwer wie der
eines Mannes. Sie öffnete die Tür zum Schlafzimmer, trat ein.
Der Raum atmete Ruhe und Kühle. Ohne sich auszuziehen
legte sie sich aufs Bett. Auf dem Rücken liegend starrte sie zur
Decke empor.

Durch das offene Fenster drang das Schilpen der Spatzen, hin
und wieder auch der Ruf eines anderen Vogels. So lärmten sie
wohl täglich im Garten. Aber waren sie sonst auch so laut gewesen? Hatten sie heute nicht einen besonderen Unterton, keck
und fordernd? So wie einst bei jenem weißen Haus, wo die
Kranken in großen Sälen oder im Sommer auf Terrassen lagen,
Monate, oft Jahre? Ja, dort waren sie gekommen, zwischen die
Liegen, unter die Betten, überall pickten sie Brosamen auf und
was es sonst zu finden gab. Zuweilen huschte über das Gesicht
eines Sterbenden ein letztes Lächeln, weil ein solch kleiner
Wicht auf seinem Teller saß.

War es heute nicht wie damals? Damals, als sie zum ersten Mal einen Menschen sterben sah?

Es war ein junges Mädchen auf der Tuberkulosestation gewesen. Der Franz, ihr Bräutigam, hatte dort als Krankenpfleger gearbeitet und dann auch ihr eine Putzstelle besorgt. Es war ein liebes Geschöpf gewesen, fröhlich und immer arbeitswillig. Die Schwestern und Ärzte hatten es gern.

Dann aber war es blaß geworden und müde. Der zarte Körper hatte die Flut der Bazillen nicht abwehren können. Nun fraßen sie ihn auf, langsam, erbarmungslos.

»Es ist meine Schuld!« jammerte Franz. »Ich hätte sie nicht hierherbringen dürfen!«

Ein Jahr lang litt das Mädchen und die ganze Station mit ihm. Dann war es soweit.

»Es geht zu Ende«, teilte man Anita mit.

Als sie das Krankenzimmer betrat, lag in den Kissen ein schmales, weißes Gesicht. Das Haar, von der langen Krankheit stumpf geworden, umrahmte es in braunen Strähnen, die die Schwester glattgekämmt hatte. Die Wangen zeigten ein paar Flecken, deren ehemals hektisches Rot in gespenstisches Violett übergegangen war. Darüber die Augen unendlich groß. Man sah fast nur noch die Augen. Die Hände hielten einen Rosenkranz, neben dem Bett saß die Schwester. Sie hatten wohl miteinander gebetet.

Als die Tür geht, wendet sich die Nonne um. Sie lächelt Anita zu.

»Es ist alles gut. Sie weiß, daß sie sterben muß. Sie ist bereit.«

Anitas Blick geht zu dem Mädchen. Es erschrickt nicht bei den Worten der Schwester, im Gegenteil, ein Lächeln verklärt das kleine Gesicht. Es sieht aus wie ein Kind. Noch einmal, wohl zum letzten Mal, tritt in die Augen ein sanftes Leuchten. Sie werden weich, unsagbar weich, und die Lippen bewegen sich.

»Was willst du sagen?« Die Schwester geht mit dem Ohr nahe an ihren Mund.

»Der Franz – helft ihm.« Mehr geht nicht, der Atem ist zu kurz.

»Wir helfen ihm, ich verspreche es dir«, antwortet die Nonne. Ihren Worten folgt ein Schluchzen. Erst jetzt wird Anita den jungen Mann gewahr, der am Ende des Bettes hockt, zusammengekauert, fassungslos.

»Franz...« Noch einmal zittert es wie ein Hauch von den Lippen, die, wie die Augen, ihre Sanftmut bewahren, bis unter dem Mangel an Luft das Wissen um diese Welt erlischt.

»Sie hatte keine Angst, ich bin ganz sicher.« Anita sprach die Worte zur weißen Decke ihres Schlafzimmers hinauf und erschrak über den Klang ihrer Stimme.

Und wie war es beim alten Schuster gewesen? Er hatte Schmerzen in der Brust gehabt. Eigentlich mehr in der Magengegend. Sie hatte ihm nicht getraut, hatte sicherheitshalber ein EKG gemacht, und siehe da, es war ein Herzinfarkt.

»Er ist nicht groß, aber das hat nichts zu sagen. Ich muß Sie ins Krankenhaus schicken.«

»In meinem Alter noch ins Krankenhaus?« Er schüttelte ungläubig den Kopf.

»Auch bei einem Neunzigjährigen muß ein Herzinfarkt richtig behandelt werden.«

»Ich möchte aber doch lieber hierbleiben«, lächelte er.

»Ein Herzinfarkt ist lebensgefährlich, Herr Schuster! Wollen Sie sterben?«

Er antwortete nicht sofort, saß und schaute vor sich hin. Dann hob er ein wenig den Kopf, ohne Anita anzusehen, und sagte:

»Nun, ich meine, es wäre nicht weiter schlimm.« Er sagte es bescheiden, fast zufrieden, den Blick einer Ferne verhaftet, in die sie ihm nicht zu folgen vermochte.

Kurze Zeit später war er einem zweiten Infarkt erlegen – nachts, während er schlief.

Nein, auch er hatte keine Angst gehabt.

Der alte Wessel war von anderem Schlag gewesen. Hart. Ein Leben lang hart gegen sich selbst und andere. Das Herz war schon lange schlecht gewesen, und, als eine Lungenentzündung dazukam, wurde es bedrohlich. Anita wollte ihm eine Spritze geben, doch er wehrte ab.

»Unsinn«, sagte er. »Ich bin am Ende. Lassen Sie mich sterben. Ich gehöre jetzt ins Grab.«

Zwei Tage später ist er wirklich gestorben, so, wie er gelebt hatte, hart, vernünftig, folgerichtig bis zur letzten Minute.

Angst? Nein, er hatte sie nicht gehabt.

Als Anita jung war, hatte sie die Ansicht vertreten, daß man den Menschen ihren Tod nicht ansagen dürfe.

»Die Angst ist schlimmer als alles Leiden«, war ihre Parole gewesen.

Eines Tages war sie sich ihrer Sache jedoch nicht mehr sicher. Das junge Mädchen, der alte Schuster, der harte Wessel – bewiesen sie nicht das Gegenteil? Oder waren sie Einzelfälle, Ausnahmen unter den vielen, die zitterten, wenn sie Worte vom Sterben hörten?

Ja, sie waren Einzelfälle! Hundertmal, tausendmal erlebte sie in all den Jahren, wie Menschen sich an das Leben klammerten, mit den Ängsten gequälter Kreaturen. Man hatte ihnen verheimlicht, sie aufgemuntert, ihnen zahllose Lügen aufgetischt, und sie hatten sie willig geschluckt, begierig, hatten gehofft bis in die letzte Minute hinein. Sie wollten nicht hören, daß sie sterben müssen, sie flüchteten vor der Wahrheit wie vor dem ärgsten Feind. Wie hätten diese vielen Menschen die Nachricht, rettungslos verloren zu sein, aufgenommen?

Kein Arzt kann an derartigen Gedanken vorübergehen. Einmal muß er sich ihnen stellen.

So konnte geschehen, was heute geschah.

Mit dem alten Haller war es plötzlich ganz schlecht geworden.

So alt war er noch gar nicht, erst Anfang siebzig, doch sah er gut zehn Jahre älter aus.

Seine Lunge war viel zu groß, das Gewebe gedehnt, der Druck gemindert, das Atmen war eine schwere Sache geworden. In den letzten Jahren hatte er so manche Nacht im Bett gesessen und nach Luft gerungen. Die Anfälle waren immer häufiger gekommen, und in den letzten zwei Wochen hatte er Tag und Nacht keine Ruhe mehr gefunden. Gestern war dann der ganze Körper aufgeschwollen, weil das strapazierte Herz versagte und das Wasser nicht mehr hinausschaffen konnte. Auf der Lunge brodelte es. Zuweilen quoll grobblasiger Schaum aus seinem Mund wie Suppe aus einem überkochenden Suppentopf. Die Injektionen wirkten nur noch wenige Stunden und brachten selbst da kaum Erleichterung.

Heute, kurz nach Mittag, riefen die Angehörigen Anita, weil es, wie sie sagten, mit ihm zu Ende gehe.

Auch Anita sah es, als sie ins Zimmer trat. Dennoch öffnete sie ihre Tasche und holte eine Spritze hervor. Wenn es nur wenigstens ein bißchen lindert, dachte sie, denn die Atemnot war selbst für die Umstehenden fast nicht mit anzusehen – wieviel schlimmer mußte es für ihn sein.

Nachdem die Injektion gemacht war, stand sie an seinem Bett und wartete, daß die Atmung sich ein wenig beruhigte. Es dauerte lange, bis sich eine leichte Besserung einzustellen schien. Da öffneten sich die Augen des Kranken einen Spalt. Die Hand hob sich und fiel wieder matt auf das Leintuch zurück. Anita verstand, daß er ihr etwas sagen wollte. Sie hielt das Ohr dicht an seinen Mund.

»Ist – das – ist es – der – Sensen – mann?« kam es flüsternd unter unendlichen Mühen.

Einen Augenblick sah Anita auf ihn nieder, sah in die verzerrten Züge, horchte auf das Brodeln und Rasseln der Lunge, das vermischt war mit dem Ächzen eines unter Qualen zerbrechenden Geschöpfes.

»Ja«, antwortete sie in einem Ton, als sei das Sterben eins geworden mit der Güte der Natur. »Ja, Herr Haller, er ist es. Er wird helfen, er bringt die Ruhe.«

Sie beobachtete ihn genau nach ihren Worten, und sie war ganz sicher, kein Muskel zuckte in seinem Gesicht, nur das Schnaufen war da, pausenlos, brutal. Dann war sie gegangen.

Vorhin, vor einer guten Stunde, ging sie wieder zu ihm hin. Sie erschrak. Alles an ihm war Unruhe, Aufruhr. Gleich als sie ins Zimmer trat, starrten die Augen sie an, aufgerissen, immer von neuem aufgerissen, verzweifelt.

»Was ist geschehen?« fragte Anita die Frau.

Sie blickte hilflos drein.

»Wir wissen es nicht«, erwiderte sie, »so ist er schon seit vorhin, seit Sie gegangen waren. Man kann es nicht mit ansehen.« Ihre Stimme schwankte.

Da zuckte der Arm, winkte wie am Mittag, aber diesmal ungeduldig, zweimal, dreimal. Anita beugte sich über ihn, horchte auf seine fast erloschene Stimme:

»Vielleicht – geht – er – er doch – vorbei – nur noch – ein – mal –«

Sie brauchte ein paar Sekunden, bis sie begriff. Bemerkte er ihr Erschrecken? Hoffentlich nicht, o Gott, hoffentlich nicht.

Rasch holt sie das Stethoskop aus der Tasche, schiebt das Hemd zurück, beugt sich über das Herz. Schnell – sicher viel zu schnell, aber nein, er hat es wohl nicht beachtet – überzieht ein Strahlen ihr Gesicht. Laut und sicher sagt sie:

»Das Herz ist ja viel stärker geworden! Es ist unglaublich, wieviel Kraft Sie haben, Herr Haller! Nun wird die Atemnot bald besser werden – Gott sei Dank!«

Während sie sich aufrichtet, sieht sie, wie die Unruhe sich legt. Nur der harte Atem bleibt.

Das war, wie gesagt, vor einer Stunde gewesen. Vor einer halben ist er gestorben.

Die Sonnenflecken auf den Tapeten des Schlafzimmers verblassen. Draußen ruft die Mädchenstimme nach der Mutter, es hat jetzt auch Erdkunde gelernt.

»Nie wieder«, murmelt sie, steht auf, geht zur Tür.

»Ich komme!« ruft sie, dann wieder, wie zu sich selbst:

»Nein, niemals wieder werde ich es sagen. Die Angst vor dem Tod ist schlimmer als alles Leiden!«

✳

Je länger ich schreibe, desto deutlicher wird mir, wie oft Atemnot im menschlichen Leben *die* große Rolle spielt, am Ende wie vieler Krankheiten sie steht. Ich erinnere mich an die Vorlesung eines Professors in meiner Studienzeit. Es war nicht die beste, die ich erlebte, doch eines seiner Worte hat sich mir unauslöschlich eingeprägt.

»Meine Damen und Herrn«, sagte er, »merken Sie sich fürs ganze Leben: Die größte Not des Menschen ist die Atemnot!«

Als Kind hatte ich schreckliche Vorstellungen vom Ertrinken. Auch heute noch kann ich nicht recht glauben, was man oftmals hört: Daß das Ertrinken ein »angenehmer« Tod sei. Man höre Musik, wunderschöne Musik und dergleichen Dinge mehr. Ich habe nie mit einem Ertrunkenen und Wiederbelebten gesprochen, aber vorstellen kann ich es mir nicht. Im Traum erlebte ich oft, wie ich atmen wollte und doch wußte, daß ich es nicht durfte, wie der Moment kam, da ich es doch tat und statt der ersehnten Luft sich Wasser in meine Lungen drängte – schreckerfüllt fuhr ich in meinem Bett hoch und konnte lange nicht mehr einschlafen. Ich verstand, als der Professor das sagte, ich wußte, wie recht er hatte, auch wenn ich es nur aus meinen Träumen kannte.

Heute weiß ich, daß der Hunger nach Luft nicht nur die schlimmste Not ist, sondern auch die häufigste. Zumindest der Todgeweihte durchlebt sie oft – viel zu oft. Ich war nie kleinlich mit Schmerz- oder Beruhigungsmitteln. Schmerzen kann man lindern, meist sogar beheben, die Atemnot bei weitem nicht immer. Und sie ist die Hölle für viele. Haben sie danach nicht das Paradies verdient? Man sagt doch, Gott sei Güte und Liebe!

Das Versprechen

Ein wenig lächelnd und sichtlich verlegen bat die junge Frau um ein zweites Rezept.

»Es sollte etwas für die Nerven sein.« Das klang noch verlegener.

Erstaunt sah Anita sie an. War sie nicht immer die Ruhe selbst? Sollte sie wirklich...

»Nicht für mich, Frau Doktor.« Da kam es schon. »Ich sollte es für meinen Bruder haben.«

»Den Herrn Pfarrer?« Die Frau nickte.

»Er hat es so schwer. In der Schule, wissen Sie!«

Und während Anita schon schrieb: »Die jungen Leute haben keinen Respekt mehr vor dem Pfarrer.«

Anita nickte.

»Ja, ja, ich stelle es mir nicht leicht vor.«

Plötzlich hielt sie im Schreiben inne.

»Hat mein Sohn nicht auch Religionsunterricht bei Ihrem Bruder?«

»Ja«, antwortete die junge Frau, mehr nicht. Sie wich Anitas Blick aus.

»Ich hoffe, er benimmt sich anständig«, sagte Anita, aber sie bekam keine Antwort. »Oder etwa nicht?«

Als noch immer keine Antwort kam, legte sich Anitas Stirn in Falten.

»Seien Sie ehrlich, Frau Moser, ist etwas mit meinem Sohn?«

»Ich – weiß nicht...« kam es zögernd. Doch jetzt wurde Anita energisch.

»Sie verheimlichen mir etwas. Aber so geht es nicht. Ich will wissen, was mit meinem Sohn ist! Wir müssen doch ehrlich miteinander reden! Wenn mein Sohn etwas Unrechtes tut, so muß ich es wissen, damit ich es abstellen kann.«

Da kam es dann stockend heraus.

»Er ist sicher kein böser Junge. Das sagt der Herr Pfarrer immer.« Sie sagte »Herr Pfarrer«, obwohl er ihr Bruder war. »Er ist wohl in schlechte Gesellschaft geraten, einen Kreis schlechter Schüler, meine ich – es ist schon schwer für die heutige Jugend – all die Verführungen – und der Herr Pfarrer ist so hilflos – er ist doch noch so jung . . .«

Allmählich erfuhr Anita, daß ihr Sohn mit zwei Klassenkameraden ein Trio bildete, das den Unterricht am laufenden Band störte. Daß sie Romane lasen, Briefe schrieben, sich laut unterhielten, Papierbälle durchs Klassenzimmer warfen und was dergleichen Unfug mehr war. Daß sie, so sie schon einmal bei der Sache waren, dem Herrn Pfarrer fortgesetzt widersprachen und ihn zuweilen lauthals auslachten.

»Als er neulich nach Hause kam, hat er sogar geweint. Er wollte es vor mir verbergen, aber ich habe es doch gesehen.« Sie sagte es flüsternd, mit vor den Mund gehaltener Hand, obwohl doch nur sie beide im Raum waren.

Anita war entsetzt. Zum ersten Mal seit langem verschlug es ihr richtiggehend die Sprache. Als sie sich wieder gefaßt hatte, kehrte auch ihre alte Energie zurück.

»Ich danke Ihnen, daß Sie es mir gesagt haben, das wird anders werden. Ich verspreche es Ihnen!«

Sie sollte bald merken, daß dergleichen leichter gesagt ist als getan.

Am selben Abend noch stellte sie ihren Sohn zur Rede. Da mußte sie dann erfahren, daß ein vierzehnjähriger Sohn seine Mutter für lebensfremd und maßlos veraltet hält.

»Der ist doch selber schuld! Er soll sich wehren! Er soll seine

Autorität hervorkehren! Und vor allem soll er uns nicht so kindisches Zeug vorsetzen! Wir sind keine Kinderschüler, sondern erwachsene Menschen. Wir denken! Vergiß das nicht, Mutter!«

»Wenn ihr erwachsen seid, so benehmt euch zivilisiert, wie man es von Erwachsenen erwartet!«

»Willst du behaupten, daß alle Erwachsenen sich zivilisiert benehmen? Daß ich nicht lache!«

Die Diskussion ging hin und her. Am Ende hatte Anita durchaus nicht das Gefühl, gesiegt zu haben. Ihr war ganz elend zumute. Abends sprach sie mit ihrem Mann.

»Meinst du, Werner, es spielt eine Rolle, daß ich arbeite? Daß ich so oft von zu Hause fort bin?«

»Unsinn!« Werner gähnte.

»Vielleicht fehlt den Kindern doch etwas. Ich meine, eine gewisse Ordnung und vielleicht auch die Zucht.«

»In der Pubertät sind Kinder immer schwierig. Bei den beiden anderen hatten wir es doch auch, wenn es sich auch nicht gerade im Religionsunterricht zeigte.«

In der Nacht schlief Anita kaum. Stets stand das Gesicht des jungen Pfarrers vor ihr, wie es unter Tränen lächelte. Dazu hörte sie das freche Lachen ihres Sohnes.

Gegen Morgen kam ihr eine Idee. Kaum aufgestanden rief sie ihren Sohn.

»Hör zu«, begann sie, »du weißt, daß ich meine Versprechen immer halte.«

»Ja, und?«

»Ich verspreche dir: Wenn du es fertigbringst, daß ihr drei euch in den nächsten vier Wochen anständig benehmt und den Religionsunterricht in keiner Weise stört, zahle ich euch hundert Mark. Ihr könnt sie untereinander teilen oder damit machen, was ihr wollt. Ist das ein Vorschlag?«

Der Junge zögerte.

»Ein Vorschlag ist es schon«, sagte er ein wenig zweifelnd.

»Nur muß ich zunächst die anderen fragen, ob sie einverstanden sind.«

»In Ordnung. Sprich mit ihnen. Ihr habt mein Wort.«

Die beiden anderen hatten ebenfalls Bedenken. Es war in gewissem Sinn eine Erpressung, und man hatte seinen Stolz. Dann aber willigten sie ein. Dreiunddreißig Mark waren für einen Schüler eine Menge Geld.

Vier Wochen später stellte Anita ihren Sohn zur Rede. Die Jungen hatten ihr Versprechen gehalten.

»Hier hast du dreiunddreißig Mark und fünfzig Pfennig«, sagte Anita. »Und nun gib mir die Adressen der anderen beiden.«

Sie schickte ihnen ihre Anteile per Post. Auf die Rückseite der Postanweisungen schrieb sie: *Für anständiges Benehmen im Religionsunterricht.*

Der Zufall wollte es, daß Anita wenige Tage später den Pfarrer traf. Er strahlte sie mit seinen warmen Augen an, und sie fragte ihn, wie es ihm gehe.

»Gut, Frau Doktor!« lächelte er. »Sehr gut!«

»Wenn nur die Jugend ein bißchen einsichtiger und respektvoller wäre, nicht wahr?«

»Sagen Sie das nicht! Die Jugend *ist* gut! Sie ist wirklich gut!«

»Mag sein, daß sie gut ist«, erwiderte Anita. »Das ist sie sogar sicher. Was nützt aber alle Güte, wenn sie verdeckt wird von einer rauhen Schale?«

Da wurde der Pfarrer ganz eifrig.

»Man muß Geduld mit ihnen haben! Und viel Liebe, dann findet man ihre Güte schon!«

Auch Anita wurde eifrig.

»*Sie* sind gut, Herr Pfarrer. Sie sind sicher oftmals *zu* gut! Die Bengel könnten sehr wohl eine Portion Strenge vertragen!«

»Sie irren, Frau Doktor, Sie irren!« Er rief es fast. »Mit Güte kommt man weiter! Wenn Sie wüßten, was ich erlebt habe, gerade jetzt! Die schwierigsten Schüler sind friedlich geworden und einfühlsam! Es ist beglückend zu sehen, was Güte bewirken kann. Und das Gebet natürlich, das darf man nie vergessen.« Da stand er vor ihr, die Freude in den Augen und Liebe dazu.

Seine Beglückung sprang auf Anita über. Die jungen Leute hatten also wirklich Wort gehalten. In ihre Freude aber mischte sich Verzagtheit, wenn sie daran dachte, wie es wohl weitergehen mochte. Sie verabschiedete sich schnell, damit er nicht in ihren Augen lesen konnte.

Am Ende des Schuljahres sollte ihr Sohn für ein Jahr nach Amerika gehen und eine dortige Schule besuchen. Zum Abschied gab er für seine Klasse eine Party.

Anita wandte sich an ihn:

»Zeig mir doch bitte die beiden, denen ich das Geld geschickt habe.«

Sie nahm die drei auf die Seite und erzählte ihnen wortgetreu das Gespräch mit dem Pfarrer, wie er, der nichts von dem Geld wußte, ihre plötzliche Wandlung für die Folge seiner Milde und seiner Gebete hielt.

Die drei blickten zu Boden und sagten kein Wort.

»Ist es nicht beschämend für euch?« fragte sie. »Nicht das Geld, das ihr genommen habt, sondern seine Güte? Was meint ihr, wenn er wüßte...« Da sagten sie wieder nichts.

Nachdem ihr Sohn die Schule verlassen hatte, verlor Anita die Klassenkameraden aus den Augen.

Ein paar Jahre später aber wurde sie im Sonntagsdienst zu einer Frau gerufen, die mit Fieber im Bett lag. Sie untersuchte sie und schrieb ein Rezept.

Gerade wollte sie sich zum Gehen wenden, da fragte die Patientin:

»Einen Augenblick, Frau Doktor. Darf ich Ihnen etwas zeigen?« Und sie wies die Tochter an, ihr ein Buch zu bringen.

»Es ist das Album meines Sohnes«, sagte sie und blätterte darin. Dann reichte sie es Anita.

»Schauen Sie hier. Kennen Sie das? Können Sie sich erinnern?« Da sah Anita die Postanweisung, auf der mit ihrer Schrift geschrieben stand: *Für anständiges Benehmen im Religionsunterricht.* Überrascht schaute sie zu der Frau hinüber.

»Natürlich erinnere ich mich! War das Ihr Sohn? Hat er es Ihnen erzählt?«

»Mehr als das! Die Jungen haben danach den Pfarrer gegen alle verteidigt, die ihn verspotteten. Sie haben ihn sogar eingeladen. Es war am Ende eine richtiggehende Freundschaft!«

»Sieh einer an! Die Jugend ist wirklich gut. Besser, als man selbst oft denkt.« Dann lächelte sie zu der Frau hinüber. »Was hat das nun alles bewirkt? Das Geld oder die Güte oder die Gebete?«

»Vielleicht alles miteinander«, meinte die Frau und lächelte gleichfalls.

✳

Mein Mann macht mir Sorgen. Ich kann nicht sagen, warum. Es ist kein greifbarer Grund vorhanden, und doch hat er sich verändert. Ich spüre es mehr, als ich es sehe. Er kommt nach wie vor, um mir guten Morgen und gute Nacht zu sagen, wir nehmen die Mahlzeiten gemeinsam ein, er setzt sich auch zu mir, sooft er Zeit hat, erzählt mir Geschäftliches und bespricht mit mir Privates. Nein, an Äußerlichkeiten hat sich nichts geändert, und doch ist es anders geworden.

Natürlich muß er mehr reisen. Die Konkurrenz ist zahlreicher geworden, der Konkurrenzkampf härter. »Das Wirtschaftswunder läßt uns keine Zeit, es zu bestaunen«, sagte er neulich mit müdem Lächeln. Natürlich bedingt auch das die wachsende Nervosität, aber nicht allein. Ich weiß, eine kranke Frau ist keine gesunde. Wohl sitzt er zu Gesprächen bei mir, doch oft beschleicht mich das Gefühl, als sei nur sein Körper bei mir, während seine Gedanken Gott weiß wohin fliegen. Manchmal steht er abrupt auf, küßt mich hastig auf die Stirn und ist verschwunden, ehe ich ein Wort sagen kann. Zuweilen ist es umgekehrt, dann umarmt er mich mit einer Heftigkeit, die ich nicht an ihm kenne. Und es ist grotesk, daß mich gerade in diesen Momenten das Gefühl, er sei am weitesten von mir entfernt, am stärksten befällt.

Einmal habe ich es gesagt. Nicht direkt, mehr angedeutet. Doch das war schon zuviel. Das Leid in seinen Augen ließ mich zutiefst erschrecken. Dabei wollte ich ihm noch viel mehr sagen. Nicht jetzt, erst später, wenn ich mit mir selber ins reine gekommen bin. Es ist eine so harte Entscheidung, wenn man einen geliebten Menschen in die Arme einer anderen Frau schicken will! Nein, *muß*! Aber ich kann es gar nicht, es geht nicht. Wie sollte sein Gesicht dann zu ertragen sein? Und doch, ich weiß genau, daß ich es sollte. Es ist die einzige Form, wie ich jetzt noch für ihn *da* sein könnte, in eben dieser geteilten Form. O Gott, ich bin müde der Gedanken in dieser Richtung während so vieler Monate! Zeig du mir den Weg, ich allein kann nicht entscheiden, ich kann nicht – kann nicht!

Ich will schreiben! Ein Erlebnis, in dem Werner für mich da war, in dem sein Da-Sein mir vielleicht den nervlichen Zusammenbruch ersparte. Vielleicht werde ich ihm die Geschichte zeigen – aber nur vielleicht...

Schuld?

»Was ist nur mit dir los?« fragte Werner halb verärgert, halb beunruhigt. »Seit Tagen bist du ein Nervenbündel. Man kann mit dir nicht sprechen, ohne daß du an die Decke gehst.« Er sah, wie ihr Gesicht sich zu ihm hob, wie ihr Mund zitterte. Gleich darauf brach sie in Tränen aus und warf sich ihm schluchzend an die Brust.

»Na, na«, sagte er, mehr nicht, nahm sein Taschentuch aus der Tasche und rieb ihr damit die Tränen ab. »Na, na«, wiederholte er noch einmal.

Langsam wurde sie ruhiger. Er schob sie sachte zur Couch, drückte sie in das Polster und setzte sich daneben.

»So, nun erzähl mal, was ist los?« Und er streichelte ihre Hand und wartete, bis sie sich soweit gefangen hatte, daß sie berichten konnte.

»Es – es soll meine Schuld sein...« Wieder unterbrach sie ein Schluchzen.

»Was soll deine Schuld sein?« fragte Werner.

»Daß er tot ist.«

»Daß wer tot ist?«

»Der alte Herr Seeger.«

Aber Werner kannte keinen Herrn Seeger. Doch hatte Anita sich inzwischen soweit beruhigt, daß sie beginnen konnte, die ganze Geschichte zusammenhängend zu erzählen.

»Du kennst ihn nicht, er kam aus Indonesien. Ich weiß nicht, ob du Frau Meissner kennst...«

»Die ehemalige Lehrerin? Das heißt, Lehrerin ist sie wohl immer noch, sie arbeitet nur nicht mehr, seitdem sie selbst Kinder hat.«

»Eben die. Sie ist in Indonesien aufgewachsen. Ihre Eltern leben noch dort. Vor einem halben Jahr etwa kamen sie nach Deutschland. Zu Besuch natürlich nur. Als sie hier bei ihrer Tochter – eben bei dieser Frau Meissner – waren, wurde der Mann krank. Es war gerade Sonntag, deshalb riefen sie den Sonntagsdienst. Der berichtete mir am Montag, der Mann habe eine Grippe. Das war nichts Besonderes, wir hatten ja damals gerade die Grippewelle in der Gegend. Der Schwiegersohn sei ein Spinner, erklärte mir Doktor Schmidt noch.

Warum? fragte ich. Na ja, er habe ihn zweimal angerufen und es mächtig wichtig gehabt, und dann brummte er noch, der Kerl meine wohl auch, ein Arzt könne Wunder vollbringen, den Schwiegervater durch Handauflegen heilen oder so ähnlich.

Derselbe Schwiegersohn hatte am Montagmorgen schon in aller Frühe bei mir angerufen, mich gebeten, zu ihnen zu kommen, denn der Sonntagsdienst sei eine Katastrophe gewesen. ›Zwei Tabletten hat er aus der Tasche gezogen und dagelassen! Ist das auch eine Behandlung?‹ hatte er ins Telefon geschrien.

Ich fand das mit den zwei Tabletten nicht so schlimm, schließlich kann man bei einer Grippe doch wirklich nicht viel mehr machen. Dennoch ging ich möglichst bald zu den Leuten.

Der Mann – er war nicht einmal siebzig – lag im Bett. Er machte keinen schlechten Eindruck, war nur etwas blaß. Ich fragte nach seinen Beschwerden. Er hatte keine, war nur müde, was bei dem Fieber verständlich war. Was sage ich, Fieber! Eine Temperatur von siebenunddreißigacht ist eigentlich kein richtiges Fieber, es ist eine erhöhte Temperatur und bei Gott nicht beängstigend. Im stillen dachte ich wieder, daß die zwei Tabletten des Kollegen wirklich genug seien. Dennoch untersuchte ich ihn gründlich.

Während ich die Lunge abhörte, hustete er einmal kurz auf. ›Sie haben also doch Husten?‹ fragte ich. Er hatte es vorher verneint. Auch jetzt schüttelte er wieder den Kopf. Ab und zu komme ein Huster, aber Husten könne man das nicht nennen.

Nun sagte ich mir, wenn ein Mensch aus einem anderen Erdteil kommt, ist er eine andere Bakterienflora gewöhnt und deshalb für unsere Bakterien anfälliger als wir Einheimischen. So verordnete ich ihm vorsichtshalber Penizillin, obwohl es sonst nicht meine Art ist, jeden Huster gleich so stark anzugehen. Ich sagte mir nur, sicher ist sicher.«

Anita hielt inne, starrte eine Weile zum Fenster, ohne etwas zu sehen. Dann wischte sie sich noch einmal mit dem Taschentuch über die Augen und fuhr in ihrem Bericht fort.

»Das war also der Montag. Am Dienstag riefen sie mich erneut. Der Vater habe Atemnot, sagten sie. Ich fuhr sofort hin. Da lag der Mann ruhig im Bett, und ich fand keine Spur von Atemnot. ›Ja‹, sagte er, ›vorhin bekam ich plötzlich so schwer Luft, aber jetzt ist es wieder vorbei.‹ Ich untersuchte ihn erneut. Die Lunge war frei, der Kreislauf gut, kurz, ich fand nichts, aber auch rein gar nichts. Nur die Temperatur war noch immer erhöht, doch nicht mehr als am Vortag. Ich erklärte ihm und den Angehörigen, daß auch das Penizillin eine gewisse Anlaufzeit brauche, daß es bis morgen sicher wirken müsse und es dann wohl besser werde.

Aber am Mittwoch war alles noch beim alten: Erhöhte Temperatur und nichts zu finden. Gegen Abend wurde ich noch einmal gerufen, weil die Atemnot wieder auftrat. Ich fuhr sofort hin, weil ich sie endlich einmal erleben wollte, aber ich kam wieder zu spät. Die Sache wurde allmählich unheimlich. Natürlich konnte er hysterisch sein, doch machte er gar nicht den Eindruck. Auch konnte gegen das Penizillin eine gewisse Überempfindlichkeit bestehen, doch das war in dieser Form höchst unwahrscheinlich. Da ich bei der Untersuchung ebensowenig fand wie an den Vortagen, begann ich vom Krankenhaus zu reden, in dem man bessere Möglichkeiten der Untersuchung hätte, wie zum Beispiel Röntgen, Blutbild und dergleichen. Der alte Mann war entsetzt, und seine Frau wollte auch nichts davon wissen. Er sei ja vorher nie krank gewesen, er werde doch einer solchen Kleinigkeit wegen nicht in ein Krankenhaus gehen, nein, das komme nicht in Frage, das Fieber sei ja gar nicht hoch und der Appetit sogar sehr gut, ja, ausgezeichnet! Nach einigem Hin und Her schrieb ich noch ein neues Medikament auf und ging.

Am Donnerstag riefen sie morgens in aller Frühe an, die Atemnot sei wieder da, diesmal stärker als bisher. Und wieder fand ich nichts, als ich zu ihm kam.

Aber diesmal wurde ich energisch.

›Ich schicke Sie jetzt ins Krankenhaus, ob Sie es wollen oder nicht. Sie sind von weither gekommen, ihr Körper reagiert auf unsere Bakterien anders als hiesige Menschen. ‹

›Aber ich bin Deutscher!‹ rief der Mann ganz aufgeregt. ›Nur weil ich dort drüben gelebt habe, soll mein Körper sich verändert haben?‹

Ich versuchte ihm zu erklären, daß nicht er sich verändert habe, daß er aber an andere Bakterien gewöhnt sei als wir. Er sah mich zweifelnd an, aber ich gab nicht nach, sondern schrieb die Einweisung aus. Ich sagte ihnen, sie sollten gleich das Rote Kreuz anrufen und den Krankenwagen bestellen, die Anmeldung im Krankenhaus werde ich selbst vornehmen. Ja, und das habe ich, kaum zu Hause angekommen, auch getan. Der Krankenhausarzt hat mich noch gerügt, sie hätten das Haus bis unters Dach voll, es sei ihm nicht zuzumuten, einen Menschen mit siebenunddreißigacht Temperatur und sonst nichts in ein Bett zu legen, auf das andere, viel schwerere Fälle, schon seit Tagen warteten. Nachdem ich ihn mit Freundlichkeit nicht zu überreden vermochte, wurde ich grob, erklärte, der Mann sei bis spätestens halb zehn da, und wenn er ihn wieder heimschikken wolle, so bitte auf seine Verantwortung. «

Wieder hielt Anita inne. Sie hob das Taschentuch, verbarg darin das Gesicht. Werner hörte ihr gepreßtes Weinen, das sich schließlich in ein verzweifeltes Schluchzen steigerte. Er nahm sie in die Arme, ließ sie weinen.

Er mußte lange warten. Als sie sich endlich wieder gefaßt hatte, flüsterte sie so leise, daß er sie kaum verstehen konnte:

»Er ist noch am gleichen Tag gestorben. «

»Aber daran bist doch *du* nicht schuld!« Er sagte es laut, fast zornig.

»Ich weiß nicht, wer oder was schuld ist«, erwiderte Anita mit tonloser Stimme. »Im Arztbrief stand lediglich, er sei einem Kreislaufversagen erlegen. Ich hätte so gerne die Angehörigen befragt, aber wie hätte ich hingehen sollen? Sie ließen sich bei mir nicht mehr sehen. Du weißt, wie schnell die Menschen dem Arzt die Schuld geben, denn ein Schuldiger muß ja gefunden werden. Ich versuchte, den Chefarzt zu erreichen, aber der ging gerade in Ferien. So wußte ich eigentlich gar nichts, bis er mich letzte Woche anrief und mir mitteilte, im Falle des verstorbenen Herrn Seeger ermittle die Staatsanwaltschaft, und die Ermittlungen konzentrierten sich hauptsächlich auf mich und meine Behandlungsweise. Er schlug mir vor, daß wir uns einmal zusammensetzen sollten, um alles durchzusprechen, damit die Sache etwas klarer werde.«

Anita schwieg, sah Werner durch einen zitternden Flor wie etwas Unwirkliches. »Ja«, flüsterte sie dann, »das ist alles.« Sie schloß die Augen, als habe eine schwere Arbeit sie unendlich erschöpft.

»Aber warum hast du mir bisher von alledem nichts gesagt?« fragte Werner.

»Ich wollte dich nicht damit belasten.«

»Du Dummes! Du weißt doch, daß du für dergleichen nicht die Nerven hast. Wir hätten schon längst besprechen sollen, was zu tun ist. Und wir müssen etwas tun.«

»Tun?« Anita erwachte ein wenig aus jener Verzweiflung, die Menschen in der Erkenntnis ihrer Ohnmacht befällt. »Können wir denn etwas tun?«

»Natürlich können wir.« Werners Gesicht bekam den Anstrich eines Lächelns, als er jetzt sprach. »Man merkt, du bist noch nie mit Gerichten in Berührung gekommen. Zunächst werden wir uns einen Rechtsanwalt nehmen, um zu erfahren, welche Möglichkeiten wir haben. Zumindest werden wir die Vorwürfe im Detail hören. Bisher wissen wir nichts Genaues, nicht einmal, wer der Kläger ist. Wann bist du mit dem Chefarzt verabredet?«

»Nächsten Freitag um halb fünf.«

»Gut. Bis dahin wissen wir wahrscheinlich mehr.« Dann befahl er Anita, eine Schlaftablette zu nehmen. Sie gehorchte wie ein Kind.

Der Rechtsanwalt stellte fest, daß es außer dem Staatsanwalt keinen Kläger gab. Der Schwiegersohn des Verstorbenen hatte am Skatabend seinem Ärger über die Doktoren Luft gemacht, die unwissend, leichtsinnig und wer weiß was alles seien. Leider saß an ihrem Tisch ein Staatsanwalt. Der fühlte sich sogleich berufen, dieser höchst empörenden Sache auf den Grund zu gehen.

Der Rechtsanwalt förderte Protokolle zutage, die Aussagen von Angehörigen und Nachbarn enthielten. In all diesen Aussagen stand nichts, was der Wahrheit widersprochen hätte, auch enthielten sie keine direkten Angriffe gegen Anita. Die Nachbarn hatten sogar gebeten, ihren Namen zu verschweigen, da sie das Pflichtbewußtsein der Frau Doktor schätzten und sie als Hausärztin beibehalten wollten.

»Das sieht doch schon gar nicht so schlecht aus«, meinte Werner, als er mit dem Rechtsanwalt gesprochen hatte.

»Mag sein.« Anita sagte es, als habe sie gar nicht zugehört. Dann richteten sich ihre Augen auf Werner. Sie konnte nicht verhindern, daß Tränen in ihnen hochstiegen, sein Gesicht zum Tanzen brachten und es bizarr verzerrten. »Aber – wenn ich dennoch schuldig bin?«

»Das müssen sie dir erst einmal beweisen!«

Doch Anita schüttelte den Kopf.

»Es geht nicht ums Beweisen. Wenn ich – ich meine, wenn ich wirklich schuldig bin? Dann habe ich einen Menschen getötet...« Sie schaute an Werner vorbei zur Wand oder dem Bild, das da hing oder zu irgendetwas, das nur sie sehen konnte oder auch nicht.

Endlich kam der Tag, an dem Anita dem Chefarzt gegenübersaß.

»Sie haben ihn doch abgehört?« fragte er freundlich.

»Selbstverständlich. Mehrmals sogar.«

»Und es war nichts zu hören?«

»Nicht das geringste. Haben Sie beim Röntgen etwas festgestellt?«

»Zum Röntgen kamen wir nicht mehr. Als der Mann hier ankam, war er bereits bewußtlos. Wir mußten uns um den Kreislauf bemühen, alles andere war in dieser Situation zweitrangig.«

»Ich verstehe nicht. Ich verstehe überhaupt nichts. Als ich ihn zu Ihnen überwies, war er so munter wie ein Fisch. Ich dachte selbst, eigentlich ist es Unsinn, ihn in ein Krankenhaus zu schicken.«

»Dann muß es plötzlich gekommen sein. Jedenfalls erschien er hier in kollabiertem Zustand. Der Stationsarzt rief mich aus der Mittagspause...«

»Aus der Mittagspause? Aber ich habe ihn doch am Morgen geschickt! Es war sicher nicht später als neun Uhr!«

»Um diese Zeit kam er nicht«, sagte der Chefarzt mit Nachdruck. »Er wurde nachmittags gegen drei Uhr eingeliefert, und da war er, wie gesagt, bewußtlos.«

»Das verstehe ich schon wieder nicht.« Anita schüttelte den Kopf.

»Vielleicht wollte er nicht gehen? Die älteren Leute werden oftmals störrisch, sobald sie das Wort ›Krankenhaus‹ nur hören.«

»Das stimmt«, nickte Anita zu den Worten des Arztes. »Er wollte nicht. Auch die Frau war nicht begeistert. Nur seine Tochter war vernünftig.«

»Sie wird sich nicht durchgesetzt haben«, nickte jetzt auch der Chefarzt. »Erst als es dann schlechter wurde, bekamen sie es mit der Angst zu tun und verfrachteten ihn.«

Zu dieser neuen Feststellung brachte wenig später der Rechtsanwalt in Erfahrung, daß man auf die Ankunft des Sohnes hatte warten wollen. Er wohnte weit entfernt und sollte an jenem Tag zu seiner Schwester kommen und dort seine Eltern treffen. Als sich am frühen Nachmittag der Zustand rapide verschlechterte, entschloß man sich, nicht länger zu warten, und rief den Krankenwagen. Auf dem Transport zum Krankenhaus verlor der Patient das Bewußtsein.

Wenige Tage später berichtete der Rechtsanwalt, man beabsichtige, den Leichnam zu exhumieren und zu untersuchen.

»Das wäre nun nicht gerade nötig«, brummte Werner mit einem besorgten Blick auf seine Frau. Die sah ihn sehr ernst an und sagte nichts weiter als:

»Gut. «

Das kam nun ziemlich überraschend für ihn.

»Findest du?« fragte er. Sie nickte, noch immer ernst.

»Ja, ich finde es gut. Einerlei, was sie finden, die Unsicherheit ist das Schlimmste. « Und mit kurzem Abstand: »Ich hoffe noch immer, daß ich nicht schuldig bin. «

Da sagte Werner nichts weiter. Aber er sah, wie schwer ihr in den kommenden Tagen zumute war. Wie viel schlimmer noch die Nächte waren, wußte nur sie allein. Da war die Hoffnung ganz klein geworden, das Schuldgefühl dagegen riesig groß. Einmal wurde es so schlimm, daß sie die Hände faltete wie einst als Kind, ihr Bitten war das eines Kindes und ihr Herz war es ebenso.

Dann lag die Leiche im pathologischen Institut. Die Körperhöhlen wurden eröffnet, die Lungen untersucht. Man untersuchte gründlich in allen Gebieten, aber man fand nicht das geringste. Man stand vor einem Rätsel.

Erst die mikroskopische Untersuchung des Lungengewebes brachte eine Sensation: Es war durchsetzt von winzigen entzündlichen Herden. Man nahm sich die Lunge erneut vor. Sie sah völlig normal aus. Man legte andere Gewebsstücke unter das Mikroskop, aus allen Teilen der einzelnen Lungenlappen.

Es ergab sich überall das gleiche Bild. Die gesamte Lunge war durchsetzt von Tausenden von kleinen Herden. Natürlich war es nicht möglich, diese Veränderungen beim Abhören der Lungen zu entdecken, und auch im Röntgenbild wären sie nicht zu sehen gewesen. Die Lunge, die noch vor kurzem in Indonesien allen dortigen Krankheitserregern getrotzt hatte, war nicht fähig, der Invasion der hiesigen Viren Widerstand zu leisten. Die Erkrankung aber war am lebenden Menschen nicht erkennbar gewesen und mußte ihm so zum Verhängnis werden.

Die Staatsanwaltschaft stellte das Ermittlungsverfahren ein.

Als Anita den Bericht des pathologischen Institutes gelesen hatte, stand sie lange und starrte auf das Papier in ihren Händen. »Danke«, murmelten ihre Lippen, und vor ihren Augen stand das Bild des Gottes mit langem Bart und lieben Augen. Sie murmelte es, doch ihr Herz sprach mit der Inbrunst wie einst der Mund des Kindes.

∗

Ja, es war Werners Ruhe, die mich in jenen Wochen durchhalten ließ. Wie ich diese Ruhe bewundere! Diese Beherrschtheit in allen Lebenslagen. Ich glaube, sie ist es, die die Stärke eines Menschen ausmacht. Sie hat nichts mit dem Geschlecht zu tun. Sie ist angeboren. Manchmal wohl auch anerzogen, doch das dürften die selteneren Fälle sein.

Soll ich Werner die Geschichte zeigen? Ihn fragen: Weißt du noch, wie du mich in einen Lustspielfilm schlepptest? Du, der du Kino nicht ausstehen kannst? Wie du mich anbrülltest, ich solle mich endlich zusammenreißen und mich nachher ins Bett stecktest und zudecktest wie ein kleines Kind? Du brauchtest alle Energie, mich zum Chefarzt zu schicken – zu jagen! Weißt du das alles noch? Ich möchte es ihm sagen, ihn an seine Stärke erinnern, und daß er von uns beiden immer der Stärkere war.

Irgendetwas hält mich davor zurück. Ich bin unsicher, weil er unsicher ist. Ja, er wirkt unsicher. Bisher konnte ich mich an ihm

aufrichten, und plötzlich scheint er der Stärke anderer zu be-
dürfen. Wenn es so ist, wie soll ich sie ihm geben? Ich kann sie
ihm nicht geben, denn – o Gott! – ich habe sie nicht!

Mit der kleinen Geschichte? Ist es nicht lächerlich? Bewirkt sie
nicht gerade das Gegenteil? Manchmal gehen von kleinen Dingen große Wirkungen aus. Aber ist die kleine Geschichte das
Richtige?

Ich war oftmals in psychologischen Fragen nicht ungeschickt.
Ich will ehrlich sein: Manches ist mir gelungen, manches nicht.
Mit der süchtigen Schwester Gertrud zum Beispiel bin ich
nicht fertig geworden. Ich werde die Geschichte aufschreiben,
denn man muß ehrlich sein, auch gegen sich selbst.

Aber Werner! Was muß ich tun? Wie mache ich es richtig?

Süchtig

Anita erkannte sofort, daß es sich nicht um eine Nierenkolik
handelte.

Die junge Schwester war eine der zahlreichen Hilfen, die ins
Heim kamen, seit es an Nonnen mehr und mehr mangelte. Sie
hatte ihren Dienst erst in der vergangenen Woche angetreten
und bemühte Anita gleich am ersten Wochenende wegen der
angeblichen Nierenkolik.

»Wie kommen Sie auf die Diagnose?« fragte sie verwundert.
Die Schwester gab eine wortreiche Erklärung. Sie habe immer
Nierenkoliken, ihre Nieren seien krank, der frühere Hausarzt
habe es festgestellt. Er habe ihr dann Spritzen geben müssen,
starke Spritzen. Sie redete noch eine Weile, ihr Körper, ihre
Arme und Beine redeten mit, es war ein unruhiges Gestikulie-
ren in dem Bett.

Wie eine schlechte Schauspielerin, dachte Anita und blickte
stumm auf die Schwester nieder.

Sie war jung. Kaum fünfundzwanzig. Blaß, mit farblosem, nicht sehr gepflegtem Haar. Nicht häßlich, nicht hübsch. Nichtssagend.

»Welche Spritze gab Ihnen Ihr Arzt?« fragte Anita. Sie hätte es nicht zu tun brauchen, sie kannte im voraus die Antwort.

»Dolantin.« Das war es. Dolantin macht süchtig.

»Dolantin«, wiederholte die Schwester, weil Anita nicht sprach. Sie zeigte keine Spur von Verlegenheit, auch dann nicht, als Anita noch immer schwieg.

»Ich brauche es«, streute sie Füllsel in die stillen Sekunden. »Sonst kann ich nicht arbeiten.« Dann schwieg auch sie.

Anita begann zu lächeln. Ein trauriges, bedaurendes Lächeln. Ganz langsam breitete es sich über ihr Gesicht. Ebenso langsam schüttelte sie den Kopf.

»So geht es nicht«, sagte sie leise. Und auf das zunächst sprachlose Gesicht der Schwester: »Wollen wir es nicht mal ohne Spritzen versuchen?«

Sogleich ergoß sich ein neuer Wortschwall über sie. Wie schwer die Kolik sei, wie furchtbar die Schmerzen, daß nichts helfe außer Dolantin, daß sie arbeiten müsse und daß sie das nur mit der Spritze könne.

Du hast noch nie eine echte Kolik gehabt! dachte Anita. Du weißt nicht einmal, wie eine aussieht. Sonst würdest du nicht auf so plumpe Art versuchen, mir einen Bären aufzubinden. Laut sagte sie:

»Wir werden es erst einmal mit ein paar Tabletten versuchen. Bevor ich ein so starkes Mittel wie Dolantin gebe, muß ich Untersuchungen anstellen. Als erstes schicken Sie mir morgen Ihren Urin in die Sprechstunde. Dann wollen wir weitersehen.«

Es kamen noch viele Proteste, doch Anita blieb dabei. Sie schrieb das Rezept, legte es auf den Tisch und verließ die wortgewaltige Schwester.

Der Urin wurde am nächsten Tag nicht gebracht. Auch nicht

am übernächsten. Dafür wurde Anita wenige Tage später erneut ins Heim gerufen.

Das Bild war das gleiche wie am Sonntag. Schwester Gertrud hatte mit Sicherheit keine Kolik.

»Wollen wir nicht einmal miteinander reden?« fragte Anita.

Schwester Gertrud wollte nicht. Sie redete allein. Ausdauernd und ziemlich empört. Sie wollte sich nicht beruhigen lassen. Sie wollte ihre Spritze.

Achselzuckend stand Anita auf. Sie konnte nicht länger hierbleiben. Zu viele warteten auf sie.

Von dem Tag an wurde Anita nicht mehr zur Schwester gerufen. Statt dessen kam einmal wöchentlich ein junger Mann in die Sprechstunde und erbat ein Rezept für Schwester Gertrud. Auf dem Zettel standen die Tabletten, die sie bereits beim ersten Mal erhalten hatte.

Anita war zufrieden. Die Tabletten waren nicht stark und machten nicht süchtig. Im stillen war sie gespannt, wie es mit dem jungen Geschöpf weitergehen würde. Vielleicht ergab sich eines Tages doch die Gelegenheit, ihr in einem Gespräch näher zu kommen, ihr Vertrauen zu erlangen und ihr zu helfen. Eines Tages wurde sie wieder ins Heim auf Schwester Gertruds Station gerufen.

Während der Aufzug sich ins oberste Stockwerk schwang, dachte sie darüber nach, wie sie das Gespräch beginnen könnte. Nicht mit Krankheit, mit Kolik, mit Spritzen. Es mußte persönlicher werden. Über ihre Heimat vielleicht, ihre Familie, ihre Freizeitbeschäftigungen. Sie wollte einen Weg zu ihr finden, *mußte* ihn einfach finden, mußte auch die wunde Stelle erkennen! Dort, nur dort konnte dann die Behandlung ansetzen.

Ja, das wollte Anita! Mochte es noch so viel Zeit kosten, sie mußte es schaffen!

Entschlossen klopfte sie an Schwester Gertruds Tür. Entschlossen trat sie ein.

Das Bild, das sich ihr bot, war mehr als überraschend. Schwester Gertrud war nicht krank. Sie kniete mitten im Zimmer auf dem Boden. Vor ihr lag eine Matratze, darauf ein Kind, eines der debilen Kinder ihrer Station. Mit hochrotem Kopf und glänzenden Augen atmete es rasch und unregelmäßig. Den Saft, den die Schwester ihm einzuflößen versuchte, ließ es zur Hälfte über die Wange auf das Leintuch laufen. Dazwischen hustete es kurz und rasselnd. Schwester Gertrud hob bei Anitas Eintritt den Kopf.

»Guten Tag, Frau Doktor. Es ist gut, daß Sie kommen.« Sie sprach mit der gleichen unpersönlichen Stimme, ein wenig hastig wie sonst, wenn sie Anita zu sich rief. »Ich habe das Kind in mein Zimmer gebettet. So kann ich es über Nacht besser beobachten. Ich glaube, es ist sehr krank.« Noch immer gab es in der Stimme kein Heben und kein Senken, es war stets der gleiche Tonfall, ein wenig schnell, doch ohne jeglichen Temperamentsausbruch, ohne Zeichen innerer Anteilnahme, ohne Wärme.

Anita untersuchte das Kind. Sie gab Anweisungen, schrieb ein Rezept. Sie konnte nicht verhindern, daß ihre Gedanken immer wieder zu Schwester Gertrud schweiften, daß sie ihr mehr Kopfzerbrechen machte als der kleine Patient.

Nachdem die Arbeit getan war, stand sie noch einen Augenblick neben der Schwester. Wortlos schauten sie beide auf das schweratmende Kind.

Da legte Anita ihren Arm um das junge Mädchen. Ohne vorher überlegt zu haben, drückte sie sie an sich. Nicht stark, nicht leidenschaftlich, nur weich, fast innig.

»Es ist wunderschön, wie Sie sich des Kindes annehmen«, sagte sie, mehr nicht.

Schwester Gertrud tat, als habe sie die kurze Umarmung nicht bemerkt.

»Es ist so leichter. Drüben hätte ich nicht den nötigen Überblick.« Kein Lächeln, keine Wärme, nicht einmal Mitleid.

Anita fühlte sich wie vor den Kopf gestoßen. Hatte sie nicht begriffen, daß dies ein Lob war? Ein Wort, das ihr Freude machen sollte? Ihrem Herzen guttun? Und gleichzeitig ein Dankeschön?

Anita besuchte das Kind noch zweimal. Beim letzten Besuch lag es wieder in seinem Bettchen. Schwester Gertrud behandelte Anita wie eine Fremde. Wenigstens empfand Anita es so. Sie fühlte sich diesem Menschen gegenüber irgendwie verloren.

Als in der kommenden Woche der junge Mann kam, um das Rezept zu holen, hatte er einen ziemlich großen Zettel in der Hand.

»Darf ich einmal sehen?« fragte sie kurz und griff nach dem Papier.

Da standen obenan die Tabletten. Darunter eine Flasche Schnaps, eine Flasche Kognak und zwei Flaschen Wein.

»Ist das alles für Schwester Gertrud?« Die Überraschung lag deutlich in ihrer Stimme. Der junge Mann bejahte ohne sichtliche Erregung.

Einen Augenblick stand Anita schweigend. Hatte die Schwester schon früher getrunken? Oder war der Alkohol, zusammen mit den Tabletten, der Ausgleich für die nicht mehr erreichbaren Spritzen?

»Hören Sie, Sie sollten das nicht besorgen.« Sie sagte es, obgleich sie wußte, daß sie es nicht hätte sagen sollen.

Der junge Mann sah nicht einmal auf. Er zuckte die Achseln, als ginge ihn das alles nichts an.

»Ich habe den Auftrag bekommen, ich führe ihn eben aus.«

»Dann sagen Sie Schwester Gertrud, daß sie heute das letzte Rezept bekommen hat, bis ich den Urin zur Untersuchung erhalte.«

»Gut«, antwortete der junge Mann und ging.

Wenige Tage danach kam ein Fläschchen. *Schwester Gertrud* stand darauf. Anita untersuchte den Inhalt.

Er enthielt massenhaft Blutkörperchen, sonst nichts. Keine Bakterien, keine Zellen, nichts.

Am nächsten Tag rief Schwester Gertrud sie ins Heim.

»Glauben Sie jetzt, daß ich nierenkrank bin?« fragte sie als erstes, und es war Anita, als enthalte die Stimme einen leichten Aufschwung. Aber das Gesicht war das gleiche.

»Ich bin nicht sicher«, begann Anita vorsichtig. »Noch nicht, deshalb habe ich ein Fläschchen mitgebracht. Darf ich Sie bitten, mir rasch ein wenig Urin zu liefern?« Sie lächelte dabei und fügte noch hinzu: »Ich hoffe, es geht.«

Die Schwester sah einen Moment auf das Fläschchen in Anitas Hand. Dann nahm sie es – ein wenig zögernd, wie Anita meinte –, stand auf und verließ das Zimmer.

Anita wartete lange. Viel länger, als man braucht, um ein bißchen Urin zu lassen. Gerade wollte sie sich aufmachen und zur Toilette gehen, da kam Schwester Gertrud zurück.

In der rechten Hand hielt sie das Fläschchen. Über der linken lag ein Handtuch. Der Inhalt des Fläschchens war rötlich.

»Sehen Sie das Blut?« fragte die Schwester.

Anita nahm das Fläschchen. Mit der anderen Hand zog sie das Handtuch von ihrem linken Arm.

Vom Nagelbett des linken Ringfingers tropfte Blut.

»Aber Mädchen, warum tun Sie das?« rief Anita voller Verzweiflung.

»Das Blut?« fragte Schwester Gertrud, ohne die Stimme zu erheben. »Da habe ich mich gerade gerissen. Das hört schon wieder auf.« Dann ging sie zur Tür. »Ich muß die Kinder füttern«, sagte sie, als sei nichts geschehen. »Also dann, auf Wiedersehen, Frau Doktor.«

Als Anita in den Aufzug stieg, war sie wütend und unglücklich zugleich. Da plötzlich kam ihr der Gedanke: Das Mädchen *konnte* nicht anders! Das Unpersönliche war einfach ihre Art, sie konnte sie nicht ablegen! Und sie litt darunter! Ja, sie selbst litt am meisten darunter! Sie machte es jedem Menschen unmöglich, sich ihr zu nähern. Sie hatte keine Freundinnen, keinen Freund. Sie war einsam. Sie war mutterseelenallein.

Die Erkenntnis erregte sie und machte sie ratlos. In Gedanken versunken öffnete sie die Aufzugstür, ging sie zum Ausgang. Im Vorraum saßen junge Schwestern und Sozialhelfer, sie achtete ihrer nicht. Die jungen Leute grüßten, sie dankte geistesabwesend.

Erst draußen besann sie sich und kehrte wieder um.

»Ich habe eine Bitte«, sagte sie zu den jungen Leuten – der Rezeptholer saß unter ihnen – »könnten Sie sich manchmal um Schwester Gertrud kümmern? Sie ist neu hier. Mir scheint, sie hat noch wenig Anschluß gefunden. Sie könnten ihr das Einleben etwas erleichtern. «

Die Augen, die sie anblickten, zeigten wenig Begeisterung.

»Ach, die!« meinte jemand geringschätzig.

»Sie ist doch in Ihrem Alter«, beharrte Anita. »Es ist doch keine Last für Sie, sie mal in Ihren Kreis zu rufen!«

Jetzt wurde die Antwort sogar unfreundlich.

»Sind wir ihr Kindermädchen? Wir haben Kinder genug zu hüten!« Einige lachten. »Außerdem haben wir für dergleichen wirklich keine Zeit. Oder arbeiten wir nicht schon genug?«

»Finden Sie?« Mehr sagte Anita nicht. Sie spürte, daß die Schwester auch hier keine Freunde hatte. Ich muß es mir überlegen, dachte sie, muß es auf später verschieben.

Aber es war bereits *zu* spät. Wenige Tage danach hatte Schwester Gertrud das Heim verlassen. Vielleicht hatten die Vorgesetzten bemerkt, daß sie eine Trinkerin war, vielleicht war sie auch von sich aus gegangen. Anita vernahm die Nachricht mit einem schmerzlichen Empfinden.

Einige Wochen später traf eine noch schlimmere Nachricht ein: Schwester Gertrud hatte in einem neuen Heim zu arbeiten begonnen und sich dort kurz danach das Leben genommen.

Das traf Anita wie einen Schock. Wie konnte ein Mensch sich

so abkapseln von seiner Umwelt? Wie ihr so abweisend, fast feindlich gegenüberstehen? Hatte sie in ihrem früheren Leben großes Leid erfahren? Niemand wußte es, sie hatte zu keinem Menschen darüber gesprochen. Und ihr, Anita, war es nicht gelungen, eine Tür zu ihr zu finden. Wäre die Zeit länger gewesen – vielleicht hätte sie es geschafft. Aber die Zeit war vorbei, alles war verloren.

Wenig später befand sich Anita wieder im Heim. Als sie durch die Reihen der jungen Leute ging, wurde sie nicht gegrüßt. Erstaunt blieb sie stehen.

»Nanu«, fragte sie, »bin ich Ihres Grußes nicht mehr wert?«
Betretenes Schweigen. Bis einer sich aufraffte.

»Haben Sie nichts von Schwester Gertruds Selbstmord gehört?« Die Stimme klang barsch.

Daher also wehte der Wind. Aber Anita verstand noch nicht.

»Ich habe es gehört«, erwiderte sie leise. »Es ist schrecklich.« Ihr Blick ging durch die Schar hindurch. »Aber darf ich fragen, was das mit unserem gegenseitigen Gruß zu tun hat?«

»Ja begreifen Sie denn nicht?« ereiferte sich jetzt der junge Mann. »Sehen Sie denn nicht, was Sie angerichtet haben?«
Anita starrte den Redenden an.

»Ich angerichtet? Das müssen Sie schon genauer erklären.«
Jetzt wurde die Stimme selbstsicher.

»Gerne!« tönte sie durch den Raum. »Was hat Schwester Gertrud an Ihnen gehabt? Sie hat sich an Sie gewandt, aber haben Sie ihr geholfen? Sie haben sie allein gelassen. Ist Ihnen das nie klar geworden?«

Da setzte sich Anita zu ihnen auf einen der freien Stühle. Sie war blaß. Alle schwiegen, sahen sie an. Als sie zu sprechen begann, war ihre Stimme leise, aber ruhig und sicher.

»Sie haben nicht unrecht, ich weiß es. Es ist für mich schlimm. Ich mache mir meine Arbeit nicht leicht. Dieser Fall ist mir mißlungen. Vielleicht hatte ich nicht genügend Zeit, vielleicht habe ich es überhaupt falsch angefangen, wer vermag das heute zu sagen?

Wenn Sie mich aber hier anklagen, so habe ich ein Recht darauf, mich zu wehren.

Soweit mir bekannt ist, arbeiten Sie alle acht Stunden am Tag. Dazwischen haben Sie freie Tage. Wie sie in die Vierzig-Stunden-Woche eingerechnet werden, weiß ich nicht. Es ist auch hier nicht von Belang.

Nun sehen Sie bitte meinen Arbeitstag. Er dauert meist etwa zwölf Stunden, oftmals mehr. Dazu kommen die nächtlichen Störungen, der Sonntagsdienst, die Vertretung anderer Ärzte, die in Urlaub gehen. Rechnen wir das zusammen, kommt spielend ein Vierzehn- bis Sechzehnstundentag zusammen. Das ist fast das Doppelte Ihrer Arbeitszeit...«

»Und verdienen einen Haufen Geld!«

»Was hat das Geld mit dem Menschenleben zu tun?«

»Wir sind jung! Wir brauchen Freizeit!«

»Und ich bin älter und muß das Doppelte arbeiten. Was haben Sie mir geantwortet, als ich Sie einmal bat, sich um Schwester Gertrud zu kümmern? Wie war Ihre Antwort?«

»Jetzt wird uns noch die Schuld zugeschoben! Soweit kommt es!« Der Einwurf hatte lautes Durcheinander zur Folge. Anita konnte nicht feststellen, ob mehr Zustimmung oder mehr Ablehnung darin war. Sie stand von ihrem Stuhl auf. Als sie jetzt wieder zu sprechen begann, war ihre Stimme lauter als zuvor. »Ich habe Ihnen ein letztes Wort zu sagen. Ich fühle mich nicht unschuldig in der Sache. Aber ich halte Sie für ebenso schuldig. Wir alle werden damit leben müssen! *Alle!* Verstehen Sie? Mit einem Boykott meiner Person kaufen Sie sich nicht davon los. Nein, rufen Sie jetzt nicht dazwischen! Denken Sie erst darüber nach! Das ist es, was Ihnen jetzt nottut! Damit für heute auf Wiedersehen!« Sie wartete keine Antwort ab, wandte sich um und verließ das Haus.

Der größte Teil der jungen Leute grüßte in Zukunft wieder.

Einige taten es nicht. Über die ganze Sache wurde nie wieder ein Wort gesprochen.

Ich weiß, ich muß die Haltung derer, die mich nicht mehr grüßen, respektieren. Verstehen kann ich sie nicht. Intelligenz und Logik sind verschiedene Dinge. Ich will damit sagen, daß der Intelligente nicht unbedingt logisch zu denken vermag. Andererseits: Muß die Logik des einen auch die des anderen sein? Jetzt habe ich mich auf ein Gebiet begeben, das zu studieren es mir stets an Zeit fehlte. Vielleicht beginne ich heute damit. Zeit genug habe ich ja. Es fesselt mich. Nein, zuerst muß ich die Geschichte meines tapferen Schneiderleins erzählen. Er hat mich vorhin besucht. Er brachte mir die ersten Tulpen aus seinem Garten. Er ist noch immer der alte. Weshalb sollte er sich auch geändert haben? Ich mag ihn so, wie er ist.

Das tapfere Schneiderlein

Er war gar kein Schneider. Aber er sah so aus. Oder zumindest so, wie man sich das tapfere Schneiderlein aus dem Märchen vorstellt. Jedenfalls Anita stellte es sich so vor.
Er hatte Herzbeschwerden. So sagte er.
»Immer hier oben, fast in der Mitte tut's weh.« Seine beiden Hände zeigten auf das Brustbein. Sie hopsten gewissermaßen zu ihm empor, formten sich dann zu Fäusten, um dem Gesagten mehr Nachdruck zu verleihen. Auch seine Beine hopsten. Wenigstens sah es so aus, auch wenn die spindeldürren Dinger nur auf der Stelle traten. Er war ein höchst lebendiges Schneiderlein. Vielleicht war er auch nervös. Das war auf den ersten Blick nicht auszumachen. Jedenfalls konnte er sich nicht eine Sekunde lang ruhig verhalten. Entweder ging sein Mund oder seine Gliedmaßen, meist aber beides miteinander.

»Mein früherer Doktor hat mir diese Tabletten gegeben, aber sie helfen nicht, im Gegenteil, es wird immer schlimmer. Immer wieder dieser Schmerz, oft macht er mich ganz verrückt, ich kann nachts nicht mehr schlafen, das Essen schmeckt mir schon gar nicht mehr. Ich meine, da muß doch etwas zu machen sein, so kann das doch nicht weitergehen, da macht das Leben ja keinen Spaß mehr! Meine Frau wird auch schon ganz nervös...«

Anita ließ ihn reden. Fragen brauchte sie nicht, er erzählte alles von selbst. Im Gegenteil, sie hatte Mühe, ihn zum Schweigen zu bringen, als sie ihn endlich untersuchen wollte.

Das Herz arbeitete ruhig und gleichmäßig. Die Töne waren rein, der Blutdruck normal. Nur unter dem Brustbein gab er einen Druckschmerz an, aber er war so tief, daß er mehr auf die Magengrube deutete.

»Haben Sie manchmal Magenschmerzen?« fragte Anita.

»Magenschmerzen? Nein, der Magen ist in Ordnung, da hatte ich noch nie etwas. Ich kann alles essen und trinken, wenn mir die Schmerzen nicht den Appetit nehmen, und die Verdauung funktioniert auch. Es ist immer nur das Herz, dieses dumme Herz! Das hat mein früherer Arzt schon gesagt, und das kann man doch nicht anstehen lassen.«

Anita war nicht ganz überzeugt. Aber sie schwieg zunächst darüber.

»Ich schicke Sie jetzt zum Internisten. Wir brauchen ein EKG und eine Röntgenaufnahme des Herzens.«

Da war er schon aufgesprungen wie ein Stehaufmännchen. In Windeseile schlüpfte er in seinen Rock, als müsse sein Weg zum Internisten in dieser Minute geschehen.

Bei diesem Temperament können die Herzschmerzen auch vegetativ sein, dachte Anita. Das Kerlchen gibt ja keinen Augenblick Ruhe.

Das EKG war normal. Anita hatte es erwartet. Das Röntgenbild sagte auch nichts Besonderes aus. So gab Anita ihm ein

Medikament, das das Männlein und damit auch das Herz beruhigen sollte.

Aber die Ruhe half nicht. Anita versuchte ein anderes Mittel. Sie versuchte mehrere – ohne Erfolg. Sie untersuchte oftmals. Das Ergebnis blieb stets das gleiche.

Das Männlein kam regelmäßig und oft. Es war freundlich, sogar fröhlich trotz aller Schmerzen, auf alle Fälle redselig. Manchmal kam Anita der Gedanke, es gehe gerne zum Arzt und erfinde die Schmerzen nur, um einen Grund zum Kommen zu haben.

Nach einem Monat faßte sie einen Entschluß.

»Sie gehen jetzt und lassen Ihren Magen röntgen!«

»Aber Frau Doktor, ich habe noch nie...«

»Kein Aber, Herr Wernige! Der Schmerz unter dem Brustbein *muß* nicht vom Herzen herkommen, er kann ebensogut vom Magen herrühren, und deshalb *muß* auch das Röntgen sein!«

»Also so etwas!« rief das Männlein und zappelte auf seinem Stuhl hin und her, nicht zornig, eher heiter aufgeregt. Doch der energische Ton der Ärztin hatte seine Wirkung nicht verfehlt. Er ließ sich röntgen.

Der Befund war vernichtend: Ein Krebstumor füllte fast den ganzen Magen aus.

In der Nacht nach dieser Nachricht fand Anita keinen Schlaf. Immer stand es vor ihr, das kleine, tapfere Schneiderlein, hopste und gestikulierte, redete und lachte. Und all dieses Leben, diese überschüssige Lebendigkeit sollte in Kürze ein Ende haben? Das war furchtbar! Das Leben war brutal, ihr Beruf gräßlich, sie selbst völlig verzweifelt. Am liebsten hätte sie wie einst als Kind den Kopf in das Kissen vergraben und geweint.

Es war schon lange nach Mitternacht, als ihr die Erinnerung an einen Artikel kam, den sie kürzlich in einer medizinischen Zeitschrift gelesen hatte: Da hatte man doch tatsächlich einem Krebskranken den Magen völlig enfernt und den Dünndarm direkt an die Speiseröhre angeschlossen. Der Patient lebte jetzt schon ein ganzes Jahr und fühlte sich wohl.

Jetzt litt es Anita nicht mehr im Bett. Leise, um Werner nicht zu wecken, stand sie auf und schlich zur Tür. Natürlich hörte er sie doch.

»Was ist?« fuhr er aus den Kissen hoch.

»Nichts. Schlaf weiter. Ich sehe nur etwas nach.«

Er brummte etwas von Spinnerei, dann war er wieder eingeschlafen.

Eine Stunde und mehr saß sie in ihrem Zimmer und blätterte die Hefte der letzten Monate durch. Nächtliche Kühle kroch durch ihren Morgenrock die Beine empor und den Rücken hinab. Das Licht erschien ihren übernächtigten Augen matt und grell zugleich. Zuweilen war ihr, als wollte das Hirn den Dienst verweigern. Mit Mühe überspielte die Erregung die Müdigkeit.

Da endlich fand sie den Artikel. Sie las ihn erneut, jetzt viel aufmerksamer als damals. Damals überraschte er sie, heute ging er sie direkt an. Lange saß sie, das Kinn auf die Hand gestützt, fröstelnd, und dachte darüber nach, wie viele Chancen ihr Schneiderlein wohl haben mochte, und Hoffnung und Verzagtheit wechselten einander in schneller Folge ab.

Am nächsten Tag brauchte sie mehrere Stunden, bis sie in der richtigen Klinik mit dem richtigen Arzt verbunden war.

»Schicken Sie uns den Mann!« rief eine Stimme, die Zuversicht ausstrahlte, in den Hörer hinein. »Wir wollen ihn uns ansehen!«

Das war gar nicht so einfach.

Zunächst einmal regte sich das Männlein gebührend darüber auf, daß er Krebs haben sollte. Dann, daß er in einer Klinik am anderen Ende Deutschlands operiert werden sollte. Dazu noch gleich den ganzen Magen!

»Dann kann ich doch gar nichts mehr essen! Wie soll ich dann noch leben?«

»Wir werden Ihnen die Verdauungssäfte in Form von Tabletten geben.«

»Aber wohin sollen die gehen, wenn kein Magen mehr da ist?«

»Das Essen wird im Dünndarm verdaut.«

»Im Dünndarm?« Das erschien ihm sehr phantastisch. Er sah Anita an, als zweifelte er an ihrem Verstand.

Aber er war von Natur aus Optimist. So gewöhnte er sich rasch an die neue Lage.

»Sollen sie ihn halt rausreißen mitsamt dem Krebs!« Er war schon fast wieder heiter. Jetzt sah er nicht nur aus wie das tapfere Schneiderlein – jetzt war er es auch.

Die Krankenkasse machte noch ein paar Einwände. Ob das nötig sei, ob die Operation nicht in einem der Häuser am Ort vorgenommen werden könnte. Doch eines Tages war es soweit. Das Männlein reiste ab in eine ungewisse Zukunft.

Drei Wochen lang hörte Anita nichts von ihm. Die Zeit kam ihr vor wie eine Ewigkeit. Schließlich hielt sie es nicht mehr aus. Sie fuhr zu seiner Wohnung. Sie läutete. Seine Frau öffnete.

»Frau Doktor?« staunte sie.

»Ich will nur hören, wie es Ihrem Mann...« Die Frau ließ sie nicht ausreden.

»Gut, Frau Doktor, gut! Er soll Ende der Woche aus dem Krankenhaus entlassen werden. Aber heim darf er noch nicht. Er bekommt eine Kur. Denken Sie, er muß ganz neu essen lernen! Immer nur kleine Portionen alle zwei Stunden! Weil ja kein Magen mehr da ist! Also nein, was diese Herren Professoren heutzutage alles machen!«

Anita fiel ein Stein vom Herzen. Der erste Teil war geschafft. Aber natürlich nur der erste.

Der zweite Teil war langwieriger: Das Essenlernen. Da gab es nur noch kleine Portionen. Jeder Portion mußte eine gewisse Menge Verdauungssaft zugeführt werden. Anfangs war es nicht leicht, die passende Menge zu finden, es war so eine Art

Ausprobieren. Nahm er zuviel, wurde ihm übel. Nahm er zuwenig, lag ihm das Essen wie ein Klotz im Bauch. Am schlimmsten war der zuweilen auftretende ordentliche Appetit. Wollte er es sich dann so richtig schmecken lassen, mahnte seine Frau: »Nicht, Franz, du weißt, du hast keinen Magen mehr.« Und die Freude war ihm verdorben.

Langsam, ganz langsam kam er in seinen Rhythmus hinein, lernte er, wieviel ihm im Höchstfall gut bekam, welches Medikament und welche Menge davon ihm die Verdauung zuverlässig regelte.

Am längsten währte noch etwas anderes. Etwas, das alle mitmachen, die an Krebs operiert oder sonstwie behandelt worden sind: Das Warten auf Sicherheit. Wann weiß man, daß man geheilt ist? Da gibt es schlimme Zeiten. Zeiten der Angst, es könne etwas zurückgeblieben sein und unbemerkt weiterwachsen. Zeiten des Mißtrauens, der Arzt könne etwas verschweigen und die Angehörigen auch. Da lauscht man dann auf die Betonung des einzelnen Wortes, da durchforscht man die Gesichter, versucht die kleinste Bewegung darin zu deuten. Für manchen sensiblen Menschen ist diese Zeit vielleicht schlimmer, als der rasche Tod es gewesen wäre.

Ein Glück für das Männlein war sein Optimismus. Sicher hat auch ihn die Angst nicht verschont. Sicher hatte auch er Zeiten des Mißtrauens. Doch sie währten nie lange. Gleich nach einem ungläubigen »Ist's auch wirklich wahr, Frau Doktor?« konnte er schon wieder lachen und zufrieden heimwärts ziehen.

Er wurde regelmäßig kontrolliert. Nach drei Monaten bestellte man ihn in die Klinik. Dann nach sechs Monaten. Später nach einem Jahr.

Nach fünf Jahren galt er als geheilt.

Auch danach wurde er von Zeit zu Zeit einbestellt. Das Ergebnis der Untersuchung lautete stets: Gesund.

Eines Tages erschien er ohne die übliche Heiterkeit.

»Denken Sie, Frau Doktor, mein Vetter ist gestorben. An Prostatakrebs. Sie haben ihn operiert, aber es hat nichts mehr genützt.« Nach den gebührenden Minuten der Traurigkeit leuchtete sein Gesicht wieder auf. »Da hab' ich doch mehr Glück gehabt, gelt, Frau Doktor?«

Wieder nach einer Weile wurde bei seinem Bruder ein Lungenkrebs diagnostiziert.

»Er hat stark geraucht, wissen Sie. Die Ärzte sagen, operieren kann man nicht. Er ist erst sechsundfünfzig Jahre alt.«

Der Bruder starb. Er selbst lebte noch immer, jetzt schon acht Jahre seit der Operation. Er dankte seinem Schicksal, indem er fröhlich war.

Eines Tages kam seine Frau und klagte, daß sie nicht mehr essen könne.

»Es ist noch nicht lange. Aber vielleicht habe ich es nur nicht bemerkt, weil ich ja nie viel esse. Ich habe mich so an den Rhythmus meines Mannes gewöhnt, wissen Sie.«

Das Röntgenbild war dem des Mannes vor nunmehr knapp zehn Jahren ähnlich. So wanderte auch sie in die Klinik, nicht mehr ans Ende Deutschlands, denn mittlerweile wurde diese Operation auch an anderen Orten durchgeführt.

Drei Wochen später war sie wieder zu Hause und voller Zuversicht. Der Bericht der Klinik aber lautete anders. Der Tumor war bereits in die Leber gewachsen. Die Leber aber war nicht operabel, es gab keine Rettung für sie.

Ein Jahr später war sie tot.

Der Mann fiel zusammen. Er kam hinten und vorne nicht zurecht, die Frau fehlte an allen Ecken und Enden. Die Einsamkeit erdrückte ihn fast. Er begann zu grübeln. Warum mußte seine Frau sterben? War er selbst sicher geheilt? Konnte nicht auch bei ihm –?

Er war nur noch Haut und Knochen, ein jammervolles, altes Schneiderlein. Keine Spur mehr von Tapferkeit.

Aber er erholte sich. Der Optimismus siegte. Die Angst legte sich, und er gewöhnte sich ans Alleinsein.

Die Tochter wollte ihn zu sich nehmen. Er lehnte ab.

»Ich bringe zu viel Unordnung in ihren Haushalt. Alle zwei Stunden essen, das bringt doch alles durcheinander.«

So blieb er in seiner alten Wohnung. Er putzte und kochte und ging spazieren. Abends las er die Zeitung. Auch fernsehen tat er zuweilen. Aber nicht sehr oft.

»Das moderne Zeug – ich mag's nicht.«

Von Zeit zu Zeit kreuzte er bei Anita auf. Er brauchte seine Magentabletten, außerdem zwickte es im Kreuz, und die Knie wollten nicht mehr so recht. Immer wieder einmal berichtete er von einem Verwandten oder einem Freund, der hatte sterben müssen, an Krebs oder etwas anderem. Nur er, er lebte noch.

»Wie lange ist es jetzt her?« fragte Anita einmal.

»Wie lange was, Frau Doktor?«

»Ihre Operation. Vor wieviel Jahren wurden Sie operiert?«

»Ach das meinen Sie! Das sind – ja, das sind jetzt bereits einundzwanzig Jahre. Es ist wirklich schon fast nicht mehr wahr!«

Seine Augen lachten bei der Erinnerung, Triumph blitzte in ihnen auf. Er sah aus wie das tapfere Schneiderlein bei den »Sieben auf einen Streich«.

Ist er nicht zu beneiden? Glücklich, wer so ist wie er! Ich bin es nicht.

*

Mein Mann hat eine Freundin. Der Zufall brachte Klarheit.

Er war am frühen Morgen zu seiner Schwester gefahren. Sie hatte Geburtstag. Wir hatten die Reise sonst gemeinsam gemacht. So konnte ich mir jetzt vorstellen, wie er ankam, die Treppe hinaufstieg und in das hübsche Zimmer trat, das mit seinen zartblauen Veloursesseln und den passenden Vorhängen in eine vergangene Welt zu gehören scheint.

Seine Schwester ist eine ausgezeichnete Köchin. Ihre Kuchen sind nicht minder gut. Sicher würde sie mir morgen ein paar Stücke mitschicken, mit vielen Grüßen von der ganzen Gesellschaft.

Mitten in meine Gedanken hinein läutete das Telefon. Es war seine Schwester.

»Ich muß dir ganz schnell guten Tag sagen!« rief sie in die Muschel hinein. »Weißt du, wie schön wir früher oft gefeiert haben?«

»Und ob ich es weiß! Es ist ja so lieb von dir, daß du dir heute noch Zeit nimmst, mich anzurufen, bei all deiner Arbeit!«

»Nix Arbeit!« lachte sie. »Du ahnst nicht, wie faul ich heute bin!« Dann ein bißchen ernster und sehr weich: »Weißt du, wenn ihr beiden nicht kommt, fehlt etwas. Ihr gehört halt dazu. Und so habe ich heute gar nichts gemacht. Schließlich bin auch ich nicht mehr so jung. Lassen wir die Jungen die Feste arrangieren und legen wir uns auf die faule Haut!«

»Gar nichts hast du gemacht?« stotterte ich, aber sie hörte es wohl nicht, denn sie lachte noch über ihre letzten Worte.

Ich habe vergessen, was wir noch sprachen, wie wir das Gespräch beendeten. Auch nach dem Gespräch war ich für eine Zeit unfähig zu denken.

Ich weiß auch nicht mehr, wie ich am nächsten Tag seine Rückkehr überstand. Alles muß glatt gegangen sein, denn er ist derselbe geblieben: liebevoll, zärtlich, häufig abwesend. Nur wußte ich jetzt, daß die vielen Reisen nichts mit dem Wirtschaftswunder zu tun hatten. Ich verstand seine neuerworbene Unausgeglichenheit. Und wenn das Telefon läutete und ich den Hörer abnahm, wußte ich, wer mir nicht antwortete, sondern schnell wieder auflegte. Es war eine neue Situation, und ich mußte mit ihr fertig werden.

Ich war mir klar darüber, daß ich ihm nicht böse sein durfte. Ich durfte nicht einmal enttäuscht sein. War es nicht das Natürlichste auf der Welt? Waren meine eigenen Gedanken nicht in die gleiche Richtung gegangen? Ich habe mir den Kopf zerbrochen, wie ich ihm helfen könnte. Nun brauche ich es nicht mehr, er hat sich schon selbst geholfen.

Das sagt sich alles so leicht. Ich muß es mir sehr oft wiederholen, bis in die Nächte hinein und auch am nächsten Tag. Verständnis wechselt mit Verzweiflung ab wie ein hochgestelltes Wellenbad. Es ist mir jetzt fast lieber, wenn ich ihn nicht sehen muß. Ich ertrage es kaum, daß wir ein Geheimnis voreinander haben. Ein Geheimnis, das wir beide kennen, das aber keiner dem anderen gesteht. Immer mehr wird mir klar, daß ich uns beide quäle. Unschuldig natürlich. Aber ich tue es. Wie schön wäre sein Leben an der Seite einer gesunden Frau! Nun muß er sich ein bißchen Freude hinter meinem Rücken stehlen. Ich kenne ihn, ich weiß, daß er dabei nicht glücklich ist.

Wenn ich mit ihm spreche? Ihm sage, daß ich weiß? Wie wird sein Gesicht aussehen im Schmerz! Wie wird es voller Leid sein, jedesmal, wenn er mich verläßt, jedesmal, wenn er zurückkommt. Nein, so geht es nicht! Es sind zuviel der Schmerzen!

O Gott, ich bin müde! Müde und unglücklich. Selbst wenn ich mich mit meinem Leiden abfinde – ich fühle, ich kann es noch immer nicht ganz! –, selbst, wenn ich meinem Mann die andere Frau gönne – tue ich es denn wirklich? – so bleibt noch immer der furchtbare Gedanke, daß sie durch mich am schönen Leben gehindert werden. Ich, die ich so gerne Opfer gebracht habe, ihm, meinen Kindern, den Kranken, ich muß Opfer empfangen, die weit größer sind als alle, die ich je gegeben habe.

Ich weiß nicht mehr, an welchem Tag mir der Gedanke kam, daß ich ihnen doch etwas opfern kann. Nicht nur ihnen, um ehrlich zu sein, sondern auch mir, denn mir ist leichter seit jenem Tag.

Es muß schon ein paar Wochen her sein, denn die Tabletten, die sich in meinem Nachttisch ansammeln, sind inzwischen zu einem erklecklichen Häufchen angewachsen. Heute habe ich sie gezählt. Es sind mehr als fünfzig. So habe ich rasch meinen Entschluß gefaßt.

Er ist gleich nach dem Mittagessen fortgefahren und hat versprochen, morgen nicht zu spät zurückzukommen. Als er sich über mich beugte, strich meine Hand kurz über sein Haar. Dann habe ich sie schnell zurückgezogen. Ich wollte nicht sentimental werden.

Vorhin habe ich ein Briefchen geschrieben. Nur ein paar Zeilen. Daß ich mich mit meiner Krankheit nicht abfinden könne, daß ich meinem Leid ein Ende bereiten wolle. Ich habe nur von mir selbst geschrieben. Am Ende habe ich ihn für meinen Egoismus um Verzeihung gebeten.

Wie gut, daß ich mein Wissen nicht preisgegeben habe. Wie hätte er mir heute glauben können?

Dann habe ich die Frau gebeten, mir eine Kanne Tee zu bringen, da ich heute sehr durstig sei. Ja, und dann habe ich begonnen, die Tabletten zu nehmen, eine nach der anderen. Vor wenigen Minuten ist die letzte mit dem inzwischen kaltgewordenen Tee hinuntergerutscht. Sie waren scheußlich bitter, ich mußte mich überwinden.

Nun bleibt nur noch das Warten auf den Schlaf, der mich in letzter Zeit so oft geflohen hat. Ich werde ihn nie wieder herbeisehnen müssen, jetzt wird er mir treu bleiben.

Ich bin zufrieden mit meiner Entscheidung. Mein Leben hat seinen Sinn verloren.

In meiner Praxis habe ich in manchem Leben den Sinn nicht erkennen können. Weshalb mußte die kleine Lilli damals am Leben bleiben? Damit die furchtbaren Asthmaanfälle sie wieder und wieder quälen? Als ich ihr das Leben erhielt, habe ich meine Pflicht getan. Aber an Liebe hat es mir gefehlt. Es tut mir leid, kleines Mädchen, verzeih! Verfluche mich nicht, wenn der Kampf um die Luft fast über deine Kräfte geht! Vielleicht ist Gott gnädiger, als ich es war. Vielleicht nimmt er dich demnächst in seine Arme.

Ob es Gott wirklich gibt? Gott! Welche Religion hat dich erkannt? Lebst du, Gott meiner Kirche? Bist du der ewig Gütige? Der ewig Gerechte? Wirst du lächeln, wenn ich vor dich trete? Wird Liebe aus deinen Augen strahlen, wie sie einst strahlte, wenn ich – ein Kind noch – in dir den gütigen Vater fand? Meine Augen sahen die deinen oft, denn das Kind war gläubig. Später habe ich häufig daran gedacht: »Wer nicht das Reich Gottes annimmt wie ein Kind, der wird nicht hineinkommen.« Heute habe ich nicht gehandelt wie ein Kind, sondern wie ein vernünftiger Mensch. Ist es deshalb, Gott, daß ich dein Gesicht nicht sehe? Ich habe es doch stets gesehen, wenn mich danach verlangte. Heute verlangt mich danach, Gott! Heute mehr denn je! Komm zu mir Gott! Verbirg dich nicht! Verlaß mich nicht!

Gott!

Gott? Habe ich dich erzürnt? Habe ich falsch gehandelt? Sag es mir! Gib mir ein Zeichen, ich bitte dich! Verlaß mich nicht in meiner letzten Stunde! Schon werde ich müde, oh, so müde! Ich kann doch nicht gehen ohne dich!

Was verlangst du von mir? Gönnst du mir den Frieden nicht? Und ihm, den ich liebe, die Freiheit? Sag, was du willst! Verbirg dich nicht, wenn ein kleiner Mensch dich ruft! Nenne dein Gebot oder zeig es mir!

Wie war das Gleichnis mit den Pfunden, Gott? Habe ich zu wenig geleistet? Hat er sie noch nicht verdoppelt? Er und ich und die kleine Lilli?

Es war falsch, was ich tat! Falsch, Gott, jetzt weiß ich es! Erkenne es mit Schrecken!

Ich kann die Lider nicht mehr heben, doch die Gedanken folgen noch. Ich bereue, Gott, ich kehre um! Noch habe ich die Kraft, mich übers Bett hinabzubeugen. Ich werde auf den Boden klopfen, denn die Klingel ist noch immer nicht installiert.

Ob sie es hört? Sie muß es hören! Mit beiden Fäusten wird es lauter sein. Ich muß mich tief hinunterbeugen, schnell, ehe die Tabletten ihre Wirkung voll entfalten!

Das war zu weit. Ich bin mit dem Oberkörper zu Boden gefallen. Nun liege ich auf den Armen und kann mich nicht mehr rühren. Ich muß die Beine nachziehen. Oh, diese Müdigkeit! Sie fällt bleiern auf mich nieder! Ich muß es schaffen! Vorwärtsrobben mit den Schultern – so – weiter – es muß gelingen – jetzt das eine Bein – das andere fällt auf den Boden – zur Seite legen – der Arm ist frei – ausruhen – nein – klopfen – lauter – mit mehr Kraft – Gott, hilf! – laß sie es hören! – ich – kann nicht mehr – Gott – wenn sie es – nicht hört – bitte – Gott – verzeih –

Langsam richtet der Arzt sich auf.

»Wir können das Atemgerät entfernen«, sagt er zur Schwester. »Sie atmet spontan, und der Kreislauf ist gut. « Dann wendet er sich um zu dem Mann, der am Fußende des Bettes steht. Die beiden sehen einander an. »Es stand auf des Messers Schneide. « Der andere nickte. Er tat es ohne Hoffnung vor einer für ihn zerbrochenen Welt. Sein Blick ging zu der Frau zurück, haftete an ihrem bleichen Gesicht, gramerfüllt, ratlos.

Plötzlich begann seine Miene sich zu verändern. Die Züge glätteten sich, die Augen blickten klarer. Sie zeigten etwas von der Stärke, die ihm sein Leben lang innegewohnt hatte.

Haben wir nicht immer einen Weg gefunden? schien er zu fragen.

Dann straffte sich seine Gestalt. Er wandte sich wieder dem Arzt zu, sah ihn an. Belebt von einer neugewonnenen Zuversicht reichte er ihm die Hand und sagte laut:

»Danke.« Weiter nichts.

Beim Klang der Stimme aber geht ein Vibrieren über das Gesicht der Frau, als hätte sie sie gestreift. Vielleicht ist es auch das Wort selbst, das sie berührte, obgleich es noch kein Gedanke zu werden vermag, der sagen könnte, wem es gilt, dem Arzt, dem Schicksal oder Gott.

Inhalt

Jetta Sachs

SOPHIE LA ROCHE

Jugendliebe Wielands und
erste Frau, die einen
deutschen Roman schrieb

Biographischer Roman
384 Seiten, Leinen mit
Schutzumschlag

Goethe nennt sie eine »Menschenseele«, ihre Zeitgenossen »das ganze Ideal von einem Frauenzimmer« – Sophie La Roche, 1731 geboren, berühmt geworden durch ihren Roman »Die Geschichte des Fräulein von Sternheim«, war vielen Geschlechtsgenossinnen Vorbild.

In ihrem biographischen Roman ist es Jetta Sachs meisterlich gelungen, den Werdegang Sophie La Roches als »federführende« Frau ihrer Zeit – sie stand mit der geistigen Elite des 18. Jahrhunderts in persönlicher Verbindung – lebendig und anschaulich zu schildern.

Zwei Ehebücher unserer mit dem Wilhelmine-Lübke-Preis ausgezeichneten Schweizer Autorin Maria Simmen

Maria Simmen

UND ABENDS GEH ICH NACH KATHAURA

Ehegeschichten

168 Seiten, Leinen mit Schutzumschlag

Kathaura – eine Zuflucht, wo völliges Verstehen möglich wird. Wir glauben zu lieben und zu verstehen und scheitern doch oft an den eigenen Wunschvorstellungen. Verstanden zu werden und den anderen zu verstehen, ist nur möglich, wenn man seine Idealbilder aufgibt und aus der Realität das Beste macht. Das ist die Quintessenz der drei Erzählungen von Maria Simmen, die mit ihrem Buch »Ich bin ganz gerne alt« großen Erfolg hatte.

Maria Simmen

WOHNT DIE TREUE IN DER MILCHSTRASSE?

Bericht aus einer Ehe

192 Seiten, gebunden

Ist Treue in der althergebrachten Form noch gültig? Maria Simmen versucht hier in Romanform, am Einzelfall einer Ehe, der Treue auf die Spur zu kommen, und will gleichzeitig den Leser dazu anregen, sein Verhältnis zum Treuebegriff zu überprüfen. Wie der Titel andeutet, bleibt der Begriff »Treue« offen und seine Auslegung dem Leser selbst überlassen. Das Schicksal der in der Erzählung handelnden Frau hat die Autorin selbst nicht erfahren, wohl aber in ähnlicher Weise an zahlreichen anderen.